KB195962

시그널
The Signal
2

김은희 대본집

시그널
The Signal 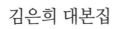 2

비단숲

작가의 말

2년이란 시간 동안, 16개의 대본을 쓰면서 가장 고민했던 건
이 안에 인물이 보이는가였습니다.
외롭고 힘든 시간이었지만, 그 고민을 함께 채워주셨던 분들
덕분에 시그널이란 결과가 나올 수 있었습니다.
마지막까지 함께 해주신 김원석 감독님과 우리 찬란한 배우
님들, 이름 하나하나 다 불러줘도 모자랄 스텝들, 든든한 지
원군이 돼 주신 tvN 관계자분들, 지치지 않고 옆에서 달려준
작가팀 세리, 윤희, 에이스토리 가족들 모두에게 깊은 감사
를 전하고 싶습니다.
아직 우리에겐 해결되지 않은 사건들이 있습니다.
20년 후에는 그 아픔들이 모두 치유될 수 있길 간절히 기도해
봅니다.
포기하지 않으면 희망은 있습니다.

- 김은희 -

배우의 말

딴따라라고 불리며 선비처럼 살라고 강요당하는 요즘, 모처럼 시대정신을
담아낸 작품에 참여하게 되어 딴따라임이 자랑스러웠던 시그널!!!

- 김계철 역/ 김원해 -

아끼고 아껴서 마음에 담았던 소중한 열여섯 권의 대본.
우리의 시간은 이렇게도 이어져 있네요.

- 차수현 역/ 김혜수 -

세월의 흐름속 에서 잊혔을 수도 있는 사건 사고의 피해자들과 유가족들의 아픔을
잊지 않고 '시그널'이라는 작품을 통해 세상 밖으로 꺼내주신 김은희 작가님께 진
심으로 감사드립니다.
우리의 마음을 뜨겁게 만들었던 '시그널'을 이젠 글로써 더 많은 이들과 함께 깊이
만나보길 희망합니다.

- 박해영 역/ 이제훈 -

그의 글은 야무지고 단단하다.
불면과 숙취의 심연에서 길어올린 그의 글, 책으로 엮여 또 다른 누군가를
위로할 수 있기를...

- 김범주 역/ 장현성 -

시그널...
비스듬히 기울어진 기왓장,
엄마를 기다리는 처마 밑 아이의 눈물,
오지 않을 엄마... 그 진실에 대한 첫걸음.

유년의 그 햇빛, 찬란하게 출렁이던 그 얼굴들.
자꾸만 울고 싶다는 이 나른함.
치열했던 현실이 이젠.. 눈물 나는 추억이 된...

"저... 죄송한데... 우리 전에 어디서 본 적 있지 않나요?..."

이제는 어른이 되어 버린 아이들....

- 안치수 역/ 정해균 -

작품을 새롭게 진행함은 언제나 설레고 벅찬 가슴일 것이다.
하지만 시그널이란 작품은 예외이지 않았나 싶다.
아픔을 알고서 준비해야 하는 맘이 있어서일 것이다.
그럼에도 불구하고 작품을 선택했던 이유는 이 문구 하나일 것이라 생각한다.
'20년이 지났는데 그래도 거긴 뭐라도 바뀌었겠죠 ?!!'
그러나 우리네 현실은 그러하지 못하지 않은가.
그래서 최소한의 외침은 그것도 내 입으로 내가 읊고 싶었다.
아픔이 있다. 버거운 현실도 있다. 그리고 우린 계속 외치고 있다.
그런 의미에서 시그널은 수많은 아픔을 상기하는 작품이 아니라 무겁고 힘든
세상의 한줄기 희망가라 생각한다.

- 이재한 역/ 조진웅 -

차례

등장인물

차수현
20대~30대(여) / 장기 미제 전담팀 형사

구구절절 말보다 눈빛 하나 동작 하나로 사람들을 제압하는, 현장
에 살고 현장에 죽는 15년 차 베테랑 형사.

박해영
20대~30대(남) / 장기 미제 전담팀 프로파일러

20대 후반, 경찰대를 졸업하고 경위 계급장까지 단 엘리트지만
세상에 대한 불신으로 똘똘 뭉쳐있다.

이재한
20대~30대(남) / 강력계 형사

잔머리 굴릴 줄 모르고, 한번 시작하면 무조건 직진인 우직한 형사.
그러나 정작 짝사랑하는 여자 앞에선 고개 한번 못 드는 무뚝뚝
한 상남자.

김범주
30대~50대(남) / 경찰청 수사국장

출세욕과 과시욕이 강하다.

안치수
30대~50대(남) / 서울지방경찰청 광역수사대 계장

실질적으로는 경찰청 수사국장 김범주와 '장기 말'이기도 하다.
과거, 시골 관할서의 형사였던 시절에 재한과 처음으로 만났다.

장영철
50대~60대(남) / 국회의원

대도 사건과 인주 여고생 사건에 연루된 국회의원이다.

김계철

40대(남) / 장기 미제 전담팀 형사
수현과 같은 진양서 강력계 출신 형사다.

정헌기

30대(남) / 장기 미제 전담팀 증거물 감식요원
외모만 보자면 영락없는 강력계 아저씨 형사지만, 겉모습을 배신하는 도도하고 섬세한 감성의 소유자.

황 의경

20대(남) / 광수대 사무실에서 업무지원으로 차출돼 나온 의경
우락부락 덩치 큰 형사들 사이에서 가냘픔(?)을 뽐내는 꽃돌이 청년이다.

오윤서

30대(여) / 국과수 법의학자
3m 앞에서 보면 도도, 시크, 섹시한 그녀. 그러나 30cm 옆에서 대화를 시작하면 바로 탄로 나는 참을 수 없는 가벼움.

박선우

10대(남) / 박해영의 형
알 수 없는 배후 세력에 의해 인주 여고생 사건의 용의자로 지목됨.

어린 해영

(남) / 박선우의 동생
형과 우애가 좋으며 어릴적 가정의 아픔을 겪는다.

용어정리

D (Day)	낮
인서트 (Insert)	특정 동작이나 상황을 강조하기 위해 삽입한 화면이다. 인서트를 삽입함으로써 상황이 명확해지고 전체 장면을 훨씬 더 생생하게 표현할 수 있다. 보통 클로즈업해 장면과 장면 사이에 끼워 넣는다.
몽타주	필름의 단편들을 조합하여 한편의 통일된 작품으로 엮어내는 편집작업의 총칭으로 따로따로 촬영한 장면을 적절하게 편집해 감정, 의지 또는 사상의 흐름을 나타내는 하나의 새로운 장면이나 내용으로 만드는 기법.
N (Night)	밤
오미트 (Omit)	대본 최종고에서 씬의 생략을 지시하는 용어.
씬 (Scene)	드라마를 구성하는 단위 중 하나. 같은 장소, 같은 시간 내에서 이루어지는 일련의 행동이나 대사가 한 씬을 구성한다.
틸다운 (Tilt down)	촬영기를 수직으로 위에서 아래로 움직이면서 촬영하는 기법.
틸업 (Tilt up)	촬영기를 수직으로 아래에서 위를 향하여 움직이면서 촬영하는 기법.
줌인 (Zoom In)	카메라가 렌즈를 써서 피사체를 확대 하는 기법.
퀵줌 (Quick Zoom)	줌인, 줌 아웃을 빠르게 하는 기법.

일러두기

1. 이 책의 편집은 김은희 작가의 대본 집필 형식을 존중하여 최대한 원본에 따랐습니다.
2. 드라마 대사는 구어체이므로, 한글 맞춤법과 다른 부분이라 해도 그 표현을 최대한 살렸습니다.
3. 말줄임표는 두 개, 세 개 등으로 다양하게 표현되어 있습니다. 이는 대사 시 호흡의 양을 다양하게 표현하고자 한 작가의 의도를 반영한 결과입니다.
4. 드라마에서 장면을 나타내는 'Scene'의 경우, 표준국어대사전에는 '신'으로 등록되어 있지만 대본집에서는 작가의 집필 형식과 현장에서 쓰이는 방식에 따라 '씬'으로 사용했습니다.
5. 쉼표, 마침표, 말줄임표 등과 같은 구두점과 대사의 행갈이 방식, 사투리 또한 작가의 의도를 반영하였습니다.
6. 이 책은 작가의 최종 대본으로, 방송되지 않은 부분이 포함되어 있습니다.

시그널 The Signal

9부

치수의 책상 서랍 안을 여는 해영, 그 안에 들어있는 무전기. 해영은 믿을 수 없다는 표정으로 천천히 무전기를 꺼내드는데 그제야 보이는 책상 위의 명패. '광역 1계장 안치수'

해영   이게 왜...

해영, 혼란스러운 표정으로 무전기 바라보고 있는데 카메라 빠지면 해영의 뒤에 서서 말없이 해영을 보고 있는 무표정한 얼굴의 치수가 있다.

치수   ...박해영

해영, 놀라서 반사적으로 돌아보면, 해영을 쳐다보는 치수의 차가운 눈빛.

해영   (당황스럽고 혼란스러운) 이걸... 왜 계장님이 갖고 계시죠? 이건...(하다 말문 막히는)

치수   (어두운 눈빛으로 보다가) 그게 뭐? 그게 네거라도 돼?

해영   (보다가) 이 무전기가 누구 건지 알고 계신 것처럼 말씀하시네요.

치수   알고 싶나? (무전기 보며) 그건, 이재한 형사 거였어.

해영, 놀라서 무전기를 바라보다가... 치수를 보는

해영   (믿기지 않는) 이게... 이재한 형사님 무전기였다고요?

치수   (보다가) 맞아. 이재한 형사가 부적처럼 끼고 다녔던 물건이야. 15년 전, 이재한 형사의 실종 사건을 수사하던 감사관실 직원들이 이재한 형사의 차가 발견된 주변 야산을 수색하다가 발견했지. 지금껏 증거물실에 보관돼 오다가 보관 기한이 지나서 폐기처분될 예정이었어. 그런데.. 그 무전기를 왜 네가 갖고 있었던 거지?

해영, 놀란 시선으로 무전기를 바라보다가... 멈칫해서 치수를 바라보며

해영   ...제가 이 무전기를 갖고 있었다는 걸 어떻게 아신 겁니까? 설마... 절 감시라도 하신 거예요?

치수   내 질문에나 대답해. 너, 이재한 형사와 무슨 관계야. 무슨 관곈데 이재한 형사 뒤를 캐고 다니는 거야?

해영   ...왜요? 제가 이재한 형사에 대해서 알고 싶어 하면 안 됩니까? 아니면 이재한 형사의 실종에 대해 제가 알면 안 되는 비밀이라도 있는 건가요?

차갑게 얼굴이 굳은 치수, 저벅저벅 다가간다. 해영의 바로 앞에 멈춰 서며 노려보는

치수   이재한 형사 실종사건엔... 비밀 같은 건 없어.

해영과 치수, 서로를 날카롭게 바라보는데... 문 열리는 소리와 함께 '아쉽네 삼겹살엔 소준데' '비상 끝나면 시원하게 한 잔하죠' 대화 들려 오며 들어서는 강 형사, 문 형사. 들어서다가 치수와 해영 보고 의아한 얼굴로 멈칫.

치수   다시 한 번 내 책상 건드리면 그냥 안 넘어간다.
해영   ...제 물건은 다시 가지고 가겠습니다.

해영, 뒤돌아 의아한 얼굴의 강 형사와 문 형사 옆을 스쳐 지나간다. 그런 뒷모습을 바라보는 치수의 눈빛, 차갑게 가라앉는다.

씬/1- 1   N, 해영의 옥탑방

책상에 앉아서 무전기를 가만히 내려다보고 있는 해영.

해영(소리)   이재한 형사님이 부적처럼 갖고 있던 무전기... 내가 발견했던 바로 그

날, 폐기처분 될 예정이었던 물건...

- 인서트
- 1부, 19~22씬, 탑차에서 울리기 시작하던 무전기의 잡음 소리와 '박해영 경위님, 나 이재한 형삽니다'라며 해영을 부르던 재한의 목소리.

- 다시 옥탑방으로 돌아오면
여전히 무전기를 바라보고 있는 해영의 눈빛.

해영(소리) 그때, 이 무전기가 내 손에 들어온 게... 정말 우연이었을까?

- 인서트
- 3부, 69씬, 시계를 바라보고 있는 해영. 11시 23분이 되면 울리는 시계.
- 5부, 79씬, 11시 23분으로 넘어가면 '치치칙' 무전기.

- 다시 옥탑방으로 돌아오면
여전히 무전기를 바라보고 있는 해영.

해영(소리) 왜... 11시 23분이지...? 왜... 왜... 하필 나였던 거야... 왜...

더욱 혼란스러운 눈빛이 되는 해영. 갈피를 잡지 못하겠는 듯 고민하다가... 멈칫...

치수(소리) 15년 전, 이재한 형사의 실종사건을 수사하던 감사관실 직원들이 이재한 형사의 차가 발견된 주변 야산을 수색하다가 발견했지.

해영, 무전기를 가만히 바라본다.

해영(소리) 이재한 형사님 실종사건... 그 안에 비밀이 숨겨져 있어... 왜 나인지... 왜 이 무전이 시작됐는지...

그런 해영의 눈빛에서

- 인서트
5부, 11씬, 청문 감사관실에서 해영이 보던 서류. '진양서 강력계 이재한 경사 실종사건 수사보고'라는 제목. 다급히 한 장 한 장을 넘기는 해영의 시선을 따라 퀵줌 되는 수사자료의 글씨들.
'2000년 8월 3일, 김윤정 유괴사건 수사 도중, 상관의 출동 지시 명령에 불복하고 잠적'
'2000년 8월 10일, 이재한 경사 실종사건, 청문감사관실로 인계'
'서울 동부지역 불법 장기 밀매 조직원 김성범 검거 및 취조 도중, 진양서 강력계 이재한 경사에게 정기적으로 상납금을 건넨 사실 진술'
'수사 도중 불법 장기밀매 사건 외 13건의 수사를 축소 은폐한 대가로 총 2억 천만 원의 현금을 착복한 증거 발견'
'청문감사관실의 수사를 감지한 이재한 경사 도주 의혹'
'본인 소유의 자동차가 13번 국도변에 버려진 채 발견'
'8월 3일 이후 핸드폰, 신용카드 사용이 확인되지 않음'
'용의자 소재불명' '시효 만료로 수사 종결'
그런 모습 위로

해영(소리) 이재한 형사님은 비리형사라는 누명을 쓰고 실종됐어. 이재한 형사님에게 누명을 씌우고 증거를 조작한 경찰 내부의 조력자...

- 9부 1씬, 광수대 사무실, 자기 자리로 돌아오던 해영, 천천히 뒤를 돌아 치수를 바라본다. 생각에 잠긴 치수.

해영(소리) 그 사람을 찾아내면... 이재한 형사님이 왜 어떻게 실종됐는지.. 밝혀낼 수 있어...

씬/3　　　　D, 나이트클럽 사무실

책상 위에 장부 두 개와 돈뭉치들을 꺼내놓고 돈을 세 가면서 뭔가를 기입하는 성범. 그때 똑똑 노크소리 들림과 동시에 웨이터 1이 들어온다.

웨이터 1   (책상 위에 편지봉투 내려놓고) 사장님 퀵 왔는데요.

편지봉투를 힐긋 보는 성범. 서류봉투 겉면에는 '안치수'라고 적혀있다.

성범   (치수 이름 확인하자 웨이터 보며) 나가봐.

웨이터 인사하고 나간 뒤, 편지 봉투 안을 뜯어보는데, 안에서 나오는 종이. '한성빌딩 뒤편 주차장. 4시. 핸드폰 사용하지 말 것. 이재한 사건 관련 지시사항 있음'

씬/4   **D, 빌딩 주차장**

지나다니는 사람 하나 없는 한적한 주차장. 성범, 주변을 살피며 은밀한 동작으로 주차장 안으로 들어선다. 안쪽으로 걸어 들어와 기둥 옆에 서서 주변을 두리번거리면서

성범
해영(소리)   (낮은 혼잣말) 죽은 듯이 있으랄 땐 언제고 또 사람을 오라 가라야 오라면 오고 가라면 가고 충성도가 꽤 높으시네요.

성범, 헉 놀라서 보면 기둥 뒤쪽에서 걸어 나오는 해영이다. 성범, 당황해서 보는데

해영   퀵 서비스 좋네. 옆으로도 안 새고 갈 사람한테 정확한 시간에 도착하고...
성범   (내심 당황하는) 무슨 말을 하는 거예요?
해영   (보다가)... 안치수 계장이었어요? 이재한 형사를 비리형사로 만든 게?
성범   (눈빛 굳어 보다가)... 안치수가 누굽니까? 난 모르는 사람이에요.
해영   물론 안치수 계장 혼자서 이런 일을 벌이진 않았겠죠. 너무 사이즈가

크거든. 뒤에 누가 있는 겁니까?

성범 (눈빛 험악해지는) 난 모르는 일이라고. 그렇게 조사하고 싶으면 영장 받아서 오시던가.

성범, 뒤돌아서서 빠르게 멀어지고... 그런 성범의 뒷모습을 바라보는 해영의 모습에서

씬/5   D, 과거, 거리 일각

97년 리어카에서 흘러나오는 유행가. 접속, 넘버3 등 당시 개봉했던 영화 포스터들이 붙어있는 벽면에서 빠지면 97년의 번화가 거리다.

* 자막 - 1997년 12월 1일

거리 한편에 몸을 숨기고 서서 길 건너편 어딘가를 바라보고 있는 97년의 재한과 6부 75씬의 망원이다.

망원 (길 건너편을 눈짓하며) 쟤가 말씀하신 김성범이에요.

보면 똘마니 두 명 정도와 함께 길을 걷고 있는 97년의 성범이다.

망원 재작년에 피라미드 사기로 몇 십억을 땡겨 먹었다는 소문이 파다해요.

성범과 똘마니들 길거리에 세워져 있는 차를 향해 걸어오다가 들고 온 가방을 트렁크 문을 열고 넣는데, 트렁크 안에 쌓여져 있는 사과박스들이 보이고... 그런 사과박스를 유심히 보는 재한.

망원 그런데 쟤는 왜요?
재한 알려고 하지 마라. 다친다.

씬/6   D, 과거, 차 안

정차된 차 안에서 수사자료를 살펴보고 있는 재한. '강연동 피라미드 사건' '용의자 : 김성범' 몇 장 넘겨 마지막 장을 보면 '증거 부족으로 사건 종결' 보다가 수사자료 다시 덮으면 가장 앞장 '강연동 피라미드 사건' '담당 형사 : 강연서 강력팀장 김범주'다.

재한   ...20억이 넘는 사기에 증거 부족?... 김범주 이 새끼 통 한번 크네.

씬/7   D, 과거, 형기대 건물 로비

크리스마스 트리가 반짝이고 있는 형기대 건물 로비로 들어서는 재한. 트리에 장식물들을 달고 있던 수현, 그런 재한을 발견하고 부다다 다가와

수현   어디 다녀오십니까?
재한   알아서 뭐 할 건데?

수현, 퉁명스럽게 툭 던지곤 걸어가는 재한 보다가, 다시 따라잡아 함께 걸으며

수현   선배님, 크리스마스 때 뭐 하십니까? (영화표 두 장 내밀며) 공짜 영화 표가 생겨서 말입니다. 친구 분하고 같이 보러 가시라고...
재한   (얼굴 보일 듯 말 듯 굳어서 멈춰 선다)
수현   (그런 재한의 모습에 의아한) 그게... 그동안 많이 가르쳐 주셔서 감사의 의미로 드리는 건데...
재한   나 영화 안 봐.
수현   예?
재한   안 본다고

재한, 휙 수현 스쳐서 지나가 버리고... 혼자 남은 수현, 내가 또 뭘 잘못

22

한 건가... 기운이 빠지는...

씬/8   D, 과거, 형기대 사무실

'1997년 12월 1일~12월 31일 유흥업소 불법 시간외 영업 집중 단속 기간' 이라고 적힌 칠판 앞에서 팀원들을 모아놓고 얘기 중인 범주.

범주   다들 하달 받은 대로 오늘부터 시간 외 영업 집중 단속기간이다. 형기대도 관할서와 함께 단속에 투입될 예정이니까, 상시 대기하도록. 질문 있나?

다들, 조용한데... 천천히 올라오는 손. 재한이다.

재한   안 그래도 어수선한 연말연시에 상부지침 따라서 건수 올리는 것도 중요하실 텐데요. 그래도 대한민국 형기대면, 민생치안에 충실해야 되는 거 아닙니까?

재한, 옆, 정제 책상 위에 놓인 퍽치기범 사진 들어 올리며

재한   이런 거 좋네. 강남 여섯 건, 강서 다섯 건, 도합 열한 건, 해쳐먹은 퍽치기범. 뭐 뒷돈 들어올만한 큰 사건은 아니지만, IMF 때문에 시름에 빠진 서민들 등골 빼먹는 이런 놈 잡아 처넣어야 되지 않겠습니까?

범주, 천천히 다가와 재한 앞에 와서 선다. 주변 정제를 비롯한 형사들, 또 시작이다 긴장한 시선으로 보고 멀리서 보고 있던 수현 역시 긴장한 시선으로 보는

범주   그렇게 잡고 싶어? 그 퍽치기 범이?
재한   그렇다면요?
범주   (조인트 까버리는)
재한   (아... 아픔에 부여잡다가 그 통에 사진 바닥에 떨어지고... 순간, 싱질

23

(욱해서 보는데)

범주	눈 깔아. 나 네 상관이야.
재한	(떨리는 눈빛으로 보는)
범주	그렇게 잡고 싶으면 잡아. 낮에만. 밤에 현장에 안 나오면 지시 불이행으로 건의 들어간다. 좀 피곤하겠지만 뭐 그래도 괜찮겠지?
재한	(이 갈 듯이) 당연하죠.
범주	(차가운 미소) 바쁘시겠어. 밤낮으로 일도 하고... 남 뒷조사도 하고... (돌아서서 주변 둘러보며) 이만 해산.

범주 나가고 형사들 휴... 한숨 쉬며 나가고... 정제 걱정되는 얼굴로

정제	고분고분 좀 살자. 말만 잘 들으면 편하게 해주잖아. 집에도 잘 보내주고
재한	넌 그렇게 살아. 난 그렇게 못 사니까.
정제	아 진짜... 그 퍽치기범, 나중에 나랑 같이 해.
재한	됐어. 내가 잡고 만다. 나 지고는 못 사는 놈이야.

그런 재한을 옆에서 안타까운 시선으로 보던 수현. 바닥에 떨어진 퍽치기범의 사진들을 주워들며 뚫어지게 보는

수현	근데... 얼굴이... 보이십니까? 전 안 보이는데... 이걸로 어떻게 잡으시려고요?
재한	강력계 형사가 얼굴로 잡냐? 근성으로 잡지.

씬/9   과거, 몽타주

– 낮, 요란한 용접 소리를 내면서 오토바이 튜닝 작업이 한창인 카센터, 카센터 한쪽에 서서 직원과 대화중인 재한. 검은색 오토바이, 검은색 헬멧을 쓴 퍽치기범의 CCTV 사진을 보여주며

재한	기종이 야마하 비라고 750. 최근에 이 기종으로 수리 들어오거나 리폼

들어왔던 거 없었어요?

    - 낮, 다른 오토바이 가게를 찾아가서 탐문 중인 재한.
    - 낮, 형기대 사무실. 의자에 앉아 졸고 있는 재한. 수현, 그런 재한 안
쓰럽게 보다가, 퍽치기 범의 사진들을 내려다본다.
    - 낮, 수현 책상에 앉아서도 뚫어지게 퍽치기 범의 사진을 바라본다.
    - 또 다른 날 낮, 책상에 앉아 빵과 우유를 먹고 있는 수현. 컴퓨터로
수사 자료를 작성 중인데 책상 곳곳에 붙어있는 퍽치기범의 사진들.
    - 새벽, 여자 숙직실. 밤새 시간 외 영업 단속 뛰고 온 듯, 피곤한 얼굴
로 들어서는 수현. 숙직실 한편에 붙여놓은 퍽치기범의 사진을 본다.
    - 이불에 눕는 수현, 사진을 보다가

수현   ...꿈에서 보자

씬/10   N, 과거, 거리 일각

'시간 외 영업은 불법입니다' 어깨띠 두른 근무복 차림의 수현과 재한,
정제, 단속을 나온 듯, 유흥가에 나와 있다. 재한과 정제는 문이 열린
호프집 앞에서 사장과 '일 년 중에 대목인데, 하필 이때 이러면 어떡해
요' 실랑이 중이고 그 뒤에 말없이 서 있는 수현, 그러다가 저만치 앞
건널목에서 신호를 기다리고 있는 오토바이 男을 발견한다. 어쩐지 체
형이 낯이 익은 듯 더 자세히 눈여겨보는 수현.

수현   저 사람...

그러다가 순간, 수현의 머릿속에 떠오른 사진 속 퍽치기범의 모습과 오
토바이 男의 자세와 체형이 정확히 겹쳐 보인다.

수현   저... 저..!!! (손으로 오토바이 男 가리키며) 저 사람! 퍼퍼퍽치기!
재한   (두리번대며) 뭐? 어디?!

수현, 냅다 뛰기 시작한다. 재한, 뭐 저딴 게... 하고 보는

재한   저거 바보 아냐? 바이크가 틀리잖아... 어어!

녹색 신호로 바뀌고 오토바이 男이 움직이기 시작하는데, 그 오토바이
를 향해 그대로 돌진하는 수현. 마치 오토바이에 금방 치일듯 싶은...
어어... 놀라는 재한의 시선. 허공으로 나르는 듯한 수현의 모습에서...

씬/11   **N, 과거, 형기대 사무실**

산발한 머리, 코피가 터진 듯, 코에 휴지 박아 넣은 처참한 몰골의 수현
의 얼굴에서 화면 빠지면, 기가 막힌 얼굴로 수현을 바라보고 있는 정
제를 비롯한 형사들이다. 재한은 저 뒤쪽에 팔짱 끼고 서서보고 있고

재한   (기가 막힌) 너... 진짜 미쳤어?
정제   그러니까 말이다. 그 사람이 진짜... 범인이어서 얼마나 다행이야. 자,
우리 막내한테 박수 한번 쳐주자.

형사들, 기가 막힌 얼굴로 박수 쳐주는, 재한은 여전히 뚱하니 보고 있
는 그제야 배시시 해맑게 미소 짓는 수현.

정제   그런데, 어떻게 알아본 거냐. 하이바 땜에 얼굴도 몰랐는데..
수현   ...(배시시 웃으며) 꿈에서... 봤습니다.

형사들, 허걱... 보는...

재한   그봐, 저거 개또라이 라니까...

하고는 나가버리고...

| 정제 | (나가는 재한 보며) 저건 범인 잡은 애한테 왜 저래? |

수현, 역시 기운이 빠지는 듯 미소가 사라진 얼굴로 재한의 뒷모습을 본다.

씬/12   D, 현재, 광수대 건물 복도 일각

전씬의 수현의 얼굴에서 복도 한편에서 해영과 대화중인 현재의 수현
으로 오버랩되는 화면, 수현 무표정한 얼굴로 해영을 가만히 바라보다가

수현	이재한 선배는 왜?
해영	그 분 덕분에 단서도 찾고 한세규도 잡았잖아요. 감사하니까 이것저것 알고 싶어서요... 진양서에 안치수 계장님이랑 같이 있었다던데... 두 분이 친한 사이였나요?
수현	그러고 보니까... 이상하네.
해영	(보는)
수현	...김윤정 사건... 경기남부 사건, 한세규 사건. 네가 관심을 보이는 사건들은 왜 하나같이 이재한 선배님과 관련 있는 사건들이지?

해영, 순간 말문 막히고, 수현은 그런 해영을 꿰뚫듯 바라본다.

해영	(당황한 기색을 감추며) 그랬... 어요? 난 몰랐는데...
수현	(그런 해영 보다가)... 선배님이랑 안치수 계장님 사이가 어땠는지는 잘 몰라. 이재한 선배님이 인주시에서 벌어진 사건 때문에 차출됐을 때, 두 분이 처음 만났다고 들었어.
해영	(얼굴 삽시간에 굳는) 인주시요?...
수현	왜? 아는데야?
해영	...고향입니다.
수현	(해영을 보며) 그럼 그 사건 들어봤겠네. 1999년 여고생 집단 성폭행 사건.
해영	...(성폭행 사건 얘기가 나오자 얼굴 더욱 굳는다) 그 사건을... 그 형사님이 수사하셨다고요?

수현	맞아. 선배님도 수사팀 중 한 명이었어.
해영	(떨려오는 눈빛)
수현	왜 그래?
해영	...아무것도 아닙니다. 대답해 주셔서 감사합니다.

해영, 굳은 얼굴로 돌아서서 멀어진다. 그런 해영의 뒷모습을 바라보는 수현의 얼굴 위로

친구(소리)	박해영 형 박선우는 전과자였어.

씬/13   D, 경찰청 내 휴게실/수현의 회상

'정보과' 신분증을 가슴에 달고 있는 동료 경찰과 마주 앉아서 얘기 중인 수현.

수현	(뜻밖인) 무슨 범죄였는데?
친구	인주 여고생 사건 들어봤어? 여고생 하나가 집단으로 성폭행 당했던 사건 말이야. 박선우가 그때 처벌받은 주범 중에 하나였어. 소년원에서 몇 달 살다 나왔다. 경찰대 면접 볼 때도 문제가 될 수 있었는데, 당시 심사위원들 성향이 어렵게 자란 학생에게 기회를 주자는 쪽이어서 합격이 됐나 봐.
수현	...그 형은? 지금도 인주에 살아?
친구	...아니.
수현	(보면)
친구	소년원 출소하고 얼마 안 돼서 바로 자살했어.

수현, 놀라서 얼굴이 굳는...

씬/14   D, 장기미제 전담팀

28

다들 일을 보러 간 듯, 텅 빈 사무실에서 혼자 멍하니 앉아있는 해영. 수현에게 들은 얘기 때문에 혼란스러운 듯 생각에 잠겨 있는데.. 울리는 내선 전화.

해영   (받는) 장기미제 전담팀입니다.
수현 母(소리)   (다급한) 차수현 형사 있어요? 핸드폰도 안 받던데...
해영   아뇨. 지금 외출 중이신데...
수현 母(소리)   (당황한 목소리로) 여기 집인데요. 아무래도 도둑이 든 것 같아요!
해영   (놀라서 벌떡 일어서는) 예?

씬/15   **D, 수현의 집/거실/주방/수현의 방**

문 열리면 다급히 들어서는 해영. 당황한 얼굴로 그런 해영을 맞는 수현 母.

해영   (수현 母에게 다급히) 괜찮으세요?
수현 母   저기... 그게...

해영, 집안으로 들어서서 빠르게 여기저기 둘러보는데, 열려진 거실 서랍장, 커튼 봉 떨어져 있고... 문 열린 수현 방 역시 책장 엎어져 있고 난리다.

해영   (둘러보며) 112는요? 연락했어요?
수현 母   저기요... 그게... 죄송해서... 어쩌나...

그때, 수현 방에서 총 들고 뛰어나오는 조카들, 해영과 정면충돌하고

수현 母   (찢어지는) 애들이 진짜, 그렇게 혼나고 정신을 못 차렸어.

해영, 이게 뭔 상황인가 싶은데

- 시간 경과되면

난리 통 거실에 마주 앉아 있는 해영과 수현 母.

수현 母   (멋쩍고 미안한) 도둑인 줄 알았는데... 알고 보니까... 쟤들이... 이렇게...

해영   (황당한 표정으로) 그래도... 다행이네요. 도둑이 아닌 게...

수현 母   미안해서 어떡해요. (하다가) 근데... 참 다시 봐도 잘 생겼네.

해영   예? 아... 감사합니다. (쑥스럽고 할 말도 없고 일어서며) 그럼, 전 이만...

수현 母   (일어나며) 이렇게 오셨는데, 뭐라도 한잔 드시고 가셔야 (순간 허리 삐끗한 듯 허리잡고) 아...

해영   (놀라서) 괜찮으세요?

수현 母   괜찮아요. 신경 쓰지 마세... (하다가 다시 아픈 듯) 아...

해영   (부축하며) 일단 저쪽으로 앉으세요.

수현 母   앉긴요. (주변 보며) 여기도 빨리 치워야 되는데...

하다가, 수현 母 더 크게 아... 해영, 어찌할 바를 모르는데...

– 시간 경과되면
해영, 거실 여기저기를 치우고 있고, 뒤쪽 소파에 반쯤 누워있는 수현 母.

수현 母   아니, 그건 그쪽 아니고 저쪽 위에 올려놓으면 돼요. 근데, 진짜 몇 살이에요?

해영   예? 어... 스물 일곱입니다.

수현 母   어머, 딱이네. (하다가) 맞다. 오신 김에 부탁 좀 더 해도 되죠?

– 20kg 쌀 포대를 쌀통에 붓고 있는 해영. 겉옷은 벗어던졌다. 그 모습을 옆에서 지켜보는 수현 母.

수현 母   집에 남자가 없어서... 수민이 남편은 지방 발령 갔거든요.

해영   예...

– 거실, 큰 화분을 옮기고 있는 해영.

수현 母	근데, 우리 수현이가 좀 동안이죠? 걔가 좀 날 닮았어.
해영	(힘들다 정신없는) 아... 예.

– 수현 방, 의자 위에 올라서서 전구를 갈고 있는 해영.

수현 母	우리 수현이가 내년부터는 연금도 나오는데...
해영	(눈에 먼지 들어가고 정신없다) 이제 불 한번 켜보세요.

수현 母, 달칵 불 켜면 불이 들어온다.

수현 母	됐네요. (하다 해영 보며) 아우, 땀봐. 음료수 한 잔 하시고 하세요.

해영, 말릴 새도 없이 수현 母 방을 나가고... 해영, 의자에서 내려서는
데 역시 엉망인 수현방 바닥 여기저기에 물건들이 나뒹굴고 있는데...
해영의 시선에 들어오는 겉표지가 낡고 헤진 작은 수첩이다. 들어 올려
서 보면 '진양서 이재한'이라고 적혀 있다. 수첩 년도 보면 2000년 수
첩이다. 파락파락 장을 넘기면 진양서에서 윤정이 사건까지 재한이 담
당했던 소매치기, 절도 등의 사건들이 두서없이 적혀 있는데, 빠르게
넘겨보던 해영, 마지막 장 표지에 도착하는데, 표지에 꽂혀 있는 빛바
랜 메모지를 발견한다. 메모지 내용을 확인하는 해영, 얼굴빛 굳고...
그때, 음료수 들고 나온 듯한 수현 母의 소리 '이거 드세요' 해영, 자기
도 모르게 메모지를 주머니에 넣는다.

씬/16   N, 현재, 해영의 옥탑방

책상에 앉아서 빛바랜 메모지를 내려다보고 있는 해영. 그제야 보이는
메모지의 내용.
'1989년 경기 남부 사건'
'1995년 대도 사건(진양 신도시 개발 비리 사건)'
'1997년 홍원동 사건' '1999년 인주 여고생 사건'

메모지를 가만히 바라보는 해영. 메모지 속에 적힌 '경기 남부 사건' 클로즈업. 그 위로,

해영(소리)   경기 남부...

– 인서트
2부 57씬~58씬

재한
해영   현재 실종 장소로 추정되는 3번 국도를 따라 실종자 이계숙, 수색 중입니다.
이계숙... 오성산이요? 경기남부 연쇄살인사건 말씀하시는 겁니까?

– 옥탑방으로 돌아와서, 메모지 속에 적힌 '대도 사건' 클로즈업. 그 위로,

해영(소리)   대도...

– 인서트
5부 45씬

재한   1995년에 일어난 대도 사건 범인, 어떤 새끼예요?

– 옥탑방으로 돌아와서,

해영   모두 이재한 형사와 내가 함께 엮였던 사건들이야...

메모지 속의 '1997년 홍원동 사건' '1999년 인주 여고생 사건' 을 바라보는 해영.

씬/17   **N, 과거, 홍원동 거리 일각**

어두운 건물 옆 쌓여있는 검은 쓰레기봉투들 위를 비추면 벽면에 붙어

32

있는 경고 문구.

'쓰레기 무단 투기 금지 안내.
쓰레기는 지정된 장소에 배출하여야 하며 무단투기 행위 적발 시 소정의 과태료가 부과됩니다. (폐기물 관리법 제63조 1항)

홍원1동 사무소장'

문구에서 빠지면 다세대 빌라들이 다닥다닥 붙어있는 어둠에 휩싸인 홍원동 거리. 한편에 하나의 점처럼 환하게 불이 밝혀진 편의점.

씬/18   N, 과거, 편의점 안

편의점 한구석, 휴지통 근처 간이 테이블에 서서, 생수통을 앞에 놓고 삼각김밥을 조용조용히 먹고 있는 상미(여, 20대 후반). 귀에는 이어폰을 꽂은 채 소리도 내지 않고 조용조용히 삼각김밥을 먹고 있는 상미의 손가락에는 싸구려 은반지가 눈에 띄고... 상미, 보일 듯 말 듯 살짝 카운터 쪽을 바라보는데, 상미를 가만히 바라보고 있는 편의점 직원 진우(남, 20대 초반)와 시선 마주친다. 화들짝 놀라 다시 시선 돌리다가 다시 진우 보면, 여전히 상미를 바라보고 있는 진우. 상미, 순간 사레 걸리고 생수통 뚜껑을 따려는데, 잘 안 따진다. 그때, 옆에서 들어오는 손, 어느새 다가온 진우다. 생수통을 간단히 따서 상미의 앞에 놔주며

진우   천천히 드세요.

하고는 창고 쪽으로 멀어진다. 상미, 그런 진우의 뒷모습을 살짝 보는데, 얼굴에 상기된 엷은 미소가 배어있다.

씬/19   N, 과거, 홍원동 거리 일각

지나다니는 사람 없는 한적한 거리 일각. 이어폰을 꽂고 고개를 푹 숙

인 채 길을 걷던 상미. 주머니에서 CD 플레이어를 꺼내서 다음 곡으로 넘기는데, 순간 고개를 들면 맞은편에서 오던 누군가와 부딪친다. 상미, 보면 부딪친 사람, 바로 진우다. 상미, 알아보고 고개 꾸벅. 가슴이 두근거리는 듯, 빠르게 걸어서 멀어지는데, 뒤쪽에서 들려오는 진우의 목소리. 이어폰 때문에 잘 안 들린다. 이어폰을 뽑고 뒤돌아보는 상미.

상미	네?
진우	나 좀... 도와줄래요?

씬/20   N, 과거, 홍원동 또 다른 거리 일각

뛰듯이 걷고 있는 진우의 뒤를 숨이 턱까지 차서 쫓아오고 있는 상미.

상미	(연신 주변을 두리번거리며) 어떤 색인데요? 많이 다쳤어요?
진우	(그 어떤 감정도 느껴지지 않는) 하얀색이요.
상미	(안타까운) 빨리 찾아야 될 텐데...

하는데, 저쪽에서 들려오는 낑낑거리는 소리를 듣고 뛰어가면 어두운 공터에 낑낑거리고 있는 하얀 개가 묶여져 있다.

상미	저 개 아니에요?

상미, 안타까운 맘에 다급히 개한테 뛰어 다가가 무릎을 꿇고 살펴보며 '괜찮아?' 하는데, 뒤쪽에서 천천히 다가서는 진우의 그림자에 개는 더욱 겁에 질린 듯 낑낑거리는데...

상미	(개 안심시키려는 듯 쓰다듬으며) 그런데 어쩌다 이런 거예요?
진우	...내가 그랬어요.

상미, 이게 무슨 소리지? 뒤돌아보려는데 순간, 상미의 얼굴에 검은

34

비닐봉지를 씌우고, 입을 막는 진우.

씬/21　　　　**N, 과거, 진우의 집/화장실**

얼굴에 검은색 비닐봉지가 씌워진 상미. 모로 누운 자세, 손이 뒤로 묶여있어서 제대로 움직일 수 없다. 오래된 듯, 낮은 조도의 백열등. 화면 빠지면 반 지하방에 딸린 화장실이다. 낡았지만, 깨끗해 보이는 타일들. 바닥에는 쌀 포대 두어 개와 노끈들이 놓여 있다. 점점 가빠지는 호흡과 극심한 공포감에 흐느끼며 애원하는 상미.

상미　　　　(입에 재갈이 물린 듯, 불확실한 발음) 살려주세요... 살려주세요...

그리고 그런 상미를 옆에 앉아서 바라보고 있는 진우. 연민에 찬 눈빛이다.

진우　　　　...사는 게 힘들지?
상미　　　　(눈물이 터지는)
진우　　　　(담담한) 소리 내면 안 되지...

상미, 더욱 오열하는데... 그런 상미를 가만히 바라보는 진우의 눈빛 서서히 어두워진다.

진우　　　　내가 도와줄게...

천천히 상미의 목을 향해 다가가는 진우의 손.

씬/22　　　　**N, 과거, 홍원동 상가 건물 뒤편**

많은 사람들이 오고 가는 대로변 너머, 상가 뒤쪽 으슥한 골목길. 쓰레기와 재활용품 따위를 버리는 곳. 그곳을 기웃거리는 노숙자. 대충 접힌 채로 버려진 담요를 뒤적이는데, 담요를 펴보고는 제법 쓸 만한 상

태에 땡잡았다 기분 좋아지는. 그때, 담요 뒤쪽에 놓여있는 쌀 포대가
눈에 띈다. 노끈으로 단단하게 묶인 제법 무게가 나가 보이는 쌀 포대.
노숙자, 이게 뭔가 하고 보는데, 쌀 포대 사이로 보이는 사람의 손. 손
에 끼워진 상미의 싸구려 은반지. 놀라서 '으아악' 뒤로 넘어지는... 그
런 모습 위로 들려오기 시작하는 무전기의 '치치칙' '치치칙'하는 잡음
소리.

씬/23   **N, 현재, 해영의 옥탑방**

메모지를 바라보고 있던 해영, 무전기 소리가 들려오자, 가방을 뒤지기
시작한다.

씬/24   **N, 과거, 거리 일각**

시간 외 영업 단속 중인 듯, 정제, 경찰들과 함께 유흥가를 걷고 있는 재
한. 그때, 들려오는 무전기 치칙 잡음 소리. 경찰들과 정제, 자기 무전긴
가? 보는... 재한도 자기 무전기 보는데, 아니다. 재한, 뭔가 감이 오는...

재한   (정제에게) 나 잠깐 화장실 좀.

빠르게 사람이 없는 골목 쪽으로 뛰어 들어가서 안주머니에서 해영과
무전을 주고받는 낡은 무전기를 꺼내보면, 무전기에 불빛이 들어오고
주파수가 흔들리고 있고 무전기 너머에서 해영의 목소리가 들려온다.

해영(소리)   이재한 형사님? 나 박해영입니다.
재한   나에요. 이재한. 그동안 또 왜 연락이 안 됐어요? 난 진짜 무전기 내다
버렸나 했네.

씬/25   **N, 현재, 해영의 옥탑방**

| 해영 | 그동안 무전기가 울린 적 있나요? 나 말고 다른 사람이랑 무전한 적 있어요? |

씬/26   **N, 과거, 골목 일각**

의아한 얼굴의 재한.

| 재한 | 몇 번 울리긴 했는데, 아무도 대답이 없었어요. 왜요? 무슨 일 있었어요? |

씬/27   **N, 현재, 해영의 옥탑방**

해영, 들고 있던 메모지를 바라본다.

| 해영 | 거기... 몇 년도죠? 아직 1995년인가요? |
| 재한(소리) | 1997년이에요. 2년이나 지났습니다. |

'인주 여고생 사건' 글씨에 시선이 향하는 해영의 눈빛 위로

| 해영(소리) | 97년이면 인주 사건이 일어나기 2년 전. 이재한 형사는 아직 안치수 계장을 모른다... 인주에서 무슨 일이 벌어졌는지도... |

해영, 생각에 잠겨있는데, 무전기 너머에서 들려오는 목소리.

재한(소리)	거기는요? 몇 년돕니까?
해영	...아직 2015년입니다.
재한(소리)	뭐야. 아직도 그대로에요?

하다가 '1997년, 홍원동 사건'이란 글귀로 옮겨지는 해영의 눈빛.

| 해영 | 1997년이면, 홍원동 사건을 수사 중인 건가요? |

씬/28　　　　**N, 과거, 골목길 일각**

재한　　　　(멈칫하는) 홍원동이요? 홍원동에서 사건이 일어나는 겁니까? 무슨 사건인데요?

씬/29　　　　**N, 현재, 해영의 옥탑방**

해영, 컴퓨터 화면 바라보면 검색창에 '1997년 홍원동 사건'이라고 쳐져 있지만, 검색 결과는 아무것도 나와 있지 않은 상태다.

해영　　　　나도 모릅니다. 인터넷에 쳐봤지만, 기사 한 줄 없어요. 프로파일링 공부를 할 때, 여러 사건들을 조사해봤지만, 그때도 들어본 적이 없어요.

재한(소리)　불안하게 왜 그래요? 경위님 무전이 오면 아주 겁부터 나네. 그것도 미제가 되는 거 아냐?

해영　　　　확실한 건 모르겠지만... 그때 홍원동에서 무슨 사건이 벌어진다는 건 확실해요... 형사님 수첩에 그렇게 적혀 있었어요.

씬/30　　　　**N, 과거, 골목길 일각**

재한, 멈칫하는...

재한　　　　내 수첩...에요? 뭐라고 적혀 있었는데요?

해영(소리)　형사님 수첩, 뒤쪽에 메모지가 꽂혀 있었습니다.

씬/31　　　　**N, 현재, 해영의 옥탑방**

메모지를 바라보며 얘기하는 해영

해영　　　　거기에 1989년 경기남부 사건, 1995년 대도 사건, 1997년 홍원동 사건... 그리고 1999년 인주 여고생 사건이 적혀 있었어요.

씬/32   N, 과거, 골목길 일각

재한, 놀라서 멈칫하는...

재한   그렇게.. 적혀 있다고요? 확실해요?

하지만, 대답이 없다. 무전기를 내려다보면, 어느새 꺼져 있는 무전기. 재한, 불안한 시선으로 무전기를 보다가.. 다른 주머니에서 자신의 형사 수첩을 꺼내든다. 진양서 수첩이 아닌, 형기대 수첩. 천천히 수첩의 마지막 표지쪽을 펼친다. 마지막 표지 사이에 자신이 끼워놓은 메모지를 꺼내들고 펼쳐보는... '1989년 경기남부 사건' '1995년 대도 사건(진양신도시 개발비리 사건)' 까지만 적혀 있다. (똑같은 메모진데, 뒤에 두 사건을 더 적어놓은 느낌으로 생각했습니다) 그 메모지를 바라보는 재한의 시선, 불안감이 감돈다.

씬/33   D, 과거, 홍원서 전경

씬/34   D, 과거, 홍원서 로비

홍원서 로비로 들어서는 재한. 강력계 사무실로 향하는 듯 들어서다가 저 앞에서 동료인 듯한 형사 1과 대화하며 걸어오고 있는 정 형사(40대, 남)를 알아보고 손짓한다.

재한   형님!
정 형사   (재한 알아보는)

씬/35   D, 과거, 홍원서 일각

홍원서 휴게 공간. 간이의자에 앉아 자판기 커피 마시며 이야기 중인 재한과 정 형사.

정 형사	뭘 또 캐내려고 기웃거리는데?
재한	내가 심마니야? 뭘 캐 캐기는. 그냥 지나다가 얼굴 보러 왔다니까
정 형사	어이구, 퍽이나.

그때, 복도를 지나가는 유가족들과 형사들 보이고.

재한	근데 뭐 이렇게 어수선해... 사건 났어?
정 형사	이거 봐
재한	아 됐어. 안 궁금해... (하다가 슬쩍)... 뭐... 큰 건가?
정 형사	여자가 하나 죽었는데 좀 특이하긴 하지
재한	뭐가 특이한데?

재한, 정 형사가 한 손에 들고 있던 수사 자료 덥석 집어 드는,

재한	현장 사진 좀 보자.
정 형사	에헤! 야!

벌써 자료 읽기 시작하는 재한. 현장 사진 보며 표정 굳는다. 상미의 발견 현장과 전혀 다른 야외주차장에서 발견된 주인희 시신 발견 현장 사진들. 돗자리에 온몸이 쌓여지고 노끈으로 묶여진 시신이다.

– 다시 홍원서 휴게실로 돌아오면 주인희의 사진을 굳은 눈빛으로 보고 있는 재한.

정 형사	개 잡놈의 새끼... 죽은 사람 머리에 봉지는 왜 씌워놔
재한	피해자는?
정 형사	여기 주변에 살던 여자야. 37세. 주부 주인희.
재한	용의자는 특정했어?
정 형사	일단 보험 문제도 좀 있고. 가족들 족쳐보고 있지.

사진 속 돗자리와 비닐봉지가 씌워진 주인희의 사진을 가만히 바라보는데...

형사 1(소리)   선배님!

재한과 정 형사 보면, 강력계 사무실 앞에 환경미화원(60대, 남)과 함께 서 있는 형사 1.

형사 1   최초 발견자 진술요.

정 형사, 재한에게서 수사자료 뺏고 일어나는.

정 형사   고만 봐라. 사진 닳겠다.

재한, 형사 1과 함께 들어가는 환경미화원을 본다.

씬/36   **D, 홍원서 건물 입구**

조사가 끝난 듯, 건물을 빠져나오는 환경미화원. 그 옆에 자연스럽게 서는 남자, 재한이다.

재한   잠깐 시간 괜찮으세요?

씬/37   **D, 과거, 다방**

환경미화원과 대화중인 재한

환경미화원   처음엔 누가 마네킹을 싸서 버렸나 했지 그게 사람인 줄 어떻게 알았겠어. 내가 지금도 그때만 생각하면 가슴이 벌렁거려요.

재한   아저씨 말고 다른 목격자는 없었어요?

환경미화원	그것까진 모르겠네. 놀라서 정신이 하나도 없었거든. (하다가) 근데 이 거 그거 흉내 낸 거 맞죠?
재한	(보면)
환경미화원	왜 그 저번에 옆 동네서 여자 죽은 사건.
재한	(멈칫해서) 그게 무슨 소립니까?
환경미화원	몇 달 전에 길 건너 동네에서 머리에 봉다리 씌워갖고 죽은 여자가 있었대요. 거기서 일하던 동료가 직접 봤다 그러던데...

재한의 눈빛 서서히 불안감으로 굳어진다.

씬/38   D, 과거, 형기대 건물 밖 주차장

아침, 출근하는 듯, 차를 세우고 건물 쪽으로 걸어오는 범주. 그때, 건물 앞 에서 범주를 기다리고 있던 듯한 재한이 사진들을 들고 빠르게 다가온다.

재한	드릴 말씀이 있습니다.
범주	(귀찮은 듯 보는) 나중에
재한	(막아서며) 홍원동 살인 사건이요. 아무래도 심상치 않아요.

재한, 주인희의 사건 현장 사진을 범주에게 건넨다.

재한	이건 홍원서에서 며칠 전 발생한 살인사건입니다. 피해자는 37세, 주부 주인희.

다시, 쌀 포대로 감싸인 채 발견된 상미의 현장 사진을 건네는 재한.

재한	이건 두 달 전 발생한 살인 사건이에요. 피해자는 21세, 인근 공방 직원 인 윤상미였습니다.

두 사진을 바라보는 범주의 눈빛에도 긴장감이 감도는데...

재한	피해자 사체를 유기하는 방식이 정확하게 일치합니다. 한 놈이 두 여자를 죽인 거예요. 이건... 연쇄살인입니다.
범주	...관할서에서는 아무 보고도 없었어
재한	도로 하나를 사이에 두고 두 사건의 관할서가 달라요. 1차는 은창서, 2차는 홍원서. 그래서 관할서 차원에서는 두 피해자를 연결시키지 못 했던 거예요.
범주	다 네 머릿속에서 나온 추측일 뿐이야.
재한	사람이 죽었어요! 앞으로 더 죽을 수도 있다고요!
범주	한 해에 죽어나가는 변사자 수만 해도 몇 백 명이야. 경찰이 그걸 다 막을 순 없어.
재한	...(차갑게 굳어서 보는) 만약 이 사람들이 한세규 같은 사람이었어도 그렇게 말할 겁니까? 이 사람들이 국회의원이나 재벌 딸이었다면 두 손, 두 발 다 걷고 나섰겠죠.
범주	(보다가) 그런 사람들이었다면, 이런 범죄에 희생되지도 않아. 다른 세계에 살고 있으니까...
재한	(기가 막혀서 떨리는 눈빛으로 보는) 뭐요?
범주	대장님부터 청장님까지 연쇄살인 바라는 사람 아무도 없으니까 두 번 다시 연쇄의 연자도 꺼내지마.

범주, 얘기 끝났다는 듯 재한을 밀치고 건물 쪽으로 걸어가려는데...

재한	(확 열 받은 차가운 눈빛으로 보며) 이제 알겠네요. 다른 세계에 살고 있었던 거예요.
범주	뭐?
재한	당신 말대로, 난 당신이랑 다른 세계에 살고 있으니까 그 놈 잡을 겁니다. 한 해에 몇 백 명이 이유 모르게 죽지만, 내 눈앞에서 사람 죽인 놈.. 절대 용서 안 하는 세상... 난 거기 살고 있으니까.
범주	니가 뭘 하건 난 상관 안 해. 대신... 일 크게 만들지 마.

범주, 차가운 눈빛으로 재한 보고는 뚜벅뚜벅 멀어지고... 재한, 그런

43

범주를 보다가 열 받은 얼굴로 돌아서서 걷다가 이상한 느낌에 보면, 역시 출근복장으로 기동 차량 뒤에 숨어있던 수현을 발견한다.

재한	너, 여기서 뭐해?
수현	그... 그게... 두 분이 말씀 나누시는데... 방해 될까봐...
재한	(보고는 그냥 가려는데)
수현	선배님.
재한	(보면)
수현	정말... 연쇄살인 입니까?
재한	(보다가) 신경쓰지 마. 너하곤 상관없는 일이야.

재한, 수현을 지나쳐서 멀어지고, 수현은 그런 재한을 바라본다.

씬/39   D, 형기대 반장실 앞(오미트)

씬/40   D, 현재, 국과수 외경

씬/41   D, 현재, 국과수 복도

복도를 빠른 걸음으로 뛰어오는 수현. 저 앞쪽으로 특수부검실이 보인다.

씬/42   D, 현재, 국과수 특수부검실

똑똑 노크 소리와 함께 들어서는 수현. 백골사체를 부검 중이던 윤서와 연구사, 수현의 출현을 예감한 듯 놀라지도 않고 본다.

수현	동의산에서 백골사체가 발견됐다면서요?
윤서	오늘도 허탕이십니다. 키 000cm, 아담한 신체 사이즈의 여성분이세요.

수현, 실망한 얼굴로 스테인리스 침대 위의 백골사체를 한번 본 뒤 돌

아서서 나가려다가 뭔가를 발견하고 멈칫한다. 침대 옆에 놓여 있던 차트에 클립으로 꽂혀있는 백골사체 발견 현장 사진이다. 차트를 들어 현장 사진을 떨리는 시선으로 바라보는 수현. 윤서, 그런 수현을 보고

윤서　　　꽁꽁도 싸놨죠? 김장 비닐로 전신을 싸놓고 노끈으로까지 묶어 놨데요. 덕분에 시신의 보존 상태는 완벽해요. 사인도 확실하고요. 설골이 골절 됐어요. 경부압박 질식사를 당한 거죠.

급격하게 떨려오는 수현의 눈빛. 차트를 놓쳐버린다. 윤서, 의아한 시선으로 차트를 들어 올리는데, 차트를 들고 있던 수현의 손, 덜덜 떨려오고 있다.

윤서　　　왜 그러세요? 어디 아파요?

대답도 못하고 선 수현의 눈빛, 아득해진다.

씬/43　　　D, 장기미제 전담팀

수현, 해영, 계철, 헌기가 모여서 회의를 하고 있다. 수현의 낯빛이 유독 어둡고, 해영은 그런 수현이 신경 쓰인다.

계철　　　자 우리 냉철하게 한번 생각해보자. 장기미제 사건이 무슨 뜻이야. 오랫동안 풀리지 않은 사건이란 말이지. 그럼 뭐가 안 풀렸느냐? 누가 왜 어떻게 무엇을 위해서 죽었는지, 전혀 밝혀지지 않았단 얘기지. 대한민국 역사에 이런 풀리지 않은 가장 미스터리한 사건. 바로 오대...

헌기　　　(말 끊고) 그놈의 오대양 지겹지도 않아요?
계철　　　오대양이 왜 지겨워 시작도 안 했는데.
헌기　　　하도 들었더니 오대양은 벌써 수사까지 끝난 거 같네.
계철　　　그러니까 이번에야말로.
수현　　　홍원동은 어때...

45

멈칫해서 수현을 바라보는 해영.

계철   홍원동? 난 처음 듣는데?
헌기   저두요.
해영   그게, 무슨 사건인데요?

굳은 눈빛으로 담담하게 얘기하는 수현.

수현   97년, 서울 홍원동에서 두 달 간격을 두고 1킬로미터도 떨어지지 않은 곳에서 여자 두 명이 살해된 채, 발견됐어. 사인은 경부압박 질식사. 특이점은 사체의 유기 방식이었어. 범인은 피해자들의 머리에 검은색 비닐 봉지를 씌웠고 몸통을 쌀 포대나 돗자리로 꼼꼼하게 싼 뒤에 유기했거든.
계철   심각한 또라인데 그거...
해영   어쩌다가 미제가 된 거죠?
수현   초동대처가 안 좋았어. 두 사건을 각기 다른 관할서에서 따로 수사하는 바람에 두 사건 간의 유기적인 수사가 불가능했고, 당시 보험금 문제가 불거져서 유가족을 중심으로 수사했지만 결국 모두 무혐의로 밝혀졌지.

다들 말없이 현장 사진을 바라보고 있는

계철   ...차 형사 말이 사실이면... 이거... 아무래도... 연쇄...
헌기   하지 마요! 불길하게.
해영   ...연쇄살인일 가능성은 충분합니다.

사람들, 해영을 보는

해영   피해자의 유기 형태에서 보이는 시그니처가 명확해요. 발생 시기나 사건 장소도 밀접하고요. 하지만, 아직 결론을 내리긴 이릅니다. FBI의 보고서에 따르면 최소한 3명의 피해자가 발견되고 살인사건 사이에 냉각기가 있어서 서로 분리된 상황에서 피해자가 살해된 정황이 확실할 때,

연쇄살인이라고 정의를 내립니다.

수현   ...한 명이 더 있다면?

사람들, 수현을 바라본다.

수현   어제, 동의산에서 백골사체가 한 구 발견됐어...

- 인서트
동의산 일각, 등산을 온 등산객들. 등산로를 벗어난 산길 쪽에서 개들의
컹컹컹 짖는 소리가 들려온다. 의아한 시선으로 그쪽을 바라보는 등산객
들. 등산객 1, 수풀을 헤치고 그쪽을 향해 다가가보면 어느새 도망친 듯
사라져 있는 개들. 그런 개들이 헤쳐 놓은 듯 풀들이 어지럽게 흩어져 있
고, 파헤쳐져 있는 땅을 힐끗 보던 등산객 1, 놀라서 뒤로 넘어진다. 뒤이
어 따라온 등산객들도 놀라서 그쪽을 보면 파헤쳐진 땅 사이에 보이는
푸른색 김장 비닐, 그 사이로 사람의 손 형상의 뼈가 튀어나와 있다.

씬/44   D, 국과수, 특수부검실

특수부검실, 스테인리스 침대 위에 놓인 백골사체로 오버랩되는 화면.
수현은 약간 뒤로 물러서 있고, 해영이 굳은 얼굴로 백골사체를 내려다
보다가, 옆에 서 있는 윤서에게

해영   신원은요? 확인됐나요?
윤서   실종자 데이터베이스에 DNA가 일치하는 사람이 있었어요. 피해자 이
            름은 서영진, 2001년 실종됐고, 실종 당시 나이는 35세였대요.
해영   실종됐을 때, 살았던 곳요?
윤서   ...홍원동이라고 들었어요.
해영   (멈칫하는) 홍원동이 확실합니까?

해영, 불길한 감이 온다... 수현 역시 얼굴 굳는데... 윤서, 그런 수현 힐 긋 보다가

윤서   차 형사님, 오늘도 몸이 안 좋아요? 어제도 좀 안 좋아 보이더니... 차 형사님이 찾던 백골사체도 아닌데... 왜 그런 거예요?

수현   별거 아니에요. (나가려는데)

해영   차 형사님이 백골사체를 찾아요?

윤서   같은 팀이라면서 모르세요? 차 형사님, 키 185cm에 어깨에 철심 있는 백골사체 계속 찾아다니시잖아요.

해영, 윤서의 말에 멈칫하는데...

수현   (해영의 어깨를 밀면서) 신원 확인됐으니까, 유가족 만나러 가자.

씬/45   D, 국과수 복도

특수부검실에서 걸어 나오는 수현과 해영. 수현 먼저 걸어가는데... 그런 뒷모습을 물끄러미 보는 해영.

– 인서트
– 5부, 11씬, 감사관실 수사자료 중, 재한의 신체 특징을 적어놓은 부분, 2000년 재한의 사진, 키 185cm, '오른쪽 어깨에 철심을 박은 수술로 인한 흉터 자국'
– 7부, 46씬, 민성을 보내고 얘기하던 전담팀.

계철   20년 동안 한 사람을 잊지 못한다는 게 말이 돼? 꾼 돈을 못 받았다면 모를까.

수현   ...못 잊을 수도 있지.

– 다시 국과수 복도로 돌아오면 먼저 걷던 수현의 옆으로 와서 보조를

맞춰 걷는 해영.

해영	(문득)... 좋아하는 사람 있었어요?
수현	상상하지 마라, 그런 거 아니니까

수현, 먼저 걸어가는데... 그런 뒷모습을 물끄러미 보는 해영.

씬/46   D, 공장 건물 앞 일각

건물 앞에 설치된 벤치 같은 곳에서 얘기를 나누고 있는 해영, 수현과
공장 직원으로 보이는 순해 보이는 영진의 남편(40대 후반, 남)

남편	어제, 경찰 분들한테 다 얘기했는데요.
해영	부인께서 실종되기 전에 이상한 점은 없었나요? 누군가에게 위협을 당했다거나... 아니면...
남편	거의 바깥출입이 없었습니다. 산후 우울증을 앓고 있었거든요.

수현, 멈칫하는 시선.

수현	...산후 우울증이요?
남편	그래서 처음엔 어디 가서 자살이라도 한 게 아닌가 했습니다. 그런데... 이렇게 가까이에 있었을 줄은 몰랐어요...

수현, 얼굴 눈에 띄게 굳어진다. 해영, 그런 수현을 힐긋 보는...

씬/47   D, 공장 건물 밖, 주차장

주차장 쪽으로 굳은 얼굴로 나오는 수현. 그런 수현을 뒤따라오는 해영.

해영	뭡니까? 왜 그러는 거예요?

수현	...똑같아... 살해 방법. 시신 포장 방법... 피해자의 특성... 1997년도...
	똑같았어...

굳은 얼굴로 수현을 보는 해영.

씬/48   D, 과거, 공방

여섯, 일곱 대 정도의 미싱기 앞에 앉아 쉼없이 미싱을 돌리고 있는 여
자 직원들의 반복적인 손놀림들. 그런 공방 한편에 딸린 작은 사무실
안, 상미의 사진을 앞에 두고 사장과 재한, 얘기 중이다.

사장	상미 씨가 성격이 좀 그렇긴 했어요. 죽은 사람한테 이런 말 하긴 뭐하
	지만 잘 웃지도 않고 말도 별로 없고... 항상 혼자 다녔죠.
재한	최근 들어 불안해하거나 누가 쫓아다녔다거나 그런 얘긴 못 들었어요?
사장	글쎄요... 쉬는 시간에도 어울리질 않아서 잘 모르겠네요. 맨날 구석에
	서 음악만 듣고 있었거든요.

씬/49   D, 과거, 터미널 매표소

아담한 시외버스터미널 매표소 창구에 상체를 기대고 서서 유리벽 안
쪽 여자 직원(20대, 여)에게 질문하고 있는 재한. 여자는 귀찮아하는
기색이 역력하다.

여직원	그 죽은 아줌마랑 별로 안 친했다니까요
재한	매표소에 직원 딱 두명 있는데 그래도 잘 알고 지냈을 거 아니에요.
여직원	친해지기가 힘든 사람이었어요. 무지 우울하고 재미없는 성격이었거든요.
재한	(멈칫해서 보는)
여직원	말도 없고 표정도 없고 맨날 우중충한 음악만 들어대고... 여튼 나랑은
	진짜 안 맞았어요.

씬/50	D, 과거, 거리 일각

한적한 거리 일각, 재한이 생각에 잠겨 걷고 있다. 그러다가 앞을 보면, 귀에 이어폰을 꽂은 채 고개를 푹 숙이고 걸어가고 있는 상미의 환영이 보인다. 그리고 또 다른 길 일각에서 역시 귀에 이어폰을 꽂은 채 땅을 보며 걷는 인희의 환영이 나타난다. 상미와 인희의 모습 교차로 보이는... 그 위로,

재한(소리)   체형, 키, 나이, 머리모양, 그리고 직업까지... 모두 다르다. 두 피해자 사이에는 닮은 점이 전혀 없어.

상미와 인희의 환영, 걷다 보면 마치 서로 만날 것 같은데.

재한(소리)   인접한 지역에 살았지만, 출퇴근 경로도 다르고, 겹치는 동선도 없고...

상미와 인희의 환영, 점점 더 가까워지는데, 두 여자의 귀에 꽂혀있는 이어폰 클로즈업해서 보이고...

재한(소리)   유일한 공통점은... 이어폰. 두 사람 모두 평소 우울한 음악을 자주 들었다...

상미와 인희의 환영, 서로를 스쳐 지나가는데, 재한의 시선에서 다시 바라보면 환영이 온데간데없이 사라져 있다.

씬/51	D, 과거, 형기대 사무실

조용한 형기대 사무실. 다들, 밤을 새운 듯, 여기저기 의자 두 개 붙여서 잠을 자거나, 하는 모습들. 재한의 책상 비추면 역시 책상에 엎어져서 잠들어있는 재한이다. 책상 위에는 빈 우유팩과 구겨진 빵 봉지가 있고. 자료들을 정리하다가 잠들었는지 책상 위에 두서없이 놓여있는

홍원동사건 수사 자료들. 피해자 사진, 인적 사항, 탐문 내용을 정리한 메모 등이 보이고... 그때 수사 자료들을 들어 올리는 누군가의 손, 화면 빠지면 수현이다. 수현, 사건자료들을 살펴보고 다시 정리해서 책상 한편에 놓는데, 곤히 잠든 재한을 안쓰러운 눈빛으로 보다가, 재한이 형사 수첩 위에 적어놓은 글귀를 보는데 '이어폰' '우울한 성향'에 크고 굵게 동그라미가 그려져 있다.

씬/52   D, 과거, 홍원동 인근 거리 일각

아침, 상미가 일하던 공방을 올려다보는 수현. 가지고 온 지도를 펼쳐 본다. 지도에 표시된 빨간색 엑스자 두 군데, 파란색 엑스자 두 군데. 빨간색엔 윤상미 직장, 윤상미 집. 파란색 엑스자에는 주인희 직장과 주인희 집이라고 각각 적혀 있다.

수현(소리)   두 피해자의 동선에서 겹쳐지는 부분만 찾아내면, 반은 간 거다..

수현, 지도를 보면서 이어폰을 꺼내서 귀에 꽂고는 윤상미의 집을 향해 걷기 시작한다.

씬/53   과거, 몽타주

- 낮, 홍원동 인근 거리를 걷는 수현.
- 밤, 주인희가 일하던 터미널 앞에서부터 집을 향해 걷기 시작하는 수현. 그런데 수현의 얼굴 예전보다 훨씬 더 어두워져 있다.
- 홍원동 인근 거리에 서서 지도를 확인하는 수현. 지도에는 벌써 파란색, 빨간색으로 여러 루트들이 생겨나 있다.

씬/54   N, 과거, 거리 일각

수현, 이어폰을 꽂은 채, 지도를 보면서 걷다가 다리가 아픈 듯 다리를 통통 친다. 그러다가 앞을 보는데, 저 앞쪽으로 환하게 불이 켜진 편의점. 크리스마스 장식을 해놓은 듯 전구들이 반짝반짝하고 있다.

씬/55   **N, 과거, 편의점**

딸랑 소리와 함께 편의점으로 들어서는 수현. 말없이 음료수 코너 쪽에 놓인 온장고 쪽으로 걸어가는 수현. 그 뒤쪽으로 보이는 카운터에서 수현의 뒷모습을 바라보는 직원, 진우다. 수현, 온장고에서 따뜻한 캔커피를 꺼내 카운터로 다가와 내민다. 수현은 지친 듯, 고개 푹 숙이고 있고, 진우 역시 그저 말없이 캔커피의 바코드를 찍은 뒤, 수현이 내민 만원짜리를 받고 거스름돈을 내민다. 수현, 주변을 둘러보다가 한쪽 컵라면을 먹는 코너에서 커피를 딴 뒤 어두운 창밖을 바라보며 커피를 마신다. 이어폰에서 흘러나오는 슬픈 음악. 그런 수현을 말없이 바라보는 진우.

씬/56   **N, 과거, 거리 일각**

거리로 다시 나온 수현, 귀에 이어폰을 꽂고 고개를 숙여 땅만 보고 걷는다. 그런 수현의 뒷모습을 바라보는 누군가의 시선. 수현이 걸어가는 뒤로, 수현을 향해 다가가는 남자의 운동화가 보인다. 일정한 속도로 걷는 수현, 그에 비해 뒤를 따르는 남자의 발걸음은 점점 **빨라지고**... 수현과 남자의 운동화 교차로 보이다가 마침내 수현이 따라잡히는데, 인기척에 홱 뒤돌아보는 수현, 놀라서 보면, 따라오던 운동화 남자는 재한이었다.

수현	(이어폰 빼며) 선배님
재한	너 여기서 뭐하냐?
수현	(말문 막히며) 어... 그게...
재한	(보다가) 홍원동 사건 자료 본거냐?그래서 피해자들 동선 보느라고 여기 돌아다니는 거야? 엄한 데 발 디밀지 말고 들어가서 너 할 일이나 해라.

수현	...그래도...
재한	들어가라고 했다
수현	....죽은 피해자들이요
재한	(보는)
수현	...불쌍한 거 같아요.
재한	(보는)
수현	피해자들이 걸어 다니던 길들을 걸어봤는데요. 길 위에 굴러다니는 건 온통 쓰레기 아니면 안마방 전단지고. 보이는 건 으스스한 철근에 콘크리트뿐이었어요...

재한, 그제야 주변 돌아보면, 어두운 골목길, 헤진 전단지, 공사 중인 현장의 비죽 튀어나온 철근 콘크리트 등 칙칙한 길가 풍경이다.

수현	길가에 살아있거나 이쁜게 하나도 없었습니다. 누구 하나 자기 얘기 들어주지도 않고... 사는 것도 힘든데... 매일 보는 풍경까지 이렇게 어둡고 삭막했으면 저라도 우울해 질 거 같아요.

재한, 우울해 보이는 수현 보다가

재한	그러니까 들어가라고. 마스코트면 마스코트 다워야지. 반장이 눈치 채기 전에, 빨리 복귀해서 네 일이나 해.

재한, 그 말을 끝으로 돌아서서 멀어지고... 수현, 마음 몰라주는 재한이 내심 서운하다. 깊은 한숨... 아픈 다리를 끌고 반대편 버스정류장 쪽으로 향하려다가... 멈칫하는 발길. 다시 뒤를 돌아 홍원동의 어두운 거리를 바라본다.

씬/57   D, 현재, 광수대 광수 1계장실

치수의 책상 위에 놓인 실종자 명단 리스트. 치수, 뭐냐는 듯 바라보면 해영과 뒤쪽에 서 있는 수현이다.

치수	이게 뭐야?
해영	지난 1997년부터 2015년까지 홍원동 일대 실종자 명단 리스틉니다. (한 장 한 장 치수에게 보여주는) 이전 피해자들처럼 우울증 성향을 보인 여자들이 세 명이나 더 실종됐습니다.
치수	무슨 소리야?
해영	어제 백골사체로 발견된 서영진이 끝이 아닐 수 있습니다. 백골사체가 발견된 동의산 현장, 추가 수색 허가해 주십시오.
치수	(보는)
해영	(초조한) 희생자가 더 있을 수 있다고요.

해영의 진지한 눈빛을 가만히 바라보는 치수.

씬/58   D, 현재, 동의산 일각

폴리스 라인이 쳐져 있는 시신 발굴 현장, 십 수 명의 의경들, 삽을 들고 시신 발굴 현장 부근을 파헤치고 있고... 조금 떨어진 곳에서 그런 모습을 지켜보고 있는 해영과 수현, 계철, 헌기.

계철	아, 알다가도 모르겠네. 안치수 계장님 (해영 흘끗 보고) 박경위 싫어하는 거 아녔어?
헌기	그러게요, 당연히 수색 허락 안 할 줄 알았는데.
계철	그치? 근데... 정말, 여기 시신이 더 있겠어?
해영	이 곳 등산로는 작년부터 개방됐어요. CCTV도 최근에 설치됐고 관리인도 없었고요. 그전엔 사람들의 왕래가 거의 없었대요. 게다가 이곳과 가장 가까운 등산로 입구는 1997년 사건이 발생한 홍원동 북부면과 맞닿아 있어요. 이동거리까지 고려해 보면 시신을 암매장하기에 최적의 공간이에요.

서로를 바라보는 팀원들.

해영   범인이 고르고 골라서 선택한 곳입니다. 만약 묻었다면.. 이곳일 겁니다.

굳은 얼굴로 발굴 작업을 바라보고 있는 수현. 그런 수현의 얼굴을 힐 긋 보는 해영.

해영   차 형사님은 이 사건에 대해 뭔가 더 알고 있는 게 있는 거죠?
수현   (천천히 해영 보는)
해영   97년 발생한 두 사건은 사체를 마치 전시하듯이 사람들이 오가는 장소에 유기했어요. 그런데 2001년에는 매장을 했어요. 범행의 패턴이 변한 겁니다.
수현   (멈칫하는)
해영   (수현 반응 눈치채고)... 이유가 뭡니까? 알고 있는 거잖아요?
수현   ...97년 벌어진 홍원동 사건 때 두 명의 살인 피해자 말고도 한 명의 피해자가 더 있었어.
해영   무슨 말이에요?

수현, 당시를 회상하는 듯, 얼굴 서서히 어두워진다.

씬/59   N, 과거, 형기대

형기대 사무실로 들어오는 재한. 자리로 걸어가다가 수현의 책상 보는데 텅 비어 있다. 재한, 자기 자리로 다가가 옆자리에서 졸고 있는 정제에게

재한   쩜오 들어왔냐?
정제   아니. 못 봤는데

재한, 자리에 앉는데, 어쩐지 자꾸 수현의 빈 책상에 눈이 간다.

씬/60	N, 과거, 여자 숙직실

불이 꺼진 여자 숙직실. 똑똑 들려오는 노크 소리. 대답이 없다. 다시 한 번 노크 소리. 대답이 없자, 문을 열어보는 재한. 불을 켜는데, 텅 비어 있다.

씬/61	N, 과거, 형기대 사무실

전화통화를 하고 있는 재한.

재한 안녕하십니까. 차수현 순경, 선밴데요. 차수현 순경한테 급하게 전할 얘기가 있어서요... (하다) 아직... 집에 안 들어왔어요?

재한, 어쩐지 불길한...

씬/62	N, 과거, 홍원동 거리 일각

뭔가 단서가 될만한 게 없는지 여전히 거리를 걷고 있는 수현. 음악 끝난 뒤, 다음 음악으로 넘어가는데, 어디선가 들려오는 개의 낑낑거리는 소리. 수현, 뭐지? 주변을 두리번거리다가 소리가 들려오는 쪽을 향해 천천히 다가간다. 상미가 납치됐던 바로 그 공터. 여전히 묶여 있는 하얀 개다. 수현, 개의 움직임을 보고 다가가서 개를 살펴보는.

수현 너 왜 그래? 어디 다쳤어?

순간, 하얀 개, 또다시 두려운 시선으로 더욱 낑낑거리기 시작한다. 수현, 의아한 듯 개를 바라보는데, 뒤쪽에서 그런 수현에게 빠르게 다가오는 누군가의 움직임. 반항할 틈도 없이 수현의 얼굴에 검은 비닐봉지를 뒤집어씌우고 입을 틀어막는 손.

씬/63   N, 과거, 거리 일각

56씬, 수현과 헤어졌던 곳으로 오는 재한. 주변을 두리번거린다. 그러면서 앞으로 더 걸어오면서 혹시나 하는 마음으로 주변을 두리번거리는데, 수현은 보이지 않는다.

씬/64   N, 과거, 진우의 집/화장실

똑똑 떨어지고 있는 개수대 소리와 함께 화면 밝아지는데 화면 가득 어둠이 가득하다. 검은 씌워진 수현의 시선. 불투명한 비닐 너머 작은 조명 정도 보이고... 거칠고 불안한 숨소리. 바스락거리는 비닐 쓸리는 소리. 화면 전환되면 진우의 집, 화장실. 상미와 똑같이 두 손이 뒤로 묶이고, 제압당한 상태의 수현. 공포에 부들부들 떨고 있다.

씬/65   N, 과거, 거리 일각

재한, 불길한 예감이 드는 듯, 주변을 빠르게 걸으며 수현을 찾기 시작한다.

재한   차수현!... 쩝오!

씬/66   N, 과거, 진우의 집/화장실

공포에 부들부들 떨고 있는 수현의 시선으로 보이는 화면. 뚜벅뚜벅 다가오는 누군가의 발자국 소리. 불투명한 비닐봉지 너머로 다가오는 누군가가 느껴진다. 수현, 겁에 질린 거친 호흡. 옆으로 다가와서 앉는 인기척. 수현의 머리를 쓰다듬으며

진우(소리)   ...사는 게... 힘들지?

수현, 역시 재갈이 물린 듯, '으... 으...' 비명을 질러보지만, 소리가 제대로 나오지 않는다.

진우(소리)   소리 내면... 안 돼... 그러면... 혼나...

수현, 더욱 사력을 다해 소리를 질러보지만, 제대로 소리가 나오지 않는다.

진우(소리)   조금만 기다려... 그럼 편하게 해줄게...

서서히 멀어지는 진우의 인기척. 그리고 덜커덕 문 열리는 소리가 들리는데 어딘가에서 휘잉 한줄기 바람이 불어오는 게 느껴진다. 저벅저벅 저벅 발소리가 멀어지고, 다시 쿵 닫히는 문소리. 더 이상 발소리가 안 들리는 걸 확인한 수현, 비틀거리며 자리에서 일어난다. 뒤로 묶인 손으로 벽을 더듬으며 주춤주춤 걷는 수현.

씬/67   N, 과거, 골목길 일각

쾅, 문이 열리고 문밖으로 튀어나와 나동그라지는 비닐봉투가 씌워진 수현의 시선. 바깥바람이 불어오면서 얼굴과 밀착되는 비닐봉지. 긴장으로 더욱 거칠어지는 숨소리. 금방이라도 누군가가 자기 어깨를 칠 듯하다. 수현, 순간 빠르게 어디로건 달리기 시작한다. 반투명한 검은 비닐봉지 너머로 흐릿하게 보였다 사라졌다 흔들리는 가로등 불빛들. 정신없는 수현의 시선, 한번 다시 크게 넘어졌다가 또다시 비틀거리면서 어디론가 다시 뛰는데, 검은 비닐봉지 너머 흐릿한 수현의 시선에 확 나타나는 검은 그림자에 쾅, 부딪치면서 블랙아웃되는 화면.

씬/68   N, 과거, 또 다른 골목길 일각

여전히 수현을 찾아 뛰고 있는 재한. '차수현!' '차수현!' 연신 수현의 이름을 부르면서 뛰고 있는 재한, 골목길 안쪽에서 느껴지는 인기척에 그쪽을 바라보는데... 골목길 저 안쪽에 보이는 수현의 발. 재한, 멈칫하면서 다급히 수현에게 다가간다. 보면, 검은 비닐봉지를 뒤집어쓰고 뒤로 손목이 제압당한 채, 골목에 쓰러져 있는 수현. 설마... 죽은 건가? 재한, 떨리는 손으로 검은 비닐봉투를 벗긴다. 순간, 눈을 뜨는 수현. 재한, 죽지 않았구나 안도하지만, 수현은 충격으로 제정신이 아닌 듯, 재한을 알아보지 못하고 도망치려고 발버둥 친다. 재한, '야, 정신 차려!' 그런 수현을 진정시키려 하지만, 수현, 진정되지 않는다. 결국 수현을 꼭 끌어안고서 진정시키는 재한.

재한   됐어.. 이제.. 괜찮아.

수현, 아직도 충격에서 완전히 헤어 나오진 않았지만, 재한의 품에서 서서히 긴장이 풀리기 시작하는 듯 애처럼 울음을 터뜨린다. 그런 수현을 꼭 끌어안아주는 재한.

씬/69   D, 현재, 동의산 시신 발굴현장

수현의 얘기를 듣고 굳은 얼굴로 수현을 바라보고 있는 해영, 계철, 헌기.

수현   ...난... 정말 그게 끝인 줄 알았어... 그 이후엔... 피해자가 나오지 않았으니까...

해영, 그런 수현을 가만히 바라보다가 뭔가를 더 물어보려 하는데... 순간, 저 멀리 있던 의경 1의 외침.

의경 1(소리)   찾았습니다!

놀란 얼굴로 그쪽을 바라보는 수현과 해영, 계철, 헌기. 다급히 그쪽을 향해 달려가서 놀란 얼굴의 의경들이 바라보고 있는 파헤쳐진 땅을 바라본다. 파헤쳐진 흙 사이 보이는 **뽁뽁이 비닐**로 감싸인 시신의 머리 부분이 나와 있다. 불투명한 **뽁뽁이 비닐** 아래로 보이는 검은 비닐봉지. 수현의 눈빛 급격하게 떨려오는데... 다른 쪽에서 뛰어오는 창백한 얼굴의 의경 2.

의경 2   ...저기도... 이상한 게 있습니다.

놀라서 바라보는 팀원들.

- 시간 경과되면
빠른 걸음으로 발굴 현장으로 다가오는 치수. 현장 입구 쪽에서 기다리던 계철. 치수 보자 목례한 뒤

계철   저쪽입니다.

계철의 안내받아서 발굴 현장 한쪽에 모여 있는 수현, 해영, 헌기. 쪽으로 다가서는 치수. 치수가 다가서자 모여서 어딘가를 바라보고 있던 수현, 해영, 헌기.

치수   피해자가 더... 발견됐다고?
수현   ...예... 그런데... 셋이 아니에요.

치수, 멈칫해서 보는데.. 천천히 몸을 비켜 시야를 터주는... 치수, 사람들이 바라보고 있던 걸 보자, 놀라서 낯빛이 굳는다. 현장 한편에 펼쳐놓은 방수포 위에 나란히 눕혀져 있는 백골 시체들이다. 텐트, 낡고 찢어진 돗자리, 까만 비닐, 박스지, 뽁뽁이, 차 보디 덮개, 쌀 포대 등으로 둘러 쌓여진 총 8구의 백골사체다.

치수   이게...
수현   (창백한) 어제 발견된 백골사체까지 포함, 총 9굽니다.

해영   ...동일범에 의해 매장됐을 가능성이 큽니다. 유력한 용의자는... 97년 홍원동 사건의 범인이에요.

씬/70   **N, 과거, 골목길 일각**

68씬, 전봇대 아래에서 수현을 안고 진정시키고 있는 재한을 바라보는 누군가의 시선. 저 멀리 가로등 불빛 아래 서 있는 진우다. 그 모습을 가만히 바라보다가 서서히 뒷걸음질 치면서 어둠 속으로 사라지기 시작한다.

씬/71   **D, 현재, 동의산 발굴현장**

백골사체들을 바라보는 해영의 굳은 표정

해영   ...범인은... 살인을 멈추지 않았던 거예요...

발굴 현장에서 백골사체를 내려다보는 해영, 수현을 비롯한 전담팀의 모습과, 과거의 재한과 수현을 바라보다가 어둠 속으로 사라지는 진우의 모습 교차되면서

9부 끝

시그널 The Signal
10부

바늘 하나가 떨어져도 소리가 들릴 듯 조용하고 어두운 실내, 하얗고 커다란 스크린에 찰칵 소리와 함께 비치는 백골사체로 발견된 카페 아르바이트생 이혜영의 평범한 사진, 화면 가득 담긴다.

수현(소리)   이혜영, 2000년 9월 실종, 실종 당시 나이 27세.

다음 화면, 주부 서영진이 아이와 함께 찍은 사진.

수현(소리)   주부 서영진, 2001년 5월 실종, 당시 나이 35세.

순서대로 이어지는 다음 희생자들의 사진들에 맞춰서 흐르는 수현의 목소리.

수현(소리)   박아영, 2004년 3월 실종, 당시 나이 25세. 노현미, 2005년 10월 실종, 당시 나이 43세. 박세정, 2006년 4월로 실종 추정, 당시 나이 28세. 김윤민, 2008년 1월 실종, 당시 나이 39세. 남궁선, 2010년 4월 실종, 당시 나이 31세. 이미정, 2011년 6월 실종, 당시 나이 23세.

사진과 수현의 소리 사이사이 소회의실에 모인 사람들 보인다. 화면을 굳은 얼굴로 바라보고 있는 경찰청장과 범주를 비롯한 국장급간부들. 그리고 한쪽에 앉아있는 치수와 브리핑 중인 수현이다. 그리고 찰칵 소리와 함께 떠오르는 마지막 사진. 담요로 싸여지고 머리에는 검은 비닐봉지가 씌워진 백골사체다. 사진 위로 수현의 소리

수현(소리)   그리고... 아직 신원이 확인되지 않은 마지막 피해자 포함 총 9구의 백골 시신이 동의산 남서면에서 발견됐습니다.

발굴 현장의 사진으로 넘어가는 화면.

수현	각각, 돗자리, 박스지, 김장용 비닐봉투 등으로 온몸이 싸여 있었고 머리에는 검정색 비닐봉지가 씌워진 채 매장된 상태였습니다.
청장	...동일범에 의한 연쇄살인이란 얘긴가?
수현	...예. 그렇게 추정됩니다.

수현을 바라보는 범주의 날카로운 눈빛. 낮은 한숨소리가 가득한 장내.

수현	이게 다가 아닙니다.

수현, 화면을 조정하면 화면에 떠오르는 97년 홍원동 사건의 피해자 상미와 인희의 사진.

수현	97년 홍원동 일대에서 발생했던 미제 사건의 피해자들입니다. 사체의 포장 방법, 범행 수법 등이 이번에 발견된 사체들과 거의 일치합니다.

화면을 굳은 시선으로 바라보는 일동.

청장	...이게 무슨 소리야. 그때, 경찰이 범인을 못 잡아서 아홉 명이 더 죽었단 얘기야? 도대체 뭣들 하고 있었던 거야!! 이 사실이 알려지면 언론이고 여론이고 난리가 날 텐데, 이 사태를 어떻게 막을 거야!
범주	...막을 순 없죠. 막아서도 안 됩니다.
청장	(기가 막힌) 뭐요?
범주	무려 아홉 명이나 희생당한 연쇄살인사건입니다. 언론 통제는 불가능합니다.
청장	그래서 지금 경찰이 무능했다, 자진납세라도 하자는 건가?
범주	...장기미제 전담팀에 이 사건을 맡기죠.

수현, 치수, 범주를 본다.

범주	경기남부 사건부터 굵직굵직한 사건들을 해결한 팀입니다. 대외적으로 신뢰를 받고 있어요. 과거에 경찰이 잘못해서 미제로 남은 사건을 전담

	팀이 맡아서 해결한다. 이 정도면, 여론을 잠재울 수 있을 겁니다.
청장	...(다른 국장들 둘러보며) 자네들 생각은 어때?
경무국장	수사국장 생각이 최선인 것 같습니다.
청장	...좋아. 광수대도 전담팀 수사에 전력을 다해서 지원해주고, 사건 수사
	진행 상황, 수사국장 통해서 바로바로 나한테 보고해.
치수	알겠습니다.

씬/2   D, 경찰청, 복도

회의가 끝난 듯 하나둘씩 복도로 나서는 국장들. 마지막으로 나서는 범주, 복도를 걷기 시작하는데 저 앞쪽에서 범주를 기다린 듯 서 있는 치수. 범주, 치수 힐긋 본 뒤 스쳐 지나가려는데...

치수	...일부러 그러신 겁니까?
범주	(보는)
치수	전담팀이 실패하길 바라시는 거죠? 그러면 모든 책임을 물어서 전담팀
	을 해체라도 시키시려는 거... 아닙니까?
범주	왜, 그래도 자기 새끼들이라구 걱정되나? 그래서... 박해영이 김성범 뒤
	를 캐고 다니는 것도 보고하지 않은 거야?
치수	(멈칫)
범주	(차가운 시선으로 보는) 이번 사건, 실패하면 당하는 건 전담팀 뿐만이
	아닐 거야.

차갑게 돌아서서 멀어지는 범주를 바라보는 치수.

씬/3   D, 광수대 사무실/장기미제 전담팀

다들 어수선한 분위기에서 대기 중인 광수대 형사들. 가장 끝에 위치한 장기미제 전담팀 사무실에서 대기 중인 전담 팀원들 역시 굳은 얼굴들 인데... 다들 앉고 서고 한 자세에서 모두의 시선, 수현에게 고정돼 있다.

해영	...얘기해 봐요. 차 형사님이 납치됐을 때, 무슨 일이 있었던 겁니까. 왜 범인을 잡지 못한 거예요.

씬/4   **N, 과거, 형기대 사무실**

응급처치를 끝낸 듯, 따뜻한 물 한 잔을 들고 앉아있는 수현을 둘러싼 재한과 정제를 비롯한 형사들.

정제	괜찮겠냐? 병원에 입원이라도 해야 되는 거 아냐?
재한	(눈빛은 걱정되지만, 애써 아무렇지 않은 척) 얘기해봐.
수현	(눈빛 떨려오는) 잘... 모르겠습니다. 아무것도 보이지 않아서...
재한	차수현. 넌 그냥 피해자가 아니라 형사야.
수현	(보는)
재한	널 납치한 놈은 벌써 두 명을 죽인 놈이야. 그놈을 잡으려면 네 기억이 필요해.
정제	야, 확증도 없으면서 왜 그래? 반장님도 단순 납치 사건으로 수사하라고 그랬잖아.
재한	(정제 말 아랑곳 하지 않고 수현만 보며) 얘기해봐. 본 게 없으면 들은 거라도 있을 거 아냐.
수현	...소리...

사람들 수현에게 집중하는...

수현	물... 떨어지는 소리가 들렸어요...

똑... 똑... 수도꼭지에서 물방울 떨어지는 소리가 점차 커져온다.

- 인서트
진우의 집 화장실, 똑똑 물이 떨어지던 개수대. 검은 비닐봉지가 머리에 씌워진 수현이 양 손이 뒤로 묶인 채 벽에 기대앉아 있는데, 다가오는 진우의 인기척. 들려오는 목소리

진우(소리)	...사는게... 힘들지?... 소리 내면 안 돼. 그러면... 혼나.

- 형기대 사무실로 돌아오면

수현	...목소리는 젊은 남자 같았어요... 그리고.. 손..

- 인서트
진우의 창고, 수현의 목에 자신의 손가락을 갖다 대는 진우.

- 형기대 사무실, 점차 떠올리면서 힘들어하는 수현

수현	...가늘고... 차가웠어요. 그러다가... 조금만 기다리라면서... 나갔어요... 문이 열리고 찬바람이 들어와서... 지금 안 나가면... 죽을 것 같았어요. 그래서 일어나서... 문을 찾기 시작했어요... 그런데...

하다가 그때를 떠올리자, 공포가 밀려오는 듯, 눈을 질끈 감는 수현. 생각하는 것 자체가 괴롭다.

수현	못하겠어요.
재한	계속해.
정제	야, 좀 쉬었다가...
재한	(수현의 양 어깨를 잡고) 차수현 나 봐.
수현	(시선 외면하는데)
재한	(그런 수현을 억지로 자기를 보게 만든다) 나 봐. 이제 괜찮아. 그러니까 얘기해봐.
수현	(말을 꺼내는 것 자체가 힘들지만, 한 마디 한마디 힘겹게 말을 꺼낸다)... 문을... 찾았는데...

- 인서트
- 진우의 집. 화장실을 나오는 수현. 벽면을 따라 아까 소리가 났던 곳

을 향해 더듬더듬 떨리는 손으로 향해 걸어가는 수현. 그러다가 벽면 쪽에 놓인 장롱을 지나는데, 한쪽이 열린 장롱 안을 더듬더듬하던 수현의 손이 닿은 곳... 장롱 안에서 삐죽 나와 있는 죽은 여자의 손이다. 차갑게 굳어 있는 시신의 손을 만졌다는 걸 깨닫는 수현. 공포가 밀려오면서 덜덜덜 떨기 시작하고...

- 다시 형기대로 돌아오면, 굳은 얼굴로 수현을 바라보는 재한을 비롯한 형사들.

수현   (그때가 생각나는 듯 벌벌 떨기 시작하는)...

정제   정말... 시체가 있었어?

수현   잘 모르겠어요... 근데... 그 손... 너무... 차가웠어요...

재한   그래서 어떻게 나온 거야?

- 인서트
- 진우의 집, 패닉이 된 수현. 미친 듯이 손으로 벽면을 따라 이동하면서 문을 찾기 시작한다. 드디어 한쪽 벽면에 위치한 문에 도착하는 수현. 문틈 사이로 들어오는 찬바람. 여기다. 미친 듯이 문고리를 잡아서 열어보려고 하지만, 열리지 않는 문. 문 밖을 비추는 화면. 문 밖에는 녹슨 빗장이 걸려져 있다. 문 안, 수현, 문이 열리지 않자, 더욱 패닉이 되는, 쾅쾅 사력을 다해 문에 몸무게를 실어 부딪치기 시작한다. 결국, 쾅 열리는 문.

- 형기대로 돌아와서, 덜덜덜 떨고 있는 수현. 재한, 정제를 비롯한 형사들, 말없이 그런 수현을 바라본다.

재한   그 다음은?

수현   계속 뛰었어요. 그런데.. 뭔가 세게 부딪치고 정신을 잃었다가 눈을 떠보니까... 선배님이 있었어요...

재한   (보다가) 어디로 뛰었어?

수현   ...그냥 앞으로만 뛴 것 같아요... 하지만 아무것도 보이지 않아서...

재한	...몇 분 정도 걸렸어?
수현	모르겠어요.
재한	생각해봐.
수현	...10분, 15분 정도였던 거 같아요.
재한	다른 건?
수현	...냄새...
재한	어떤 냄새?
수현	...집을 나왔을 때... 시궁창 냄새가 났어요...

시선 마주치는 형사들.

정제	홍원동에 개천이 있어. (수현에게) 물 흐르는 소리는?
수현	...잘 모르겠어요...
재한	생각해봐.
수현	...들은 거.. 같아요. 물 흐르는 소리 들었어요.
정제	(보다가) 이제 그만해. 홍원동 개천 주변, 화장실이 딸려있는 1층 집. 가족 없이 혼자 사는 남자. 그 정도면 금방 찾을 거야. (수현에게) 이제 좀 집에 가서 쉬어라. 아니면 병원에 가던지... 누가 좀 데려다줘.

씬/5   N, 과거, 형기대 건물 앞

기동차량 뒷자리에 고개를 푹 숙이고 타고 있는 수현. 출발하는 자동차. 그 옆에서 그 모습을 지켜보고 있는 정제와 재한.

정제	(차가 출발하자 그제야) 야, 넌 꼭 놀란 애한테 그렇게까지 해야겠냐.

대답도 없이 다시 건물 안으로 들어가는 재한.

정제	어디가!
재한	(눈빛 살기등등하다) 무기고. 이 개새끼... 죽여 버리고 만다.

- 낮, 형기대 사무실

벽면에 한가득 붙어있는 홍원동 일대의 지도. 발견 장소라는 점. 그 점에서 일직선으로 개천까지 연결된 여러 선들. 개천까지 연결된 동그라미들을 연결해서 테두리를 표시하는 정제. '감금 장소 예상 지역' 이라고 적는다.

정제   화장실이나 개수대가 딸린 1층 집. 20대 초중반, 독거남.

- 낮, 진우의 집, 개수대에서 똑똑 물이 떨어지고 있다. 물을 잠그는 손. 바로 진우다. 말없이 창고 바닥에 있는 노끈들, 커다란 박스지를 정리하기 시작한다. 서서히 빠지면, 화장실 하나가 있고, 장롱 하나, 싱크대 하나가 달랑 놓여있고 다른 건 아무것도 없는 허름하고 창문 하나 없는 반 지하방 같은 느낌이다.

- 낮, 동사무소, 홍원동 지도의 붉은 색 테두리 안을 가리키는 형사들. 직원, 장부를 열고 독거남을 확인한다. 받아 적는 형사들.

- 수현이 납치된, 개가 묶여있던 공터 주변을 둘러보는 재한과 정제. 하얀 개는 사라져 있다.

- 밤, 깨끗이 정리된 진우의 집 안, 문도 닫힌 장롱. 진우, 내부를 보다가 달칵 불을 끈다. 어두워지는 집.

- 수현이 발견됐던 장소 주변, 재한과 정제 주민들에 말을 묻고 있다. 하지만 주민들은 아는 것이 없다며 고개를 절레절레 흔든다.

- 어느 주택에서 나오는 재한, 정제. 이번에도 소득이 없는 듯, 답답한 얼굴들.

- 밤, 문이 열리면서 걸어 나오는 진우. 허름하고 외진 단독주택에 딸린 쪽문이다. 가로등 하나 켜져 있는 마을 쪽을 향한 길을 천천히 걸어서 사거리

쪽으로 나오는 진우. 그때, 그런 진우의 앞을 스쳐 지나가는 형사들이 탄 차.

– 밤, 차 안, 힐긋, 진우가 내려오던 길 쪽을 바라보는 형사 1.

형사 1　　저쪽은?
형사 2　　(수첩 보며) 저쪽 주소지엔 혼자 사는 남자가 없어.

– 밤, 사거리 일각
점점 멀어지는 자동차를 바라보는 진우의 시선. 몸을 돌려 자동차와 반대쪽 방향으로 걸어가는 진우의 뒷모습.

씬/7　　　　**D, 현재, 장기미제 전담팀**

수현의 얘기를 듣고 있는 해영, 계철, 헌기.

수현　　...금방 찾을 수 있을 것 같았는데, 하지만... 결국 아무것도 찾지 못했어. 시간은 계속 흘러갔고, 그때 반장이었던 김범주 국장이 사건 종결을 지시했거든.
해영　　...사건을 종결해요? 두 명이 죽고 경찰까지 당할 뻔했는데요? (답답한) 그때 범인만 잡았어도... 다른 아홉 명은 살 수 있었어요.
계철　　지금도 그렇고, 예전에도 그렇고 연쇄살인 좋아하는 간부는 없어.
헌기　　동기가 없잖아요. 그냥 죽이고 싶은 욕구로 불특정 다수를 죽이니까 단서가 턱없이 부족한 겁니다. 지금까지 잡힌 연쇄살인범들도 시민들의 제보나 우연히 얻어걸린 단서로 잡은 거예요.
계철　　뭣 빠지게 뛰어다녀도 단서는 없고, 무능하다고 손가락질이나 당하고... 그럴 때 마다 누군가는 재수없게 걸려서 책임지고 옷을 벗게 되거든. 이번에도 마찬가지야. 만약 못 잡으면, 우리가 다 뒤집어쓸 수도 있어. 한 마디로 똥 밟은 거지.

씬/8　　　　**D, 현재, 광수대 사무실, 대회의실**

전면에 설치된 화면에 떠 있는 2000년 실종된 이혜영부터 2011년 마지막엔 신원미상이라고 적힌 백골사체의 추정된 키 000cm와 나이 20대 후반 ~ 30대 초반까지 적혀 있다. 치수와 광수대 요원들을 앞에 두고 설명 중인 수현.

수현 마지막 한구를 제외하고 신원이 밝혀진 여덟 명의 피해자들의 유가족을 탐문한 결과 주목할 만한 사실이 드러났습니다. 숨진 8명 중 세 명은 홍원동에 거주하고 있었고, 나머지 다섯 명은 실종 시기에 직장, 이사, 결혼 등의 이유로 홍원동 근처에 자주 와야만 했던 상황이었습니다.

수현, 화면을 바꾸면 97년 윤상미와 주인희의 사체가 찍힌 현장 사진이다.

수현 97년 두 명의 피해자들을 비롯해 모든 피해자들이 공통적으로 홍원동에 연고가 있었고, 시신이 발견된 동의산 남서면 역시 홍원동 북부지역과 맞닿아 있는 점으로 미루어보아 범인은 1997년부터 지금까지 홍원동에 직장이나 거주지를 두고 있을 가능성이 큽니다.

치수 그거 외에 다른 단서는?

수현 (치수와 강력계 형사들 보다가) 연쇄살인, 특히 이번 경우처럼 과거에 저질러진 연쇄살인 사건의 경우는 프로파일링이 매우 중요합니다. 지금까지 밝혀진 범인에 대한 프로파일링 결과를 말씀드리겠습니다.

수현, 해영에게 눈짓한 뒤 내려오면.. 해영, 발표를 위해 앞으로 나선다. 강력계 형사들의 눈빛, 눈에 띄게 차가워진다. 뒤쪽에 앉은 강 형사는 '제수 없게...' 들릴 듯 말 듯 얘기하고는 들을 필요도 없다는 듯 문을 열고 나가버리려는데...

해영 모두 아시겠지만... 전 이론만 알고 수사에는 전혀 문외한입니다.

해영을 보는 형사들의 뭐야? 하는 눈빛. 강 형사 역시 멈칫하면서 돌아보는

해영	그러니까 제가 지금부터 말씀드리는 건 이론적인 얘기일 뿐입니다. 범인을 잡고 나면 모두 엉터리에 허무맹랑한 추측일 수도 있어요. 수사를 하실 때, 참고만 해주시기 바랍니다.

강 형사, 그래 한번 들어나 보자는 듯 팔짱 끼고 보는... 다른 형사들 역시 말없이 해영을 바라본다.

해영	동의산 발굴 현장에서 발견된 백골사체들의 포장상태와 매장의 깊이 등을 살펴봤을 때 범인은 매우 꼼꼼하고 세심한 성격으로 추정됩니다.

씬/9   D, 편의점

9부, 진우가 일하던 편의점과는 다른 편의점. 판매대를 정리하고 있는 손길의 손톱, 깔끔하게 정리돼 있다. 서서히 빠지면, 판매대를 정리 중인 이제는 30대 중반이 된 진우. 깔끔한 옷차림새에 머리형이다. 그 위로 깔리는 해영의 목소리.

해영(소리)	옷차림이나 머리형 역시 강박적으로 깔끔할 가능성이 큽니다. 거주지건, 직장이건, 주변 역시 깔끔하게 정리돼 있을 거예요.

진우가 정리 중인 판매대 보면, 한 줄의 흐트러짐 없이 깔끔하게 정리돼 있다.

씬/10   D, 현재, 광수대 사무실, 대회의실

여전히 설명 중인 해영.

해영	사체를 포장하는 데에 시간이 꽤 많이 소요됐을 겁니다. 어느 누구의 방해도 받지 않을 자기만의 작업장이 있었을 거고, 마당이 없는 독채에 거주할 가능성이 큽니다. 자기 마당이 있었다면 거기에 파묻지, 힘들게 동의산까지 시신을 옮기지 않았을 거예요. 또한 피해자들의 특성 중

에서 가장 주목해야 할 점이 있습니다. 피해자들은 나이도 외모도 키도 제각각이었습니다. 단 한 가지 유사한 점은 우울증을 앓고 있었건, 우울증 직전까지 갔건 우울한 성향을 보였다는 겁니다.

씬/11   D, 편의점

카운터로 돌아오는 진우. 가방 안에서 약병 하나를 꺼내서 복용한다. 그 위로 깔리는 해영의 소리

해영(소리)   이런 경우 범인 역시 동일한 성향이나 병증을 가지고 있는 경우가 있을 수 있습니다. 범인 역시 우울증을 가지고 있을 가능성이 있다는 얘기죠.

그때, 딸랑 소리와 함께 들어서는, 20대 후반의 여자 승연이다. 귀염성이 묻어나는 외모지만, 피곤한 눈매에 전혀 꾸미지 않은 허름한차림. 컵라면을 가지고 오는데, 진우의 얼굴을 보지도 않는다. 그런 승연을 눈여겨 바라보는 진우의 시선.

– 시간 경과되면
컵라면을 먹는 승연, 자신을 바라보는 시선을 느낀 듯 진우를 힐긋 보는데, 진우 가만히 승연을 바라보고 있다. 승연, 뭐지? 이상한 시선으로 다시 컵라면을 먹는다.

해영(소리)   또한 그런 피해자들의 성향을 관찰하려면 오랜 시간이 필요합니다. 계속 피해자들을 지켜볼 수 있었던 위치에 있었을 거예요.

씬/12   D, 현재, 광수대 사무실, 대회의실

해영   피해자들이 다녔던 심리 상담소라던지, 자주 가던 단골집 등 공통적으로 방문하던 곳을 찾아내는 게 급선뭅니다. 피해자들이 집과 직장을 오갈 때 사용했던 출퇴근 경로나 자주 가던 곳, 공통적으로 알고 지내던

	지인 등을 집중적으로 수사해야 합니다.
치수	(해영을 보다가 수현 보는) 차수현 네 생각은?
수현	저 역시 동의합니다.
치수	좋아. 그럼 강력 1팀은 피해자들이 다니던 직장 동료 등 자주 만나던 지인들 리스트 작성하고, 강력 2팀은 피해자들 이동 경로 파악해. 전담 팀은 아직 확인되지 않은 마지막 피해자 신원확인에 주력하도록.
수현	한 가지 더 있습니다.
일동	(보면)
수현	유일하게... 범인을 목격한 증인이 있습니다.

씬/13   D, 현재, 광수대 사무실 복도

형사들, 다들 윗옷을 걸쳐 입고 뿔뿔이 흩어지기 시작하고, 회의실에서 나온 수현, 전담팀을 향해 걸어가려는데, 뒤에서 따라 나오는 해영, 그런 수현을 잡으며

해영	정말 법 최면 받으실 거예요?
수현	같은 말 두 번 듣는 게 취미야?
해영	아무리 형사라도 그런 일을 당했다면, 당연히 정신적인 외상이 남아있을 겁니다. 괜찮겠어요?
수현	...훨씬 전에 했어야 하는 일이었어.. 나 때문이야... 저 피해자들... 내가 못 잡아서 죽은 거라구...
해영	범인 얼굴도 못 봤다면서요.
수현	...얼굴은 모르지만, 집은 알아낼 수 있을지도 몰라 내 기억 어딘가에 분명히 단서가 있을 거야.

씬/14   N, 법 최면실

어두운 방, 카우치 의자에 누워있는 수현. 천장에 설치된 흐릿한 불빛을 바라보고 있다. 그 옆에 앉아서 법 최면을 유도하고 있는 법 최면가.

최면	이제 눈을 감고 숨을 크게 쉬어봅니다.

수현, 눈을 감고 숨을 크게 들이쉬는

최면	숨이 들어와 당신의 온 몸 구석구석을 이완시켜줍니다. 아주 편안함을 느낍니다. 호흡에 집중하세요.

씬/15   N, 법 최면실 옆 관찰실

관찰실에서 지켜보고 있는 치수, 해영, 계철, 헌기. 관찰실 유리 너머 카우치 의자에 누워있는 수현을 바라보고 있는 해영.

씬/16   N, 법 최면실

최면에 점차 빠져드는 수현을 보면서 그때의 기억을 유도하는 법 최면가.

최면	지금은 1997년 12월 20일 밤입니다. 당신은 누군가에게 납치됐습니다.

눈을 감은 수현의 낯빛, 공포로 일그러진다.

- 인서트
검은 비닐봉지에 얼굴을 뒤집혔던 당시, 수현의 시선.

- 다시 법 최면실

최면	다른 건 기억하지 않아도 좋아요. 그 집에서 나왔을 때로 돌아가 보죠. 찬바람이 느껴지나요?

씬/17   N, 과거, 몽타주

– 쾅, 문이 열리면서 반동으로 문밖으로 쾅 쓰러지는 수현.

최면(소리)   그 뒤에 어떻게 됐죠?

수현(소리)   ...넘어졌어요...냄새...

최면(소리)   무슨 냄새가 나죠?

수현(소리)   썩은 냄새... 시궁창 냄새요...

최면(소리)   그리고 어떻게 했죠?

금방이라도 누가 덮칠 것 같다. 겁에 질린 몸짓으로 겨우 일어나 정면만 보며 뛰어가는 수현. 검은 비닐봉지 너머로 오른쪽에 위치한 가로등의 불빛이 마구 흔들린다.

씬/18   N, 현재, 법 최면실

카우치 의자에 누워 수면에 빠진 수현에게 계속 질문을 던지고 있는 법 최면가

최면   그 뒤에 어떻게 됐죠?

수현   ...달렸어요... 앞만 보고... 그런데... 앞이 잘 보이지 않아요...

– 인서트
– 과거, 또다시 벽면에 부딪치면서 나동그라지는 수현. 느껴지는 벽면의 거친 느낌 일어서려다가 머리에 부딪치는 동그란 대문의 손잡이. 다시 일어서서 달리기 시작하는 수현. 다시 흔들리기 시작하는 왼편의 가로등 불빛.

– 다시 법 최면실로 돌아오면 수현, 그때를 기억하는 듯 숨이 가빠진다.

최면   계속 뛰고 있나요?

수현   예... 계속 앞만 보고 뛰었어요... 그런데...

– 인서트

- 과거, 달리던 수현, 뭔가와 쾅 부딪친다.
- 다시 법 최면실로 돌아오면 누워있는 수현에게 질문을 던지는 법 최면가

수현   ...뭔가와 부딪혔어요.
최면   어디에 부딪쳤는지 보이나요?

수현, 순간 호흡이 거칠어지면서 고개를 뒤로 젖힌다.

수현   답답해요.
최면   괜찮아요. 당신은 안전합니다. 천천히 호흡하세요.

하지만, 계속해서 호흡이 거칠어지면서 괴로워하는 수현. 최면가, 관찰실 유리문 쪽을 바라보며 더 이상 진행할 수 없다는 듯 고개를 가로젓는다.

씬/19   N, 동장소

최면에서 깨어난 수현, 어둡고 지친 얼굴로 의자에 걸터앉아 있고 그 옆에서 수현을 지켜보고 있는 해영, 계철, 헌기, 치수.

해영   괜찮아요?
계철   결국 최면을 했어도 범인의 집에 대해선 예전하고 단서는 똑같네.
수현   (낯빛이 좋지 않지만 치수에게) 한 번 더 해볼게요. 뭔가 놓쳤을 수 있어요. 아니... 뭔가 놓친 거 같아요.
해영   아뇨. 차 형사님 기억을 토대로 범인의 집을 쫓은 건 과거의 실패한 수사 방법입니다. 그 이후로 아홉 명의 피해자가 나왔어요. 이젠 그 피해자들에게 집중하는 게 맞아요.
치수   박해영 말이 맞아. 실패한 수사 방법을 되풀이할 필요는 없어. 마지막 피해자 신원 확인에 주력해.

치수, 최면실을 나가는데, 계철과 헌기 믿기지 않는 듯 서로를 바라보

며 낮은 목소리로

계철   방금, 안치수 계장이 박해영 말이 맞다 그런 거 너도 들었냐? 내가 잘못 들은 거 아니지?

헌기   ...미운 정이 무섭긴 무서운가 봐요.

해영은 그런 두 사람 얘기 들리지 않는 듯 수현을 걱정스럽게 보고 수현, 최대한 내색하지 않으려 하지만, 떨리는 손길.

씬/20   **N, 과거, 홍원동 거리**

물이 흐르고 있는 개천 주변 거리 일각 문을 두드리고 있는 재한. 하지만, 안에는 아무도 없는 듯 대답이 없다. 재한, 답답한 얼굴로 들고 있던 지도를 보면서 엑스자 치는데 품 안에서 울리는 무전기의 치치직 소리. 재한, 빠르게 무전기 꺼내며 골목 한쪽으로 걸어가며

재한   박해영 경위님? 나에요.

해영(소리)   예. 듣고 있습니다.

재한   97년 홍원동. 검은 비닐봉지... 맞죠?

씬/21   **N, 현재, 광수대 건물 주차장, 차 안**

해영, 무전기를 보다가

해영   예. 맞아요. 그 사건입니다.

씬/22   **N, 과거, 홍원동 거리 일각**

재한, 미치고 팔짝 뛰겠는 얼굴로

재한   설마, 이 미친 새끼도 못 잡는 겁니까?

씬/23   **N, 현재, 차 안**

해영   ...예. 아직도 범인은 잡히지 않았어요. 지금 우리도 수사 중입니다. 피해자들이 모두 홍원동과 연고가 있고, 우울한 성향이었다는 것 말고는 결정적인 단서는 발견되지 않았어요. 혹시 그때, 피해자들 사이에 공통점이 더 발견되진 않았나요?

씬/24   **N, 과거, 홍원동 거리 일각**

재한   피해자들 모두 집 앞 슈퍼도 안 갈 정도로 낯을 가리는 성격이었어요. 주로 다니는 길도 전혀 달랐고요. (답답한) 사람을 둘이나 죽이고 우리 형기대 막내애까지 죽을 뻔 했습니다. 이놈 꼭 잡아야 돼요.

씬/25   **N, 현재, 차 안**

해영   (듣다가)... 형기대 막내... 차수현 형사님이죠?

씬/26   **N, 과거, 홍원동 거리 일각**

재한   (멈칫하는)... 차수현을 아세요? 경위님이 어떻게 차수현을 아는 겁니까?

씬/27   **N, 현재, 차 안**

해영   차수현 형사님, 우리 팀 팀장입니다. 서울청 장기미제 전담팀이요.

씬/28   **N, 과거, 홍원동 거리 일각**

재한   (기가 막혀도 한참 막힌) 팀장... 팀장이요? 차수현이? 쩜오가? 와... 나 올해 들었던 말 중에 가장 충격적인 말이네. 그 팀 제대로 굴러가기는 합니까?

씬/29   **N, 현재, 차 안**

해영   (재한의 반응이 재밌는, 옅게 웃으며) 왜요? 차 형사님이 그렇게 엉망이었어요?

씬/30   **N, 과거, 홍원동 거리 일각**

재한   엉망뿐입니까. 기동차량 운전하나 못하는 차수현이 팀장을 해요? 와...

씬/31   **N, 현재, 차 안**

해영   그때, 많이 힘들어 했었던 것 같은데... 괜찮나요? 아무리 형사라도 범인에게 납치된 거잖아요. 충격이 클 겁니다.

씬/32   **N, 과거, 홍원동 거리 일각**

재한, 멈칫하는

- 인서트
- 5씬, 기동차량 뒷자리에 고개를 푹 숙이고 타고 있는 수현.

- 다시 홍원동 거리 일각으로 돌아오면

재한   ...이겨낼 겁니다. 운전은 엉망이지만, 그래도 강단은 있는 애에요.
해영(소리)   ...그렇게 직접 얘기해 주세요.
재한   (뭔 소리야? 하는 표정으로 무전기 보는) 예?

씬/33   **N, 현재, 차 안**

해영	속으로만 그렇게 생각하면 상대방은 알 수 없어요. 직접 얘기해 주면, 훨씬 힘이 될 겁니다. 이재한 형사님이 얘기를 해주면... 더 그럴 것 같고요.
재한(소리)	내가요? 왜요?
해영	그냥... 그럴 거 같아서요. (하다가...) 그런데 형사님. 그건... 궁금하지 않으세요? 지금... 2015년에 형사님은 어떻게 돼 있는지...

씬/34　　　　N, 과거, 홍원동 거리 일각

재한, 가만히 무전기를 바라보다가

재한	...난요. 우리 아버지가 점 보러 다니는 것도 질색인 사람입니다. 앞으로 잘 살든 못 살든, 그거 알아서 뭐 합니까. 어차피 내가 내 인생 사는 건데... 혹시라도 그때 나 만나서 정신 못 차리고 있으면 한 대 주먹질이나 해주세요. 정신 차리라고...

씬/35　　　　N, 현재, 차 안

해영, 무전을 듣다가 자꾸 재한의 미래가 마음에 걸린다.

해영	형사님, 사실... 형사님은...

하는데, 보면 무전기 불빛이 꺼져 있다. 어쩐지 복잡한 마음이다.

씬/36　　　　N, 과거, 홍원동 거리 일각

재한, 역시 무전기를 내려다보는 시선이 찜찜한데...

씬/37　　　　D, 현재, 광수대 사무실, 소회의실

치수와 함께 회의 중인 강 형사, 문 형사를 비롯한 광수대 형사들과 계철.

강 형사	신원이 확인된 피해자들의 주변을 조사해 봤는데요. 워낙 대인관계가 좁았습니다. 가족을 제외하곤 친구도 거의 없었고, 동료들과도 인사만 하는 정도여서 피해자들 모두를 관찰할 수 있을 정도의 지인들은 없었습니다.
문 형사	피해자들이 주로 이용하는 출퇴근 경로나 자주 가던 곳들도 마찬가집니다. 거의 집밖에 모르고 살았어요. 가까운 홍원동 인근에 살았지만, 공통적으로 이용하던 건 지하철이나 버스 정도의 대중교통입니다. 하지만 이용 시간대도 이용하는 버스 노선도 달랐고요.
치수	(답답한) 한 마디로 아직 단서가 없다는 건가? 아직 신원이 확인 안 된 피해자는?

피해자가 발견 당시 입고 있던 옷들이 찍힌 사진을 치수에게 보여주는계철.

계철	발견 당시 피해자가 입고 있던 옷입니다. 겨울 파카를 입고 있던 걸로 봐서는 실종 시기는 겨울. 이 옷들을 제조한 제조사에 확인한 결과, 2014년 처음으로 생산된 의류랍니다. 2014년 이후에 실종됐을 확률이 높습니다.

씬/38   D, 국과수 특수부검실

스테인리스 부검대 위에 올라와 있는 백골사체 한 구를 바라보며 얘기 중인 윤서와 해영, 수현은 말없이 뒤쪽에서 서 있고...

윤서	전국 실종자 데이터베이스 DNA와 한 번 더 비교해 봤지만, 일치하는 사람은 없었어요. 치과 치료를 받은 흔적도 없고, 수술도 받은 적이 없고요. 그리고 백골사체를 조사해 봤는데, 뼈에서 수은이 다량으로 검출됐어요. 치사량까진 아니지만, 꽤 오래 수은에 노출됐던 것 같아요.
해영	그게 답니까?
윤서	하나 더 이상한 점이 있어요. 다른 사체들은 모두 비닐을 묶은 매듭이 목 앞 쪽에 있었어요.

- 인서트

백골사체 발굴 당시의 사진. 사체의 머리에 씌워진 매듭이 목 앞 쪽으로 묶여있다.

- 국과수로 돌아와서,

윤서	범인이 피해자들의 얼굴을 마주보면서 비닐을 씌웠다는 거죠. 그런데 이 사체만 다르더라고요. 비닐봉지의 매듭이 목 뒤에 있었어요. 비닐봉지를 뒤에서 씌웠단 거죠. 그리고 설골의 골절 모양도 달랐어요.
해영	무슨 소리에요?
윤서	다른 피해자들은 앞에서 두 손으로 목을 졸라 살해당했어요. 그런데, 이 피해자는 골절 모양으로 봤을 때, 뒤쪽에서 목을 조른 것 같아요. (해영의 목을 뒤에서 팔로 조르는 시늉을 하며) 이렇게요.
해영	...그러니까 범인은 이 피해자를 대할 때 항상 뒤쪽에서 움직였단 얘기군요.
윤서	맞아요.
해영	...이 사체... 담요로 싸여 있었어요.
수현	(보는)
해영	...담요... 부드럽고 따뜻한 재질이에요... 거기다 얼굴을 보지 않았다.. 사체 처리 방식이 달라졌어요. 범인에게 심리적인 변화가 생긴 겁니다.
수현	그게 무슨 소리야?
해영	형태가 다르면 분명히 그 이유가 있을 겁니다. 이 피해자가 범인의 감정을 움직인 거예요. 이 피해자의 신원을 밝혀내면, 범인에 대한 단서가 나올 겁니다.

씬/39   D, 편의점

창가 간이 테이블에서 컵라면을 먹고 있는 승연. 마치 9부 18씬의 상미처럼, 승연 역시 이제는 진우를 의식하고 있는 듯 카운터를 슬쩍 바라본다. 카운터에서 자신을 바라보는 진우를 의식하는 듯한 승연.

씬/40   N, 고깃집

치이익. 불판 위에서 구워지는 삼겹살. 시끌시끌한 주변 소음 들리고 고깃판 위로 짠하고 몰리는 소주잔들. 테이블 구석 창가에 앉은 승연도 마지못해 건배하지만, 곧 조용히 소주잔 내려놓고 마시지 않는다. 동료들이 웃고 떠드는 와중에 한구석에 소외된 승연은 말없이 밑반찬만 깨작깨작 거린다. 고깃집 밖, 유리창 너머로 보이는 승연의 외따로 소외된 모습. 누구 하나 승연에게 말을 걸지 않는다. 그리고 길 건너편에서 무표정하게 승연을 관찰하고 있는 진우...

씬/41   N, 거리 일각

곳곳에서 캐럴 소리 들리고, 얼굴에 미소 가득한 행복한 커플들 가운데 홀로 걸어가고 있는 검은색 귤 봉지를 든 승연. 아래로 숙인 고개. 힘없고 느린 걸음이 눈에 띈다. 그런 승연의 뒷모습을 바라보는 시선... 승연 뒤에서 따라 걷는 진우다. 승연이 느린 걸음걸이에 맞춰 역시 느리게 쫓아 걷는 진우... 시선은 동그랗게 말린 힘없는 승연의 뒷모습에 고정돼 있다. 그때, 승연 천천히 코너를 돌아 사라진다. 느릿느릿 그 뒤를 따라 걷는 진우. 코너를 도는데, 순간 멈칫한다. 먼저 코너를 돌았던 승연, 봉지를 놓친 듯, 귤이 바닥에 나뒹굴고 있고, 그 귤을 하나씩 급하게 주워 담다가, 가장 코너 쪽에 떨어진 귤 하나를 집어 들고 있다가 서로 시선 마주친 진우와 승연이다. 진우, 예상치 못한 상황에 어찌할 바를 모르고 승연을 내려다보고 있고, 승연도 어떡해야 하지? 하는 눈빛으로 가만히 보다가... 진우의 손에 마지막 주워 올린 귤을 쥐여주고는 얼굴이 새빨갛게 돼서 뒤로 돌아 빠르게 걸어가기 시작한다. 진우, 자기 손에 들린 귤을 바라보는데, 눈빛이 급격하게 떨려온다. 무서운 거라도 본 듯, 귤을 바닥에 집어던진다. 그리고는 뒤돌아서 빠르게 뛰어간다.

씬/42   N, 진우의 집

쾅, 문이 열리고 들어서는 진우. 장롱 옆, 구석진 곳으로 빠르게 기어들어가 거친 호흡을 내쉬는... 벌벌 떨리는 눈빛. 그런 진우의 눈빛 쫓아가보면, 맞은편 싱크대 옆 구석진 곳에 무릎을 안고 슬픈 눈빛으로 앉아있는 어린 진우(7살, 남)다. 허름하고 꾀죄죄한 옷차림, 며칠은 못 씻은 듯 엉겨있는 머리카락. 집안이 냉골인지 너무 얇아서 바들바들 떨고 있는 진우다.

진우 母(소리)   우리 아들 춥지.. 엄마가 따뜻하게 해줄게.

- 집, 박스 안에 진우를 넣고 뚜껑을 닫아버리는 진우 母의 손. 어두워지는 박스 안에서 '엄마.. 무서워.. 꺼내줘요' 우는 진우.
- 집, 진우 먹기 싫다고 도리도리질을 하지만, 진우에게 억지로 빵을 먹이는 진우 母의 손길.

진우 母(소리)   편하게 해줄게. 같이 좋은 데 가는 거야...

- 집, 빵을 먹고 창백한 낯빛으로 토를 하는 어린 진우.

- 집 앞 골목길, 어두운 얼굴로 집으로 돌아오는 진우, 저 앞에서 진우를 보고 꼬리를 흔들고 있는 귀여운 하얀 강아지. 진우의 얼굴에 미소가 드리워진다.

- 집, 강아지를 안고 예뻐하는 진우. 그런데 강아지가 자꾸 낑낑거린다.

진우 母(소리)   우리... 강아지도 편하게 해주자.

- 집 앞 골목길, 강아지를 볼 생각으로 신나서 뛰어오는 진우. 집 앞 쓰레기 버리는 곳에 버려져 있는 뭔가를 바라보고 놀라서 멈춰 선다. 검은 쓰레기봉투에 담겨 버려진 하얀 강아지의 다리다.

– 다시 현재의 집으로 돌아오면 어린 시절의 자신의 환상은 사라져 있다. 떨리는 손으로 주머니 안에서 약병을 꺼내 약을 물도 없이 집어넣는다. 그런 진우의 귓가에 또다시 엄마의 잔소리가 들려온다.

진우 母(소리)　사는 게 힘들지... 내가 도와줄게...

진우, 자꾸만 들려오는 엄마의 목소리에 귀를 막고 괴로워하는 모습

씬/43　　　　몽타주

– 편의점 앞
낮. 편의점 앞 파라솔과 의자를 정리하고 있던 진우, 문득 보면 저만치 앞에서 승연이 걸어오고 있다. 승연이 눈인사를 하려는데 진우는 그냥 안으로 들어가 버린다. 승연, 조금 실망하는.

– 편의점 안
밤. 편의점 안 간이 테이블에서 커피를 마시고 있는 승연. 카운터 쪽을 바라보는데, 텅 비어 있는 카운터. 창고 안에서 승연이 갈 때까지 나오지 않는 진우.

– 편의점 밖 거리 일각
밤, 승연, 힘든 하루를 보낸 듯, 더욱 처지고 힘든 눈빛으로 걸어오다가 편의점 안의 진우를 힐긋 보다가 시선 마주치는데, 돌려버리는 진우. 판매대 안쪽으로 들어가 버린다. 승연, 그런 진우를 보다가... 나 혼자 착각했구나... 슬픈 눈빛. 더욱 처지고 힘든 어깨로 멀어진다. 판매대 사이에서 그런 승연을 바라보는 진우의 눈빛.

씬/44　　　　D, 현재, 홍원동 거리 일각

차 옆에서 얘기 중인 수현, 해영, 계철, 헌기.

해영	나이는 20대 후반에서 30대 후반, 키 000cm, 실종 시기는 2014년 이후. 분명히 홍원동 쪽에 연고가 있었을 거예요. 실종신고가 들어오지 않은 걸로 봐선 가족이 없었을 겁니다. 인근 부동산 쪽을 중심으로 자취를 하던 여자가 갑자기 사라진 적은 없는지 조사해 보면 뭐든 나올 거예요.
계철	하... 홍원동에 부동산이 몇 백 개라고.
해영	찾아내야 해요. 이 여자를 찾으면 범인을 찾을 수 있는 단서가 있을 겁니다. 만약 범인이 살아있다면, 또다시 다른 여자를 죽일 수도 있어요. 그전에 범인을 찾아내야 해요.

씬/45   D, 편의점 안/ 편의점 밖 거리

진우, 편의점 안에서 일과를 보고 있는데, 점심을 먹으러 나온 듯, 터덜터덜 편의점 쪽으로 걸어오는 승연을 발견한다. 못 본 척, 고개 돌리고 판매대 쪽으로 걸어 들어가는... 승연, 그런 진우를 힘없이 보다가 편의점 앞을 지나가려는데, 빙판길에 쾅 넘어지고 만다. 스타킹은 찢어지고, 가방 안의 지갑, 책, 일기장 등 물건들이 바닥에 널브러진다. 당황한 승연, 무릎 까진 것도 모르고 물건들을 다시 주워 담는데, 지나가는 사람들 그 누구도 멈춰 서서 도와주지 않는다. 지나가던 아저씨 발에 치여서 조금 더 멀어지는 일기장. 승연, 당황해서 그쪽으로 가려고 일어서는데, 그 일기장을 주워드는 손, 진우다. 승연과 시선 마주치는데, 진우 승연에게 무표정한 얼굴로 일기장만 쥐여주고는 곧바로 편의점으로 들어가 버린다. 승연, 진우가 쥐여준 일기장을 가만히 내려다보다가 옅은 미소.

씬/46   N, 편의점 밖 거리

사복으로 갈아입고 퇴근하는 진우. 편의점 문을 열고 가려는데, 보면 빗방울이 떨어지고 있다. 우산을 쓰고 오가는 사람들. 진우, 그런 하늘을 바라보다가 후드티를 뒤집어쓰고 집으로 돌아가기 시작하는데, 뭔가 이상한 느낌. 뒤돌아보면, 뒤쪽에서 우산을 씌워주고 있는 승연이다. 승연, 진우와 시선 마주치자...

승연	저기... 우산... 가져가세요. 난... 하나 더 있어서...

진우, 그런 승연을 놀래서 보다가... 대꾸도 없이 뒤돌아서 더욱 빠르게 길을 걷기 시작한다. 승연, 잠시 당황하다가 바로 진우의 뒤를 쫓아 걸으면서 뒤에서 우산을 씌워준다. 진우, 다시 뒤돌아 승연을 바라본다.

승연	집이... 이쪽이라서... 추운데... 비 맞으면 감기 걸릴 텐데...

진우, 그런 승연 보다가 다시 빠르게 걷기 시작하고... 승연도 다시 진우에게 우산을 씌워주며 쫓아간다.

씬/47   N, 진우의 집 앞 골목

기어이 진우의 집 앞 골목까지 진우에게 우산을 씌워준 승연. 뒤에서 손을 뻗어 진우에게 아슬아슬 우산을 씌워주는 승연 덕분에 진우는 비를 거의 맞지 않고 있지만, 대신 승연은 머리를 제외한 어깨 아래 부분이 거의 비에 젖어 있다. 진우의 집이 코앞이다. 우뚝 멈춰 서는 진우의 발걸음. 뒤따라오던 승연도 덩달아 멈춰 서는데,

승연	여기 사세요...?
진우	(돌아보면)

진우의 시선을 받자 수줍고 당황한 승연, 저도 모르게 시선 피하면서

승연	(인사하며) 그럼...

승연, 돌아서서 발개진 볼을 하고 빠르게 멀어지는데... 진우, 그런 승연을 보다가...

진우	유승연 씨..

승연 놀라서 돌아보는,

승연　　제 이름을 어떻게...

승연을 바라보는 진우의 눈빛, 살기인지 애정인지 모를 감정이 배어있다.

씬/48　　　D, 현재, 홍원동 부동산

홍원동 인근 부동산을 탐문 중인 계철. 계철의 질문에 고개를 가로젓는 부동산 주인.

씬/49　　　D, 현재, 홍원동 또 다른 거리 일각

다른 부동산 문을 열고나서는 해영과 수현. 원하는 답을 얻지 못한 듯 답답한 얼굴인데...

수현　　...이제 그만 찢어지자.
해영　　(보는)
수현　　홍원 1동 쪽 맡을 테니까, 넌 3동쪽 맡아.
해영　　같이 하죠.
수현　　내가 애로 보여? 나 진짜 괜찮으니까 찢어져.
해영　　아까 다 봤습니다.

- 인서트
38씬, 특수부검실 백골사체를 보며 얘기 중인 해영과 윤서. 해영, 문득 얘기 도중 수현을 본다. 똑똑 떨어지는 부검실의 수도꼭지. 저 앞쪽에 놓인 차트에 끼워진 현장사진에 보이는 검은 비닐봉지. 수현, 애써 아무렇지 않은 척하지만, 자꾸만 손이 떨려온다.

- 다시 홍원동 거리로 돌아오면

해영	최면을 하고 나면 예전 기억들이 더 선명해질 수 있어요. 게다가, 이 근방 거
	리는 차 형사님이 예전에 납치당한 곳과 가까워요. 같이 다니는 게 좋습니다.
수현	네가 얘기했잖아. 빨리 찾아야 한다고. 찢어져서 찾다가, 무슨 일 생기
	면 바로 연락해.

수현, 말릴 틈도 없이 뒤돌아서서 멀어진다.

씬/50   D, 과거, 형기대 사무실

홍원동 지도를 보면서 회의 중인 재한, 정제를 비롯한 형기대 형사들.
다들, 피곤에 절고 답답한 얼굴들이다. 지도의 붉은 동그라미는 이미 2
킬로 반경까지 계속 고쳐져 있다.

정제	개천 인근 지역 다 뒤져봤어. 그런데도 개미 새끼 하나 안 나왔다고
재한	좋아. 그럼 수색지역 반경을 좀 더 넓혀서 다시 수색한다.
정제	야, 시간도 인원도 부족해. 지금 형기대에서 맡고 있는 다른 사건들, 다
	스톱돼 있어. 이 사건도 마찬가지고, 다른 사건들도 수사한지 2주 안에
	단서 잡지 못하면 미제로 빠지기 십상이야.
재한	차수현 얘기 못 들었어? 집에 또 다른 시신이 있다고 했어.
정제	...확실한 얘기도 아니잖아. 마네킹이었을 수도 있고...
재한	뭐?
정제	차수현 얘기 앞뒤가 안 맞는 점들이 많아. 10분에서 15분 시간도 확실
	한 것도 아니고... 지금 애먼 데 삽질하고 있는 걸 수도 있잖아.
재한	(수현의 얘기가 나오자) 차수현은...? 계속 병원에 있어?
정제	참이나 일찍 물어본다. 걔 좀 이상해. 삼일이나 무단결근이라구.

재한, 고개를 돌려 수현의 텅 빈 책상을 바라본다. 그런 재한의 얼굴 위
로 들려오는 해영의 목소리.

| 해영(소리) | 그때, 많이 힘들어 했었던 것 같은데... 괜찮나요? 아무리 형사라도 범 |

인에게 납치된 거잖아요. 충격이 클 겁니다.

D, 과거, 수현의 집 앞

초인종을 누르고 있는 재한. 안에서 문 열리며 나오는 안색이 좋지 않
은 수현, 생각지도 못한 재한이 서 있자, 놀라서 바라본다.

D, 과거, 수현의 빌라 건물 앞

한편에 세워져 있는 기동차량. 그 옆에 서서 대화 중인 수현과 재한.

재한	뭐... 무슨 일 있냐? 어디 아팠어?
수현	...(말없이 땅만 바라보고 선)
재한	반장한텐 알아서 잘 둘러댔어. 아프다고...
수현	(고개 숙인 채) 안 그러셔도... 돼요.
재한	(보면) 뭐?
수현	선배님 말씀이 맞아요...
재한	(보는)
수현	전 경찰 안 어울려요...
재한	야 그거는
수현	...이제 못하겠어요...
재한	(보는)
수현	(눈물 핑도는)... 저요... 봉지가 바스락대는 소리만 들려도 무서워서 심장이 터질거 같아요... ...자꾸 생각나요... 그날 일들이...
재한	(물끄러미 눈물을 흘리는 수현을 바라보는)
수현	골목길도 무섭고... 시체도 무섭고... 그리고 범인이 너무 무서워요... 그러면 경찰 자격 없는 거잖아요... 저... 더는 경찰 못할 거 같아요...

재한, 훌쩍이는 수현을 잠시 보다가 차로 다가가서 차문을 열고 뭔가를
꺼내서 수현에게 내민다.

수현, 얼결에 받아들고 보면 '상주 일등 곶감'이라고 적혀있다.

재한	네 선물이다
수현	?
재한	네가 잡은 오토바이 퍽치기. 그 사건 피해자가 너 덕분에 돈 돌려받았다고 고맙다고 보낸 거야.

수현이 자세히 보면 상자 한 쪽에 '차수현 형사님 감사합니다'라고 매직으로 글씨가 적혀있다.

재한	나도... 범인 무서워.
수현	(보는)
재한	범인 안 무서운 사람이 어딨냐. 나도 수사하다 별의별 놈들 다 봤어. 회칼 들고 덤비는 놈, 연장 들고 덤비는 양아치 놈들, 도끼 들고 덤비는 놈두 있었어. (잘 늘어나지도 않는 윗옷 잡아서 늘리며) 봐봐, 나 그놈 때문에 어깨에 철심까지 박았어.
수현	...도끼 든 놈하고 싸우시다기요?
재한	아니... 무서워서 도망치다가 오토바이에 치였어.
수현	(이건 또 뭔가 보는)
재한	그런데... 어쩌겠냐. 누군가는 잡아야 될 거 아냐. 누군가는...

수현, 재한 보다가 고개 떨구는데, 곶감 상자 위에 적힌 '차수현 형사님 감사합니다'라는 글자를 말없이 바라본다.

| 재한 | 그만둬도 돼. 아무도 너 욕 안 해. 네가 알아서 잘 선택해. 근데... 경찰도 할 만해. 혹시 아냐... 네가 나중에... 번듯한 팀장이 돼있을지... |

수현, 가만히 상자 보다가 문득 뚜껑을 여는데... 보면 빈 상자 안에 달랑 들어있는 곶감 하나. 수현 황당하고.

재한	(좀 민망한) 그게... 그 짐승 같은 형기대 놈들이 맛 본다고 하나둘씩 가져가다 보니까... 그래도 난 안 먹었다.
수현	(보면)
재한	그래도 내가 그 개떼들 사이에서 네거 하나는 사수한 거야.

수현, 곶감 보다가 집어 들고 한입 무는데

| 재한 | 직접 말린 거라고 엄청 달다더라. 맛있냐? |
| 수현 | (끄덕끄덕) |

오물거리는 수현의 시선, 상자 뚜껑의 '차수현 형사님 감사합니다'에 고정된다.

| 재한 | 이 맛에 수사하는 거야 인마 |

수현의 입가에 피식 미소 새어나온다.

씬/53   D, 현재, 홍원동 거리 일각

수현, 거리를 가만히 바라보고 있다. 9부 53씬 몽타주에서 걸었던 길들 중 하나다. 가만히 길을 바라보는 수현.

- 인서트
- 9부 62씬, 하얀 개를 쓰다듬다가 공격을 받던 수현.
- 9부 64씬, 진우의 집에서 검은 비닐봉지가 뒤집어 쓰인 채, 정신을 차렸던 수현.

- 다시 거리 일각으로 돌아오면, 자기도 모르게 떨리는 손. 하지만, 다시 정신을 다잡는 수현.

| 수현 | 누군가는... 잡아야지... |

마음을 추스르면서 거리를 걷기 시작한다.

씬/54   D, 현재, 또 다른 홍원동 부동산

부동산 사장과 마주 서서 질문을 던지고 있는 해영.

해영   작년, 겨울쯤에 갑자기 사라진 여자를 찾고 있습니다. 이 근처에 혼자
          살고 있었을 거고, 나이는 20대 후반 정도 됐을 겁니다.
사장   글쎄요. 못 들어 봤는데...
해영   (답답하지만) 시간 내 주셔서 감사합니다.

해영, 답답한 얼굴로 돌아서서 나가다가... 문득 뭔가를 발견하고 멈춰
선다. 한쪽 벽면에 걸려진 홍원동 일대 지도다.

해영   여긴 뭔데, 텅 비어 있어요?

사장, 해영이 가리킨 곳 보면, 홍원동 일대 한구석 쪽 꽤 넓은 부지가
텅 비어 있고, 빗금 표시가 되어있다.

사장   거기요? 거긴 집이 없어요. 다 공장들이지.
해영   공장...이요?

          - 인서트
          - 38씬, 특수부검실에서 해영과 대화를 나누던 윤서.

윤서   뼈에서 수은이 다량으로 검출됐어요. 치사량까진 아니지만, 꽤 오래 수
          은에 노출됐던 것 같아요.

씬/55   D, 현재, 홍원동 공장 거리 일각

공장 건물들이 다닥다닥 붙어있는 거리로 걸어 들어오고 있는 해영의 모습 위로

헌기(소리) 홍원동 근처 공장 중에 수은과 관련 있는 공장은 딱 하나에요. 세강전구라고, 전구 회사요. 작년에 수은폐기물을 불법 매립한 것 때문에 매스컴이 꽤나 시끄러웠던 적이 있습니다.

해영, 주변을 두리번거리면서 찾다가 한 공장 앞에 멈춰 선다. '세강전구'다.

씬/56   D, 세강전구 공장

사무실에서 간부로 보이는 남자 직원과 마주앉아 있는 해영. 그 옆쪽에는 여자 경리가 책상에 앉아서 이쪽을 힐긋거리고 있고...

직원 (경찰이 껄끄러운) 작년에 실종된 여직원요?
해영 겨울쯤이었을 겁니다.
직원 글쎄요... 잘... 워낙 말도 없이 그만두는 직원들이 많아서...
해영 회사에는 해가 되는 일은 없을 겁니다. 중요한 일이라서 그럽니다.
직원 (영 맘이 내키지 않는)
해영 아니면, 여자 직원들이라도 만나게 해주세요. 제가 직접 물어보죠.

그때, 뒤쪽에서 들려오는 경리의 목소리.

경리 그... 작년 겨울에 말도 없이 사라진 그분 얘기하는 거 아니에요?

씬/57   D, 전구회사 복도

창고를 향해 경리와 함께 걷고 있는 해영.

경리 평소에 말도 없고, 가까운 직원도 별로 없었어요. 기숙사를 쓰고 있었는데, 작년 소송 들어갈 때쯤에 겨울에 갑자기 연락도 없이 돌아오지

않더라고요. 회사 분들도 경황이 없어서 신경도 못 쓰고.. 제가 대신 물건들을 정리해 놨어요.

창고 문을 여는 경리.

씬/58   D, 전구회사 창고

자그마한 창고 안에서 종이박스 하나를 찾아서 해영에게 내미는 경리. 해영, 박스를 여는데, 45씬, 승연이 떨어뜨렸던 일기장이 보인다.

씬/59   N, 장기미제 전담팀

팩스 앞에서 팩스를 받으며 해영과 통화하고 있는 헌기. 팩스 용지를 확인하며

헌기   유승연, 가족관계 알아봤는데요. 부모는 사망했어요. 형제 관계는 없고... 외할머니가 한 분 살아있네요.

씬/60   N, 홍원동 인근 거리 일각

거리에 세워져 있는 차 안에서 헌기와 통화하고 있는 해영.

해영   그분 DNA를 백골사체 DNA와 비교해서 검사 좀 해주세요. 백골사체가 이 여자일 가능성이 큽니다.

전화 끊는 해영, 조수석에 놓인 박스 안을 보면, 사라진 여자가 사용하던 초라하기 짝이 없는 물품들. 그중에서 아까 봤던 일기장을 꺼내는 해영. 한 장 두 장 넘겨서 내용을 읽어 내려가기 시작한다.

'오늘은 왠지 눈물이 났다. 하늘도 푸르고, 날씨도 맑았다. 쉬는 날이라 기숙사에도 아무도 없었다. 바람이라도 쐬러 공원에 갔는데, 다들, 누군

가와 함께였다. 내년 생일엔, 혼자 보내지 않기... 승연아. 생일 축하해' '그곳에 가면 두근거린다. 그래서 자꾸 그곳에 가게 된다. 이런 게 행복하다는 감정일까? 내일이 빨리 오길... 다시 그곳에서 만날 수 있기를...' '내 뒤를 쫓아온다... 날 바라보고 있었다. 처음엔 우연인 줄 알았는데... 정말... 날 좋아하는 걸까? 그 사람은 항상 내 뒤에 있다... 차라리 말을 걸어주면 좋을 텐데...'

일기 아랫부분에는 좋아하는 노래 가사인 듯, '날아라 병아리라는 제목 아래의 가사 전문이 적혀있다. 그렇게 일기장을 보던 해영, 뒤를 넘겨보는데, 가계부를 적어놓은 부분이 보인다. 한 달 치씩 잡아서 적어놓은... 해영, 마지막 12월의 가계부를 본다.

'샴푸 7000원, 양말 3000원... 삼각김밥 700원, 컵라면 800원, 생수 700원, 도시락 2500원...'

목록을 내려다보는 해영.

해영   편의점... (하다 멈칫)

- 인서트
- 24씬, 무전을 하던 재한

재한   피해자들 모두 집 앞 슈퍼도 안 갈 정도로 낯을 가리는 성격이었어요.

- 다시 현재로 돌아오면, 뭔가 감이 온 듯, 해영 다른 달의 가계부도 확인해 본다. 거의 삼각김밥, 컵라면, 도시락, 샌드위치 등 편의점에서 파는 목록들이다. 해영, 수현에게 전화를 건다.

씬/61   **N, 홍원동 또 다른 거리 일각**

다른 부동산을 찾아가고 있는 듯 가로등이 켜진 거리를 걷고 있는 수현. 전화가 울린다. 해영이다.

수현	나야. 뭐 발견했어?
해영(소리)	편의점이요.
수현	편의점?

씬/62   N, 홍원동 거리 일각

차를 몰고 어디론가 향하고 있는 해영.

해영   피해자들은 집 앞 슈퍼도 가기 싫어할 정도로 낯을 가리는 성격이었어요. 그럼 일용품들을 어디서 구입했겠어요. 편의점은 슈퍼랑 달라요. 뭘 구입하건, 언제 가건, 아무도 간섭하지 않는 커뮤니케이션이 단절된 공간이에요. 친구들 없이 혼자서 밥을 먹어도 이상하지 않고, 24시간 불이 켜져 있어서 언제든 방문할 수 있죠.

씬/63   '   N, 홍원동 또 다른 거리 일각

수현, 해영의 얘기에 집중한다.

해영(소리)	마지막 피해자로 추정되는 여자 역시 그랬어요. 가계부를 살펴봤는데, 거의 편의점을 이용했어요.
수현	그 여자가 피해자인 게 확실해?
해영(소리)	지금 DNA 검사 중입니다. 검사 결과가 나오면 확실해지겠죠. 그 전에 마지막 피해자가 기숙하던 공장 인근 편의점 먼저 살펴볼게요.
수현	알았어. 나도 그쪽으로 갈게.

수현, 전화 끊고 차가 있는 곳으로 빠르게 뛰기 시작하는데... 흔들려 보이는 가로등 불빛. 순간, 떠오르는 과거의 기억.

100

- 인서트
- 17씬, 검은 비닐봉지 너머로 오른쪽에 위치한 가로등의 불빛이 마구 흔들린다.

- 다시 현재로 돌아오면 기억 때문에 힘든 듯 창백해지는 수현. 생각하지 말자, 고개를 가로젓다가... 순간 멈칫하는 수현.

- 인서트
- 18씬, 벽면에 나동그라지는 수현. 다시 일어나서 달리기 시작한다. 그리고 다시 흔들리기 시작하는 왼편의 가로등 불빛.

- 현재로 돌아오면, 떨리기 시작하는 수현의 눈빛.

수현   ...반대... 가로등... 불빛이 반대쪽이었어...

- 인서트
- 18씬, 왼편 가로등 불빛을 보다가 뭔가와 쾅 부딪치는 수현. 블랙아웃이 됐던 영상 사이, 부딪치고 난 뒤, 바닥에 나동그라진 수현의 시선에 들어오는 누군가의 실루엣. (검은 비닐봉지 너머로 흐릿한)
- 다시 현재로 돌아오면 충격으로 거의 얼어붙은 수현의 눈빛.

씬/64   N, 몽타주

- 편의점 안으로 뛰어 들어오는 해영. 안에는 사장으로 보이는 중년의 여자.

해영   (신분증 보여주며) 서울청에서 나왔습니다. 여기 언제부터 영업하셨죠?
사장   재작년부터요.
해영   그때부터 여기서 일했던 분들 인적 사항을 알고 싶습니다.

- 시간 경과되면

직원들 등본을 확인 중인 해영. 그 옆에서 설명하는 사장.

사장   저 말고는 두 명이 계속 일했어요. 한 명은 고등학생이고, 한 명은 대학생인데...

여긴 아니다.

- 거리를 빠른 걸음으로 걸으며 편의점들을 찾는 해영의 시선 위로

해영(소리) 1997년부터 살인을 저질렀다면, 나이는 아무리 적게 잡아도 30대 중반..

- 다른 편의점으로 들어서는 해영. 직원과 얘기하다가 여기도 아니다. 바로 문 열고 나오는..

- 편의점으로 들어서는 해영. 직원, 다른 일을 보고 있는 듯, 카운터는 텅 비어 있다. 직원을 찾는 듯 창고 쪽으로 빠르게 향하다가... 순간 멈칫한다. 천천히 고개를 돌려, 음료수가 정리된 냉장고 안을 바라보다가 멈칫... 냉장고 안 음료수들 하나같이 상표가 앞을 보게 깔끔하게 정리돼 있다.

해영(소리) ...옷차림이나 머리형 역시 강박적으로 깔끔할 가능성이 크고... 거주지건, 직장이건.. 주변 역시 깔끔하게 정리돼 있을 가능성이 크다...

주변을 천천히 둘러보는 해영. 음료수 냉장고 뿐만이 아니다. 모든 매대의 물건들 하나같이 각이 잡혀 있고, 한 치의 오차도 없이 정리돼 있다.

씬/65   **N, 골목길 일각**

떨리는 시선의 수현이 들어서는 곳. 9부 68씬의, 수현이 재한에게 발견된 곳이다.

- 인서트

9부 68씬.

수현, 충격으로 재한 알아보지 못하고, 도망치려고 발버둥 친다. 재한, '야, 정신 차려!' 그런 수현을 진정시키려 하지만, 수현, 진정되지가 않는다. 결국 수현을 꼭 끌어안고서 진정시키는 재한.

- 골목길로 돌아오면, 재한과 수현은 사라지고 텅 빈 골목길만 남아있다. 그런 골목길을 바라보다가 천천히 골목길 밖 쪽으로 걸어 나가는 수현... 양옆으로 뻗은 길을 바라본다. 저 앞쪽에 설치된 가로등 불빛.

수현(소리) 당시 선배들은.. 개천에서 시작해서 내가 여기까지 직진으로 뛰어왔을 거라고 생각해서... 개천 주변을 수색했어...

앞쪽으로 천천히 걸어가는 수현.

수현(소리) 출발점이 틀렸어.

수현, 계속 앞으로 앞으로 계속 주변을 둘러보면서 한참을 걷다가 어딘가를 바라보고 우뚝 멈춰 선다. 수현의 떨리는 시선을 따라가면 동그란 대문 손잡이가 달린 낡고 허름한 대문.

수현(소리) 여기서 내가 넘어졌어...

- 인서트

17씬, 오른쪽 흔들리던 가로등 불빛을 보면서 뛰어오던 수현, 바닥에 넘어졌다가 일어섰을 때, 부딪친 대문 손잡이.

- 다시 현재로 돌아오면, 점차 급격하게 떨리는 수현의 눈빛. 천천히 뒤로 돌아선다.

수현(소리)	그때... 방향감각을 잃었던 거야... 그래서... 다시... 내가 뛰어왔던... 그 곳으로.. 돌아가기 시작했어. 그래서... 가로등 불빛이 반대였던 거야.

– 18씬, 검은 비닐봉지 너머 왼쪽 가로등 불빛이 흔들린다. 그렇게 뛰다가 쿵, 세게 부딪치면서 넘어지는 수현. 수현과 부딪친 건 사람이다. 넘어진 수현 앞에 서 있는 사람의 다리. 들고 오다가 수현과 충돌해서 떨어뜨린 듯, 바닥에 떨어져 있는 노끈과 박스지.

– 현재의 수현 부들부들 떨려오는..

수현(소리)	내가.. 잊고 있었던 기억... 절대... 기억하고 싶지 않았던... 기억...

– 다시 과거로 돌아가면,
검은 봉지를 뒤집어 쓴, 수현. 사람과 부딪쳤다는 걸 직감하고

수현	(재갈이 물린 채 힘든 발음으로) 도와주세요...

그런 수현의 시선 위로 들려오는 남자의 목소리.

진우(소리)	내가... 도와준다고 했잖아.

검은 비닐봉지를 뒤집어쓴 수현의 앞에 서 있는 남자, 바로 진우다. 수현, 믿기지 않는 듯 바들바들 떨기 시작한다. 모든 힘을 다해서 일어서서 옆으로 난 골목으로 뛰어 들어가는데, 뒤에서 잡아채는 진우. 수현의 목을 조르기 시작한다. 수현, 반항해 보지만, 완력을 이겨낼 수 없다. 서서히 의식이 희미해지면서 정신을 잃어가고... 진우의 손에 더욱 힘이 들어가기 시작하는데... 그때, 멀리서 들려오는 재한의 목소리. '차수현!!' '차수현!!' 진우, 멈칫하는... 점차 가까워지는 재한의 목소리에 어쩔 수 없이 수현의 목에서 손을 떼고 어두운 가로등 쪽으로 몸을 숨긴다. 수현은 정신을 잃고 쓰러져 있는데... 그때, 골목 옆을 지나던

재한, 수현을 발견하고 다급히 다가왔던...

– 현재로 돌아오면, 어두운 골목으로 돌아와서 선 수현.

수현   ...범행장소... 바로.. 이 근처였어...

씬/66   **N, 편의점**

굳은 시선으로 깔끔하게 정리된 편의점을 둘러보는 해영. 순간, 울리는
핸드폰. 헌기다. 해영, 전화 받으면

헌기(소리)   DNA 검사 결과 나왔어요. 마지막 피해자가 맞습니다. 유승연이 마지
막 피해자에요.

그런 해영의 얼굴 위로 들려오는 진우의 목소리.

진우(소리)   유승연 씨.

씬/67   **N, 과거, 진우의 집 앞**

47씬에 이어지는... 서로 마주 보고 있는 진우와 승연.

승연   제 이름은... 어떻게...

순간, 툭 하고 떨어지는 우산.

씬/68   **N, 현재, 진우의 집 앞**

전씬의 우산 사라지고, 천천히 집 앞 거리를 걸어오던 수현, 순간 멈칫
한다. 코를 찌르는 시궁창 냄새.

수현   그때 그 냄새...

옆으로 고개 돌려보면 맨홀에서 올라오는 냄새다. 맨홀을 바라보다가
천천히 맨홀 옆쪽의 집을 바라보는 수현.

씬/69   **N, 현재, 편의점**

해영, 긴장한 얼굴로 창고 쪽으로 다가간다. 창고 쪽에서 나오는 남자
와 마주치자 벽으로 쾅, 밀어 제압한다. 그런데, 진우가 아니라, 앳된
얼굴의 고등학생이다.

학생   왜 이러세요!!...
해영   (학생 얼굴 보다가 한 손으로 여전히 제압한 채로 판매대 가리키며) 여
             기 이거 정리 누가 했어? 너야?
학생   아뇨. 전 타임에 일하는 아저씨가 한 거예요.
해영   (멈칫하다가) 그 사람 지금 어딨어?
학생   퇴근했으니까 집에 갔겠죠.

해영, 눈빛에 불길함이 감돈다.

씬/70   **N, 현재, 진우의 집 앞**

어둡고 음산한 집을 바라보는 수현. 천천히 집으로 다가간다. 쾅쾅 문
을 두드려 보지만, 문 안쪽에선 어떤 인기척도 느껴지지 않는다. 수현,
보다가 문고리에 손을 갖다 대는데... 열려있다. 끼이익 열리는 문, 안
은 칠흑 같은 어둠. 그런 어둠을 바라보는 수현의 모습에서

10부 끝

시그널 The Signal

11부

| 씬/1 | N, 현재, 진우의 집 |

칠흑 같은 어둠에 휩싸인 진우의 집안으로 한 걸음, 두 걸음 들어서는 수현. 어디선가 들려오는 낮은 음악소리. 금방이라도 어디선가 누군가 나타날 듯한데...

| 씬/2 | N, 편의점 |

해영, 카운터에서 편의점 직원이 보여준 진우의 주소와 이름을 빠르게 적으면서 직원에게 질문을 던지고 있다.

해영   평소, 수상한 점은 없었어?
직원   뭐, 말수도 적으시고 대하기가 좀 껄끄러워서... 근데... 오늘 좀 이상하긴 했어요.

    - 인서트
편의점 외곽, 쌓여있는 박스지를 챙기고 있는 진우, 다른 한 손에는 노끈을 들고 있다. 유리창 안의 직원 그런 진우를 이상한 듯 바라보고... 박스지 들어 올려 돌아서는 진우의 어둡게 가라앉은 눈빛.

    - 다시 편의점으로 돌아오면

해영   (멈칫하는 눈빛) 박스지랑 노끈?
직원   예.

해영, 눈빛 불길함이 감돈다.

해영(소리)   시신을 유기할 때 사용했던 물건들... 또... 누군가를 죽이려는 거야.

| 씬/3 | N, 진우의 집 |

긴장한 시선으로 품 안에서 권총을 꺼내드는 수현, 아직 어둠이 눈에
익지 않은 듯 벽면을 더듬더듬하며 들어서는데 순간 과거가 떠오르며
멈칫.

– 인서트
– 10부 4씬, 화장실에 검은 비닐봉지가 머리에 씌워진 채 누워있던 수현.
– 10부 4씬, 진우의 집. 패닉이 된 수현. 미친 듯이 손으로 벽면을 따라
이동하면서 문을 찾기 시작한다.

– 현재, 진우의 집으로 돌아오면 정신을 다잡고 예전처럼 더듬더듬 안
으로 들어서는데... 손끝에 만져지는 장롱. 급격하게 거칠어지는 수현
의 호흡.

– 인서트
– 10부 4씬, 화장실을 나오는 수현. 벽면을 따라 아까 소리가 났던 곳을
향해 더듬더듬 떨리는 손으로 향해 걸어가던 수현. 그러다가 벽면 쪽에
놓인 장롱을 지나다가 장롱 안에서 삐죽 나와 있는 죽은 여자의 손을
만졌던 수현.

– 다시 현재 진우의 집. 수현, 떨리는 손으로 천천히 장롱 쪽으로 손을
내미는데 그런 수현의 뒤쪽에서 은밀하게 열렸다 닫히는 현관문. 그리
고 수현을 향해 다가오는 누군가의 손. 수현, 그런 기색을 알아챈다. 뇌
리를 스쳐 지나가는 범인의 가느다랗고 차가운 손.

– 인서트
– 10부, 65씬.
검은 봉투를 뒤집어쓴, 수현. 사람과 부딪쳤다는 걸 직감하고

수현   (재갈이 물린 채 힘든 발음으로) 도와주세요...

그런 수현의 시선 위로 들려오는 남자의 목소리.

진우(소리)   내가... 도와준다고 했잖아.

검은 비닐봉지를 뒤집어쓴 수현의 앞에 서 있는 남자, 바로 진우다. 수현, 믿기지 않는 듯 바들바들 떨기 시작한다. 모든 힘을 다해서 일어서서 옆으로 난 골목으로 뛰어 들어가는데, 뒤에서 잡아채는 진우. 수현의 목을 조르기 시작한다. 그런 진우의 손.

– 현재로 돌아오면, 수현의 어깨를 잡으려는 누군가의 손. 수현, 패닉이 되어 '악!!' 비명을 지르면서 그 손을 잡아채서 벽을 향해 밀치는데, 쾅, 벽에 밀쳐지는 사람, 보면 해영이다.

해영   차 형사님?

하는데, 수현의 눈빛 패닉으로 마구 떨리고 있다. 해영, 그런 수현을 보다가 조심스럽게 권총을 든 손목을 잡는데 순간, '악!!' 비명을 지르면서 해영을 밀치고 때리며 벗어나려고 하는 수현.

해영   차 형사님. 차 형사님! 정신 차려요! 나에요. 박해영.

하지만 이성을 잃은 수현의 반항은 오히려 더 거세어진다. 공포에 사로잡혀 거의 발작 직전의 수현을 안타깝게 바라보던 해영. 순간, 수현을 강하게 안는다. 수현, 더욱 소리 지르며 해영의 품에서 벗어나려 애쓰는데 해영, 더욱 힘을 주어 수현을 안고 수현의 귓가에 대고 얘기한다.

해영   나에요. 박해영입니다. 범인 아니에요. 박해영이에요.

수현, 해영의 목소리를 들으면서 서서히 이성이 되돌아오는 듯, 거칠게 반항하던 동작들이 잦아들기 시작한다. 해영, 수현이 어느 정도 안정이

110

됐다는 생각이 들자, 천천히 팔을 풀고, 수현의 어깨를 잡고 눈을 보는데, 여전히 수현의 눈빛, 불안감에 떨고 있다. 해영, 그런 수현에게 눈을 마주치며

해영   차 형사님, 나 봐요. 천천히... 숨 쉬어요. 길게... 천천히...

수현, 해영의 말에 따라 호흡을 가다듬기 시작한다.

수현   여기... 어떻게 온 거야?
해영   범인이 일하던 편의점을 찾아냈어요. 이제 그놈을 찾아야 합니다. 편의점에서 박스지랑 노끈을 가지고 갔대요.
수현   (눈빛 굳으며) 또... 누군가를 죽이려는 거야.
해영   안됩니다. 형사님은 차에 가서 좀 쉬어요. 지원요청 했으니까 금방 다들 올 겁니다.
수현   ...아니... 그 놈 잡아야지.. 그래야.. 이 악몽이 끝날 거야.

씬/4   N, 현재, 진우의 집 외경

진우의 집 밖으로 끼이익 달려와서 멈춰 서는 기동차량들. 차량에서 내리는 헌기를 비롯한 감식반원들. 다른 차에서 내리는 치수와 광수대 형사들. 집 입구에 서서 기다리고 있던 듯한 해영과 수현을 향해 다가간다.

치수   여기가 확실해?

굳은 얼굴로 치수를 바라보는 수현과 해영.

씬/5   N, 현재, 진우의 집

진우의 집안으로 함께 들어서는 치수와 수현, 해영. 장롱 쪽으로 다가온다.

수현   이름 김진우, 나이 37세. 편의점에서 일하는 계약직 직원이었습니다.

수현, 장롱문을 삐꺽 여는데, 텅 빈 장롱 안에 작은 박스가 놓여 있다. 수현, 손수건으로 손을 감싼 채, 박스를 밖으로 빼내서 뚜껑을 연다. 안을 확인하고 얼굴이 굳는 치수. 박스 안에 물품들을 하나씩 클로즈업 하는 화면. 검은색 매직으로 '서영진'이란 이름이 적혀진 1966년생 서영진의 주민등록증, '윤상미'라고 이름이 적힌 낡은 다이어리, '주인희' 이름이 적힌 명찰, 책 옆면에 '박세정'이라고 적혀있는 낡은 소설책, 손잡이 아랫면에 '노현미' 라고 작게 이름이 쓰인 작은 접이식 우산 등 피해자들의 물품이다. (검은색 매직은 모두 진우의 글씨체)

수현   모두 피해자들의 물품이에요.

치수의 눈빛 더욱 굳어지고.

씬/6   N, 몽타주

- 진우가 일하던 편의점으로 들이닥치는 강 형사를 비롯한 강력 1팀 형사들, 카운터 안에 진우가 남긴 짐들을 수색하기 시작하는데 나오는 우울증 약병.
- 편의점 밖, 편의점 안으로 들어간 형사들과 함께 온 수현은 주변의 CCTV들을 찾기 시작한다. 그런 수현의 시선에 퀵줌으로 들어오는 CCTV. 그런 모습 위로

치수(소리)   강력 1팀이랑 차수현은 김진우가 일하던 편의점 인근 CCTV 샅샅이 뒤져서 퇴근 후에 김진우가 어디로 이동했는지 알아내고

- 사무실에서 여기저기 전화를 하느라 바쁜 계철과 문 형사 등 강력 2 팀 형사들의 모습.

치수(소리)	강력 2팀이랑 김계철은 김진우 핸드폰, 카드 내역 뽑아보고 김진우 인적 사항 뽑아서 친인척이나 같은 학교를 졸업한 지인들 파악해서 김진우랑 최근에 연락한 적 없는지 조사해.

- 진우의 집, 여기저기 감식 중인 헌기를 비롯한 감식요원들. 그 주변에 서서 집안을 둘러보고 있는 해영.

치수(소리)	감식팀은 용의자 집안에서 증거 찾고, 박해영은 용의자 프로파일링을 시작한다.

씬/7	N, 진우의 집

헌기를 비롯한 감식요원들, 여전히 집안 여기저기를 감식중이고, 해영은 좀 떨어진 곳에서 박스안의 물건들을 확인 중이다.

해영(소리)	1차 윤상미 다이어리, 2차 주인희의 명찰, 3차 이혜영의 손수건. 4차, 5차, 6차, 7차, 8차, 9차, 10차... 하나가 비어... 마지막 피해자, 유승연의 물건이 보이지 않아...

씬/8	N, 광수대 소회의실

치수, 문 형사에게 보고받고 있는

문 형사	강력 1팀한테 연락 왔는데요. CCTV 확인 결과, 편의점에서 퇴근한 뒤 집 쪽으로 사라지는 게 마지막으로 포착됐답니다. 하지만, 주변에 CCTV가 거의 없어서 이후 행적은 아직 파악되지 않고 있습니다. 인근 주민들이 기상하면 블랙박스 영상이라도 협조 받을 수 있을 것 같습니다.
계철	(팩스 용지 들고 뛰어오는) 용의자 김진우 가족관계 조사해 봤는데, 김진우가 어렸을 때, 부모가 이혼을 해서, 이후로는 쭉 어머니와 동거하

고 있는 걸로 나왔습니다. 어머니 이름은 이순영. 그 집 명의도 이순영 앞으로 돼 있었어요.

| 씬/9 | N, 진우의 집 |

해영, 통화를 하면서 주변을 살펴본다.

| 해영 | 용의자가 어머니와 같이 지냈다고요? 아뇨, 여긴 여자가 살던 흔적이 전혀 없어요. 화장품 하나 보이지 않고... |

하다가 불안한 시선으로 신발장 쪽으로 다가가서 신발장을 여는데, 남자 운동화 하나... 그리고 제일 아래에 놓여 있는 낡은 여자 신발. 거의 18년 이상 아무도 사용하지 않은 낡고 먼지가 잔뜩 낀 신발을 멈칫해서 보는 해영. 그때 뒤쪽에서 들려오는 헌기의 목소리.

| 헌기(소리) | 이거... 사람 뼈 같은데요... |

해영, 보면 장롱 안을 감식 중이던 헌기, 장롱 안에 떨어져 있던 뼈 하나를 들어 올리고 있다.

| 씬/10 | D, 홍원동 거리 일각 |

날이 밝은 듯한 이른 아침. 진우의 집 인근 거리에 세워져 있는 차 안에서 블랙박스를 확인해보고 있는 수현. 그 옆에는 차주인 듯한 아줌마와 형사 1정도 서 있는데... 그때, 수현, 뭔가를 발견한 듯, 블랙박스 영상을 스톱시킨다. 수현의 시선으로 보이는 블랙박스 영상.

밤, 검은 커다란 이민자 가방에 뭔가를 담고서 어디론가 향하고 있는 진우의 모습이다. 수현, 굳은 얼굴로 차에서 내려서며

수현	어젯밤, 열한시 반에 이 앞을 지나갔어.
형사 1	(화면 확인하고는 진우가 향한 방향을 바라본다) 저쪽으로 갔는데... (하다가 멈칫) 저긴...
수현	(역시 같은 방향 바라보며)... 시신을 암매장했던 동의산이야.

그때, 울리는 수현의 핸드폰. 해영이다.

수현	(받으며) 나야.
해영(소리)	예전에 납치됐을 때, 장롱 안에서 시체를 만졌다고 했죠. 그 기억이 맞는 것 같아요.

씬/11   D, 진우의 집

해영	장롱 안에서 사람의 뼈가 나왔습니다. 누군가의 사체를 여기에 보관한 거예요. 단순한 피해자가 아닐 겁니다. 사체를 집 안에 보관했다는 건, 망자와 범인 사이에 감정적인 연관성이 있었을 거예요. 외부에 유기했을 때 신분 노출의 위험성도 있었겠죠. 그 사체가 만약... 친엄마의 사체였다면...

씬/12   D, 동의산 일각

바닥에 툭 떨어지는 삽. 백골사체를 묻고 났는지 바닥에 흙이 다져져있고 그 옆에 서 있는 진우, 아침햇살을 바라보는 눈빛이 텅 비어 있다.

씬/13   D, 동의산 입구

끼이익. 차를 세우고 급히 내려서 산 위로 뛰어올라가는 수현과 형사들의 모습 위로

해영(소리)	18년 동안 계속 보관했던 엄마의 사체를 왜 지금 매장하려고 하는지

모르겠지만, 분명히 김진우의 감정에 변화가 생긴 거예요.

씬/14   D, 동의산 일각

다급히 산길을 오르는 수현과 형사들, 나눠져서 찾으려는 듯, 수신호를 하면서 갈라져서 진우를 찾기 시작한다.

씬/15   D, 진우의 집

초조한 기색의 해영, 수현의 연락을 기다리는데 감식요원 중 한 명, CD 플레이어의 지문을 감식하려다가 플레이 버튼을 누른다. 흘러나오기 시작하는 음악. '날아라 병아리'다. 해영, 멈칫해서 바라본다.

- 인서트
9부, 60씬, 승연의 일기장에 적혀 있던 노래가사.

- 다시 돌아오면.. 음악이 흘러나오는 CD 플레이어를 바라보는 해영.

해영   유승연이 좋아하던 음악...

씬/16   D, 동의산 일각

진우, 검은색 비닐봉지를 집어 든다. 어딘가를 바라보는데, 나무에 묶은 둥근 고리를 만든 굵은 밧줄이다. 검은색 비닐봉지를 보다가 자기 머리에 뒤집어쓰고 자살을 감행하려는 듯, 디딤돌로 삼으려고 놓은 바위를 발로 툭 쳐버리는데...

씬/17   D, 동의산 다른 일각

산길을 뛰어오르는 광수대 형사들. 순간 어디선가 "탕! 탕! 탕"하며 세

발의 총성이 들린다. 일동 놀라서 멈춰 서서 바라보는데...

씬/18　　　　**D, 동의산 일각**

하얀 연기가 피어나는 총구에서 화면 빠지면 총을 손에 쥐고 있는 사람, 급히 달려왔는지 가쁜 숨을 내쉬고 있는 수현이다. 줄을 건 나뭇가지를 쏜 듯, 굵은 나뭇가지 떨어져 있고, 바닥에 쓰러져 컥컥 숨을 뱉는 진우다. 저벅저벅 진우에게 다가가 비닐봉지를 벗기는 수현. 그제야 수현을 바라보는 진우, 눈빛에 초점이 없다.

수현　　　(차가운 시선으로 그런 진우를 내려다보며) 이번엔 내가 널 도와줄게... 넌... 이렇게 쉽게 끝내선 안 돼. 절대로...

그런 수현의 모습에서 서서히 암전.

씬/19　　　　**D, 광수대 건물, 조사실**

조사실에 멍하니 앉아있는 진우.

씬/20　　　　**D, 광수대 건물, 조사실 옆 관찰실**

관찰실에서 그런 진우를 바라보고 있는 범주. 그 옆에서 브리핑 중인 치수. 그 뒤쪽으로는 수현, 해영, 계철, 헌기가 서 있고...

치수　　　동의산 연쇄살인사건의 범인 김진우와 함께 발견된 백골사체는 김진우의 모친, 이순영으로 확인됐습니다. 치아 상태로 봤을 때, 사망 당시 나이는 사십대 중반. 1차 범행이 시작된 1997년 전후에 사망한 것으로 추정됩니다. 사인은 정확하지 않지만, 설골이나 경추 등에 골절은 발견되지 않았습니다. 타살보다는 자연사 쪽에 무게를 두고 있습니다.

범주　　　엄마는 안 죽였다 치고, 다른 여자들은? 왜 죽인거야?

수현	김진우가 7살 때, 부모가 이혼을 한 뒤, 우울증을 앓는 엄마와 단둘이 지내면서 유년시절에 방치와 학대를 받은 게 결국 살인의 동기로 작용한 게 아닌가 추정됩니다.
범주	유년 시절에 학대를 받았다고 사람을 죽여? 미친 쓰레기구먼.

그런 범주를 힐긋 보는 해영. 범주, 돌아서서 수현을 보면서 얘기하다가 시선 해영에게 이동하는데, 눈빛에서 싸늘함이 느껴진다.

범주	수고들 했어. 검찰에 송치할 때까지 뒷마무리 잘하고 (해영 보다가 치수보며) 기자회견 준비할 테니까, 언론 보도자료 준비해.

범주, 관찰실을 빠져나가고... 치수, 수현도 그 뒤를 따르고... 관찰실에 남은 계철, 헌기 어이없다는 듯 서로 보며

계철	뭐야. 이게 다야? 1계급 특진이나 뭐 포상이나 뭐 그런 거라도 있어야 되는 거 아냐?
헌기	경찰이 놓친 범인이 9명이나 더 죽였는데, 시끌벅적하게 일 벌이겠어요. 하, 기분도 뒤숭숭한데 마키아토나 한 잔 하러가요.
계철	마키아토는... 소주나 한 잔하자.

계철, 헌기 나가고... 혼자 남은 해영, 가만히 조사실의 진우를 바라본다.

씬/21   D, 광수대 건물, 조사실

조사실에 마주 앉아 있는 해영과 진우. 진우의 눈빛은 텅 비어 공허할 뿐이다. 그런 진우를 바라보던 해영, 테이블 위에 놓인 CD 플레이어의 플레이 버튼을 누르자, 흘러나오는 음악. 진우의 집에서 흘러나오던 바로 그 음악이다. 순간, 흠칫하는 진우.

해영	마지막 피해자, 유승연의 물건... 이거였죠? 유승연이 자주 듣던 음악.

진우	...
해영	계속 리플레이가 되고 있었다고 들었습니다. 1년 동안 계속 이 음악을 들었던 건가요?

진우, 말없이 해영을 본다.

해영	유승연은... 달랐던 거죠?

가만히 음악을 듣고 있는 진우의 모습에서

씬/22   N, 과거, 진우의 집 화장실/진우의 회상

바닥에 떨어진 승연의 이어폰을 통해 들릴 듯 말 듯 흘러나오고 있는 음악. 머리에 검은 비닐봉지가 뒤집어 씌워진 승연, 흐느끼면서 '살려주세요...' 그런 승연을 무표정하게 내려다보는 진우. 앞에서 승연의 목에 손을 갖다 대려는데... 뭔가 겁이 나는 듯, 뒤로 물러나는...

진우	...내가... 도와줄게요.

진우, 승연을 일으켜서 뒤에서 팔을 목에 둘러서 마치 안듯이 목을 조르기 시작한다. 승연, 고통에 몸부림치다가 결국 죽음에 다다른 듯, 툭 떨어지는 승연의 손. 그 상태에서 화장실 거울에 비친 자신을 처음으로 바라보는 진우. (그전엔 언제나 앞에서 졸라서 뒤를 보고 있었던) 진우의 눈에서 한줄기 눈물이 툭 떨어진다. 왜 눈물이 나는지 모르겠는 듯 슥 닦아 버리지만, 또다시 흐르는 눈물. 그런 진우의 모습 위로 흐르는 음악.

씬/23   N, 현재, 광수대 건물 복도

수갑을 찬 진우가 형사들에게 연행되어 복도를 걷고 있는 뒷모습. 조금 떨어져서 그 모습을 지켜보고 있는 해영과 수현.

해영 아마 김진우는 자기가 그 여자를 좋아하고 있었단 사실조차 몰랐을 겁니다. 아무도 그런 감정을 가르쳐준 적이 없었을 테니까요 그 이후부터 사람을 죽이지 못했을 거예요. 그래서 자살을 하려고 했을 겁니다. 사람을 죽이지 못한다면, 살아있을 이유도 없으니까...

수현 ...

해영 ...형사님도 그렇게 생각하세요? 저 사람... 그냥... 미친 쓰레기일 뿐이라고?

수현 아무리 어렸을 때, 불우했다고 해도 김진우는 사람을 열한 명이나 죽인 살인범이야. 동정의 여지는 없어.

해영 ...태어날 때부터 괴물도 있지만, 사람이 만든 괴물도 있습니다. 누군가... 누군가 한 명이라도 손을 내밀어 줬다면... 김진우도... 죽은 피해자들도... 모두 구할 수 있었을지도 몰라요.

- 인서트
- 과거, 인주, 법원 앞, '우리 형 아니에요' 울부짖지만, 아무도 그런 해영을 돌아봐주지 않는다. 결국 혼자 남아서 계속 눈물을 흘렸던 해영.
- 과거, 인주 집을 다시 방문한 해영, '형... 나 왔어' 들어가는데, 손목을 긋고 자살을 한 선우를 발견하고 놀라는 어린 해영의 모습에서

- 다시 현재, 광수대 복도로 돌아오면 진우의 뒷모습을 바라보는 해영의 가라앉은 시선

씬/24　　**N, 해영의 차 안**

자동차의 디지털시계가 11시 23분으로 넘어간다. 운전석에 앉아있는 해영, 생각에 잠겨있는데 그때 들리는 '치치칙' 무전기 잡음. 해영 손에 들고 있던 무전기를 바라본다. 불빛이 들어오며 계기판이 움직이는 무전기.

씬/25　　**D, 과거, 홍원동 주택가**

혼자 탐문수사를 계속하고 있었는지, 어느 집 대문에서 나오는 재한. 또 허탕이었는지 얕게 한숨 쉬며 머리를 벅벅 긁는데, 그때 '치치칙' 무전기 잡음이 들린다.

씬/26   **D, 과거, 담벼락 아래**

사람들 눈에 안 띄는 담벼락 아래로 이동해서 무전을 받는 재한.

재한   경위님? 어떻게 됐어요? 범인 잡았습니까?

씬/27   **N, 현재, 해영의 차 안**

해영   ...형사님..

씬/28   **D, 과거, 담벼락 아래**

재한   예. 듣고 있습니다. 범인은요?

씬/29   **N, 현재, 해영의 차 안**

해영   ...범인... 잡았습니다.
재한(소리)   도대체 누굽니까?
해영   (무전기 보다가) 형사님도 알겠지만, 우리가 누군가의 인생을 결정할
               순 없습니다. 잘못하면 엉뚱한 사람 인생이 망가질 수도 있어요.

씬/30   **D, 과거, 담벼락 아래**

재한   ...그렇다고 사람들이 죽는 걸 손 놓고 구경만 하잔 얘기에요?
해영(소리)   ...처음 무전을 했을 때 형사님이 그러셨어요. 절대 포기하지 말라고...

121

씬/31   D, 현재, 해영의 차 안

해영   미제 사건은 누군가가 포기하기 때문에 만들어지는 겁니다... 그러니
          까... 형사님이 포기하지 말아주세요...

          해영, 무전기를 내려다보는데, 어느 새 멈춰져 있는 무전기.

씬/32   D, 과거, 담벼락 아래

          재한, 역시 답답한 얼굴로 꺼져 있는 무전기를 내려다보는데...
          그런 재한의 모습 위로

정제(소리)   포기해라. 사건 좋 났다.

씬/33   D, 과거, 형기대

          막 사무실에 도착했는지 자리에서 들어서던 재한이 옆에 서 있는 정제
          를 바라본다.

재한   그게 무슨 말이야
정제   반장이 사건 종결시켰다고. 단순 납치 하나로 언제까지 질질 끌거냐구
          한바탕 난리치고 갔어.

          재한, 막 돌아서서 나가려면, 정제가 붙잡는다.

정제   또 왜
재한   이대로 포기 못해. 조금만 더 수사해보면
정제   야. 찾을 수 있는 단서면 진작에 찾았어. 천년만년 이것만 붙잡고 있을
          래? 괜히 반장 들이받아봤자 너만 깨진다고.
재한   (답답한)

122

씬/34   **D, 현재, 조사실 옆 관찰실**

문을 열고 들어오는 해영. 혹시나 하는 시선으로 유리창 앞으로 천천히 와서 조사실을 바라보는데... 여전히 문 형사에게 조사를 받고 있는 진우의 모습. 역시나 변하지 않았다...

씬/35   **D, 과거, 형기대**

33씬에 이어지는.. 재한, 답답한 얼굴로 나가려는 듯 문을 쾅 열다가 멈칫... 보면 문 앞에 출근하는 듯 서있는 수현이다. 재한 뒤쪽 정제와 형사들. '야, 차수현!' '너 이제 나은 거냐?' 반가워하고... 초췌하지만 기운을 차린 듯 미소 짓는 수현. 그런 수현을 가만히 바라보는 재한.

씬/36   **D, 현재, 광수대 복도**

터덜터덜 사무실로 돌아가는 해영의 발걸음이 무겁다. 순간, 그런 해영을 스치듯이 지나가는 바람. 해영, 눈치 채지 못하고, 주머니 안에 손을 넣는데... 뭔가가 잡힌다. 꺼내서 보면 재한의 수첩에 끼워져 있던 낡은 메모지이다. 메모지를 바라보는 해영을 다시 한 번 복도 끝 쪽에서 불어온 바람이 지나가고... 메모지를 바라보던 해영, 멈칫한다.

씬/37   **D, 과거, 영안실**

스테인리스 침대 위에 하얀 천으로 덮인 시체, 옆으로 창백한 손 하나가 삐죽 튀어나와 있다. 그런 시신을 내려다보고 있는 재한과 수현.

재한	만져봐. 마네킹을 착각한 거였는지 아니면 정말 사람 손이었는지 네가 직접 확인해보라고.
수현	(망설이는)
재한	해 봐. 할 수 있어.

수현, 재한의 진지한 눈빛 보고 다시 마음 다잡는다. 눈 질끈 감고 떨리는 손으로 시체의 손을 만져보는 수현인데...

재한   (보면)

수현   (...끄덕끄덕)... 맞아요.. 이 느낌이었어요.

씬/38   D, 과거, 재한의 차 안

홍원동 지도를 살펴보는 재한.

재한(소리)   왜 장롱 안의 시신은 유기하지 않았지? ...왜? 뭐가 무서워서? 만약 시신이 발견되면 신원이 노출될 가능성이 있었다면...

재한, 뭔가를 깨달은 듯 하다.

재한   만약 독거남이 아니었다면... 두 사람이 사는 2인 가구였다면...

씬/39   과거, 몽타주

- 낮. 홍원동 동사무소.
장부를 열어서 2인 가구 명단을 옮겨 적는 재한.
- 낮. 홍원동 거리 일각
대문을 일일이 두드리고 초인종을 누르면서 조사를 하는 재한.
- 밤. 대문 앞에서 재한을 향해 절레절레 고개를 흔드는 집주인.

씬/40   N, 과거, 진우의 집 앞

저벅저벅 걸어 들어오는 재한의 발. 재한이 멈춰 서는 곳, 진우의 집 앞이다. 굳게 닫힌 대문을 바라보는데, 순간 재한, 밀려오는 냄새에 멈칫한다. 발밑 바로 아래에 맨홀에서 올라오는 시궁창 냄새. 설마... 하는

눈빛으로 서 있는 재한. 그때 삐꺽 소리가 나면서 문이 열리면서 걸어
나오는 사람, 바로 진우다. 집 앞에서 서로를 바라보는 재한과 진우의
모습에서

씬/41　　　　**D, 현재, 광수대 건물 복도**

메모지를 바라보고 있는 해영. 메모지의 글씨 '1989년 경기 남부 사건'
'1995년 대도 사건(진양 신도시 개발비리사건)' '1999년 인주 여고생
사건'만 적혀있다.

해영　　　홍원동 사건이 사라졌어...

해영, 뒤돌아서 조사실을 향해 뛰어간다.

씬/42　　　　**D, 현재, 조사실**

벌컥 조사실 문을 열고 들어오는 해영. 보면 조사실 안이 텅 비어있다.
떨리는 눈빛으로 텅 빈 조사실을 바라본다.

씬/43　　　　**D, 현재, 홍원서 수사지원팀**

직원에게 복사된 자료를 건네받고 있는 해영.

직원　　　말씀하신 자룝니다.

해영, 자료 첫 장을 보면 '1997년 10월~12월 홍원동 살인사건' 뒷장
넘겨보면 '피의자 김진우'란 이름, 사건개요, 적혀있고 마지막 장 넘기
면 '1998년 1월 20일 피의자의 자택에서 피의자 검거' 해영의 눈빛 떨
려온다.

씬/44   D, 현재, 주택가 일각

평범한 다세대주택, 대문을 열고 나오는 여자, 50대로 나이가 든 서영
진이다. 한 손에 장바구니를 들고 장을 보러 가는 듯한데, 우울한 성향
은 여전한 지 어두운 표정으로 바닥을 보며 터덜터덜 걷는다. 그리고
서영진이 걷는 반대편 길목에 서서 서영진을 바라보고 있는 해영.

– 인서트
– 9부 44씬의 백골사체 모습
– 10부 1씬.
다음 화면, 주부 서영진이 아이와 함께 찍은 사진.

수현(소리)   주부 서영진, 2001년 5월 실종, 당시 나이 35세.

– 현재 주택가로 돌아오면, 멀어지는 서영진의 뒷모습을 해영, 물끄러
미 바라보는데 어디선가 '엄마' 들려오는 목소리. 보면, 20대 초중반의
여대생으로 보이는 영진의 딸이 뛰어와 영진의 팔짱을 낀다. '시장가?
같이 가'하면서 함께 사라지는 모녀의 뒷모습을 바라보는 해영의 눈빛
위로

해영(소리)   2000년 이후에 발생한 피해자들이 모두 살아났다... 지금도... 살아가고
있다...

씬/45   D, 현재, 치료감호소 외경

씬/46   D, 현재, 치료감호소

직원(30대, 여)과 함께 복도를 걷는 해영.

직원   97년도에 살인죄로 무기징역을 선고받았는데, 복역 중에 증세가 심해

져서 이쪽으로 이송됐어요.

해영, 직원이 바라보는 곳을 보면 독방 안쪽에서 창살에 기대앉은 진우
가 있다. 표정에 아무런 동요 없이 멍하고 무기력해 보이는 진우. 직원
이 어딘가를 보고는 해영에게 "잠시만요"하면서 그쪽으로 이동한다. "오
늘 새로 오신 봉사자분들이시죠?"하며 멀어지는 직원의 목소리.
해영, 진우를 가만히 바라보고 있다가 돌아서서 멀어지는데, 그런 해영
과 스치듯이 직원, 봉사자 대여섯 명을 통솔해서 지나간다. 그 사이에
끼어 있는 승연의 모습. 창살 하나를 사이에 두고 진우와 승연이 한 뼘
정도 거리를 두고 스치는데... 창살 너머 진우를 흘깃 보는 승연이지만,
서로를 전혀 알아보지 못한다. 그런 두 사람을 전혀 알아채지 못하는
해영의 멀어지는 뒷모습.

해영(소리)   이들이 생명을 되찾게 된 대가로 또 다른 누군가에게 어떤 불행이 시작
됐는지 알 수 없지만.. 살아 있다면... 어떻게든 살아만 있다면... 적어도
희망을 잡을 기회라도 있겠지...

씬/47   **D, 현재, 수현의 집/거실**

수현, 언제나와 같은 출근 복장에 가방 메고 나오는데, 어이없이 그런
수현을 바라보고 있는 수현 母.

수현 母   너 미쳤어?
수현   뭐가?
수현 母   그러고 선자리를 가겠다구?
수현   왜? 제일 좋은 청바진데?

씬/48   **D, 현재, 수현의 집, 수현의 방**

화장대 앞에 모든 걸 포기한 듯 앉아있는 수현. 카메라 빠지면 하늘하

늘한 원피스 입고 있고.. 그런 수현에게 이것저것 목걸이, 귀걸이 따위를 갖다대보면서 고민하는 수현 母다.

수현 母 하... 변호사들은 어떤 타입을 좋아하려나?
수현 (목걸이 아무거나 하나 뺏어들고) 이거 할게.

일어서려는 수현을 앉히는 수현 母, 앰플 파운데이션 들고 앰플을 꾹꾹 누른 후 퍼프에 파운데이션 묻히며

수현 母 피부는 또 이게 뭐야. 그렇게 어제 팩 좀 하고 자라니까

수현, 귀찮다. 퍼프 뺏어들고 대충 얼굴에 바르는

수현 됐지?

그때 울리는 수현의 핸드폰. 수현 전화 받는데 곧 얼굴빛이 변한다.

씬/48-1　　**D, 샌드위치 매장 외경**

씬/48-2　　**D, 샌드위치 매장**

주문대 앞에서 샌드위치를 주문하는 해영.

해영 클럽샌드위치요.
점원 빵은 따뜻하게 데워드릴까요?
해영 네.

씬/49　　**D, 장기미제 전담팀**

쉬는 날인 듯, 계철과 헌기도 보이지 않고, 해영 혼자 자리에 앉아 샌드

위치를 먹으며 컴퓨터 화면을 확인하고 있다. 의경, 대걸레 들고 지나가려다가

의경	비번 아니셨습니까?
해영	(컴퓨터로 일일 사건보고 확인하고 있는) 난 여기가 재밌어.

하는데, 멀리서 '야, 황의경!' 부르자 냅다 달려가는 의경. 해영, 혼자 남아 사건보고 확인하다가 '백골사체'라는 글씨에 멈칫한다.

씬/50   D, 국과수, 특수부검실

똑똑 노크 소리와 함께 다급히 들어서는 해영.

해영	저기, 백골사체...

하고 들어서는데, 윤서 의아하다는 듯

윤서	오늘은.. 같이 오셨네요?

보면, 한쪽에 벌써 와 있는 수현이다. 해영, 수현의 차림 보고... 기가 막힌 듯

해영	이게... 뭐에요?

하지만 수현, 해영 신경도 안 쓰고 윤서를 향해

수현	그래서요.

윤서, 스테인리스 침대 위의 백골사체를 내려다보면서

윤서	성별은 남자고요. (수현보며) 그런데... 오른쪽 어깨에 철심을 박은 흔

129

적이 있어요.

수현, 해영, 동시에 낯빛이 굳는다.

윤서   DNA 검사가 끝나봐야 알겠지만, 어쩌면... 차 형사님이 찾던 그 사람
일지도 모르겠네요.

해영, 긴장하고, 백골사체를 바라보는 수현의 떨려오는 눈빛에서...

씬/51   D, 과거, 형기대 사무실

벽면에 붙어있는 1999년 2월 12일 달력에서 빠지면 한가한 사무실 분
위기. 정제를 비롯한 나머지 형사들은 사건 보고서를 작성 중이거나 신
문을 보거나 잡다한 업무에 한창이다.

* 자막 - 1999년 2월 12일

그런 가운데, 컴퓨터를 사이에 두고 20대의 멀끔하게 생긴 남자와 그 옆
에 분하고 억울한 얼굴로 앉아있는 세 명의 여자를 상대로 조서를 작성중
인 1999년의 수현이다. 이제는 예전보다 훨씬 더 여유로워 보이는 모습.

수현   (여자들에게) 자, 세 분 중에 이 분한테 사랑한다는 얘기 들으신 분들
손드세요.

여자들, 재깍 손 든다.

수현   (남자 째려보며) 이 사람, 혼빙 맞구먼.
남자   (억울한) 아니 여자 사귈 때 다 사랑한다 그러고 자지, 저리 꺼지라 그
러고 자요?
수현   뭘 잘했다고 큰소리야? 이 사람이, 사람 마음 가지고 장난을 쳐? 당신

같은 사람이 세상에서 제일 나쁜 사람이야.

하는데, 앞에 앉은 여자들 중 한 명, 울음을 터뜨리고

수현   더 좋은 남자 만나면 되지. 울긴 왜 울어요.

하고, 티슈 주려고 찾는데, 없다. 가방 열고 안의 휴대용 티슈 꺼내는데
툭 바닥에 떨어지는 매우 여성스럽게 포장한 초콜릿 상자. 수현, 행여
누가 볼세라 다급히 주워들어 가방 안에 넣고 누가 봤나? 주위 힐끗 살
피는데 옆자리의 정제를 비롯해서 다른 형사들 모두 신경 쓰지 않고 있
다.

- 시간 경과되면
남자와 여자들 데리고 나가는 수현. 잠시 정적이 흐르던 사무실, 곧 둑
이 터지듯 한꺼번에 형사들 신문 내리고, 의자 돌리면서 말소리가 터져
나온다.

정제   차수현 저거 지가 짝사랑한다고 너무 감정적으로 수사하는 거 아냐?
형사 1   아까 봤지? 초콜릿이지? 차수현이 이번엔 진짜로 초콜릿 주려나 본데?
형사 2   2년 만에 드디어 고백이야?
정제   이재한 그놈도 징하지. 저렇게 티가 나는구먼 어떻게 새까맣게 몰라?
형사 1   눈치로 엿 바꿔 먹은 놈이 뭘 알겠냐
형사 2   대체 차수현은 그 자식 뭐에 반한 거야?

그때 늘어지게 하품하면서 사무실로 들어오는 재한. 머리에는 까치집
이 지어져 있다. 재한이 자리에 앉는데, 그런 재한에게 일동 시선 몰리
고

정제   난들 알겠냐. 세기의 미스터리다

재한을 바라보는 형사들의 뚱한 시선.

재한   (멀뚱멀뚱)... 뭐.

그때 사무실로 수현이 돌아오고, 형사들은 자연스럽게 다시 모른 척 자기 일에 몰두하는 척하는데... 정제, 나름 바람 잡아주려는 듯

정제   낼모레가 발렌타인데이라며. 초콜릿 주는 날.
수현   (움찔)
정제   (재한 보며) 이재한 넌 뭐 누구한테 받은 거 없냐?

수현, 두근거리는 마음으로 저도 모르게 재한을 바라보는데

재한   나는 그 딴 거 챙기는 여자 딱 질색이야. 한심하게 바람만 들어갖고...

형사들 뜨악해서 수현의 눈치를 보는데, 걸어오던 수현, 비틀한다.

씬/52   **N, 과거, 수현의 집**

바닥에 툭 던지듯이 가방을 내려놓은 수현, 시무룩한 얼굴로 침대 위에 쿵 대자로 엎어져 눕는다. 책상에 앉아있던 고등학생 수민이 수현의 침대 옆에 다가와서 앉는다.

수민   어떻게 됐어? 고백했어? 뭐라 그래?
수현   ...피곤해 말 시키지 마
수민   왜. 차였어?
수현   시끄럽다고

수민, 입 뾰로통 나오는데 문득 보면, 바닥에 놓인 가방이 보이는데, 그 안에 전씬의 초콜릿 상자가 들어있다.

수민	뭐야. 초콜릿도 못 줬어?
수현	......
수민	아오 답답해 진짜... 대체 뭐 얼마나 잘났기에 고백 한 마디를 못하냐? 무슨 장동건이야? 도대체 어디가 그렇게 좋은 건데?

수현, 침대에 누운 채로 눈만 끔뻑끔뻑하는데...

씬/52-1   D, 과거, 형기대 사무실

수사를 나갔다가 돌아오는 듯, 피곤한 얼굴로 사무실로 들어서는 재한, 그런데 책상에 의자 올려놓고, 대청소 중인 정제를 비롯한 형사들.

재한	왜 안 하던 짓들 하고 그러냐?
정제	너도 좀 와서 도와라. 오늘, 의원님 시찰 오신 단다.
재한	우리가 무슨 고등학교 미화 부원들도 아니고, 그냥 하던 대로 하자. 좀.

그때, 탕비실 같은 곳에서 깨끗이 닦은 커피 잔들이 담긴 쟁반 들고 나타나는 정복 차림의 수현. 감기에 걸린 듯 낯빛이 안 좋다.

수현	오셨어요. (기침)
재한	쟨 또 다방 레지 당첨이냐? 수사는 안 하고 맨날 커피만 날라?

수현, 얼굴 어두워지며 쟁반, 자기 책상 위에 놓고 기침 콜록대며 지나가고... 정제, 재한을 툭 치며

정제	안 그래도 아픈 애를 왜 그래? 쟤가 하고 싶어 해? 윗분들 오실 때마다 마스코트니 뭐니 위에서 불러대는데... 지는 좋겠냐?

재한, 콜록대며 밖으로 나가는 수현을 보고는

재한　　　　아니, 지들은 손이 없어 발이 없어. 꼭 커피는 여자가 타줘야 돼?

씬/52- 2　　　　D, 과거, 여자숙직실

약을 먹고 잠시 눈을 붙인 듯, 벽에 기대앉아 졸고 있는 수현.
그때, 여기저기 수현을 찾아다닌 듯한 정제, 노크와 함께 문을 열고 그 기세에 눈 뜨는 수현.

정제　　　　야, 너 여기 있으면 어떡해. 의원님 오셨어!

화들짝 놀라서 일어서는 수현.

씬/52- 3　　　　D, 과거, 형기대 대장실

대장실, 응접세트에 앉아서 담소를 나누고 있는 대장과 금배지 단 의원, 범주와 의원 뒤쪽엔 보좌관들.

대장　　　　의원님 목 타시겠네. 커피는 안 오나?
범주　　　　형기대 소속 차수현 순경이 준비 중입니다. 저희 대 최초의 여순경이죠.
대장　　　　우리 형기대의 꽃입니다.

씬/52- 4　　　　D, 과거, 형기대 사무실

허둥지둥 옷매무새 만지며 뛰어 들어오는 정제와 수현.

정제　　　　(뛰어들어 오며) 이재한 이놈은 숙직실 좀 찾아보라 그랬더니, 어딜 간 거야?

수현, 정제 다급히 커피 쟁반 놔둔 책상으로 뛰어오는데... 엥? 책상이 텅 비어 있다.

정제	뭐야? 아까까지 여깄었는데, 어디 갔어.

씬/52- 5   D, 과거, 형기대 대장실

담소를 나누고 있는 의원, 대장, 범주. 그때, 똑똑 들려오는 노크 소리
와 함께 문 열리면서 커피 쟁반 들고 들어서는 재한이다. 대장과 범주,
의원... 이건 무슨 상황이지? 눈 깜박거리면서 바라보는데 재한, 최대한
자연스럽고 부드러운 표정으로 들어와서 테이블 위에 커피 받침에 커
피 잔 세팅해서 떨떠름한 표정의 의원 앞에 놓으며

재한	프림은... 몇 숟갈 드릴까요?

씬/52- 6   D, 과거, 형기대 대장실 밖 복도

부다다, 대장실을 향해 뛰어오는 수현과 정제. 순간, 뭔가를 목격하
고 놀라서 그 자리에 굳은 듯 멈춰 선다. 보면, 대장실 문 열리면서 커
피 쟁반 들고 나오는 재한이다.

정제	...너... 미쳤냐?
수현	...서...선배님...

재한, 무안하고 뻘쭘해서 오히려 더 화난 말투로 수현 머리 손가락으로
툭 치며

재한	이게 강력계가 빠져가지고... 이거 봐. 어디서 눈 똥그랗게 뜨구 자꾸 그렇게 눈 깜박깜박거리구 생글거리구 다니니까 커피 심부름이나 시키는 거야. 언제까지 형기대 꽃 소리 듣고 다닐 건데?
수현	그게... 싹싹하게 하라 그러셔서...
재한	봐봐, 또 눈 크게 이쁘게 뜨잖아. 강력계 형사같이 눈에 힘 팍 주라구.
수현	(도대체 눈을 어떻게 해야 할 줄 모르겠다)

재한	그렇게 여자같이 하고 다니니까 감기 같은 거나 걸리지. 우리봐봐. 1년 365일 아픈 거 봤어? 암튼 한 번만 더 아퍼서 골골대기만 해. 아주 골로 보내버린다.

하고는 무안한 듯, 빠르게 쟁반 들고 강력계 사무실로 총총총 사라지는데...

정제	...(그런 재한 보다가 뒤쫓으며) 야, 미쓰리. 나도 커피 한잔 줘! 미쓰리!!

하면서 쫓아가고... 수현, 뒤돌아서 멀어지는 재한의 뒷모습을 바라보는데, 정제 뒤돌아보며 너 죽을래? 하는 재한과 시선 마주치자 순간, 어쩐지 가슴이 뛰고 얼굴에 열이 오르는데...

수현	감기 때문인가?

하다가, 재한이 툭 친 머리 부분을 살짝 만지는... 다시 열이 오른다.

- 수현의 방으로 돌아와서, 침대에 누워있는 수현, 살짝 미소 번지고

수민	어디가 좋냐니까?
수현	몰라...

수현, 괜히 침대에 얼굴을 묻는다.

씬/53 D, 현재, 국과수 특수부검실 밖 복도

복도에 기대어 마주 서서 초조한 얼굴로 DNA 검사결과를 기다리고 있는 수현과 해영. 그때 저 멀리에서 DNA 검사지를 들고 다가오는 윤서. 긴장해서 보는 두 사람.

해영	어떻게 됐어요? DNA... 일치했나요?
윤서	(보다가 고개 가로젓는다) 아뇨. 일치하지 않았어요. 다른 사람입니다.

씬/54   D, 현재, 국과수 일각

해영과 수현이 나란히 걷고 있다. 수현은 어쩐지 맥이 풀린 듯 보인다.

해영	쉬는 날에 헛걸음하셨네요.
수현	......

해영, 수현을 힐끔 훑어보다가

해영	...근데 취향이 원래 이래요? 어디 선보러가는 것도 아니고
수현	......
해영	진짜 선 봤어요?
수현	신경꺼.
해영	진짜 하실려구요? 결혼?

수현, 우뚝 멈춰 서서 해영을 바라본다. 해영 괜히 움찔하는데

수현	내가 결혼하건, 안 하건 그게 너랑 무슨 상관인데?
해영	(보는)
수현	너야말로 여기 왜 온 거야? 이재한 선배한테 왜 그렇게 관심이 많은 거냐고?
해영	...말씀드렸잖아요. 고마운 분이니까 그러는 거라구.
수현	말 같지도 않은 변명 집어치우고 진짜 이유 대봐. 도대체 뭐야?
해영	(보는) 진짜 이유를 대면 믿으실 겁니까? 나도 믿기 힘든 얘기를 형사님이 믿어줄 수 있겠어요?
수현	뭐?
해영	...(보다가) 선보는 남자한텐 좀 나긋나긋하게 하십쇼. 지금처럼 취조하

듯 하면 다 도망갑니다.

하고는 뒤돌아서 저벅저벅 걸어간다. 수현, '박해영!' 부르지만, 해영 말없이 멀어지고... 그런 해영의 뒷모습을 바라보는 수현.

씬/55　　　　　**N, 현재, 해영의 옥탑방**

책상에 앉아 메모지를 바라보고 있는 해영. 메모지에 쓰여 있는 '1999년 인주 여고생 사건'이라는 글자가 클로즈업된다.

씬/56　　　　　**D, 과거, 재한의 집**

젖은 머리를 수건으로 말리면서 들어오는 재한. 그때, 울리는 '치치칙' 무전기 잡음. 재한, 전혀 예상하지 못한 듯 흠칫 놀라다가 바깥쪽 눈치 한 번 보고는 바닥에 벗어놓은 외투 안주머니에서 무전기를 꺼낸다.

재한　　　박해영 경위님이에요?

씬/57　　　　　**N, 현재, 해영의 옥탑방**

책상에 앉아 재한과 무전을 하고 있는 해영.

해영　　　네. 접니다. 김진우 체포한 거... 형사님이시죠?

씬/58　　　　　**D, 과거, 재한의 집**

재한　　　(불안한) 어떻게 됐어요? 그 뒤로 또 뭐가 이상하게 변한 건 없어요?

씬/59　　　　　**N, 현재, 해영의 옥탑방**

| 해영 | 아니요. 모두... 무사합니다. 형사님 덕분에 아홉 명이 살아났어요. |

씬/60 **D, 과거, 재한의 방**

| 재한 | 정말입니까? (그제야 한숨 돌리는) 다행이네요. 다행이야... |

씬/61 **N, 현재, 해영의 옥탑방**

메모지를 바라보는 해영.

| 해영 | ...이제... 한 사건만 남았습니다. |

씬/62 **D, 과거, 재한의 집**

| 재한 | 한 사건이요? 그게.. 무슨 얘깁니까? |

씬/63 **N, 현재, 해영의 옥탑방**

| 해영 | ...거기 1999년입니까? |

씬/64 **D, 과거, 재한의 집**

| 재한 | 그건 또 어떻게 알았어요? |

씬/65 **N, 현재, 해영의 옥탑방**

| 해영 | 1999년 인주 여고생 사건. 형사님 메모지에 적혀있는 마지막 사건입니다. 형사님은... 그 사건을 수사하게 될 거예요. |

씬/66 **N, 과거, 재한의 집**

재한	(의아한)... 인주 여고생 사건이요? 그게 무슨 사건이죠? 거기서 또 무슨 일이 벌어지는데요?

씬/67　　　**N, 현재, 해영의 옥탑방**

해영	형사님한테... 부탁이 있습니다. 그때 1999년 인주에서 무슨 일이 벌어졌는지... 제게 그 사건의 진실을 말씀해 주세요. 제게... 정말... 중요한 일입니다.

씬/68　　　**D, 과거, 재한의 집**

재한	그게... 인주시는 우리 관할이 아니에요. 거기서 무슨 사건이 벌어지는지 모르겠지만...

하는데, 이미 무전기는 이미 끊어져 있다. 아직 영문을 모르겠는 재한.

씬/69　　　**N, 현재, 해영의 옥탑방**

꺼진 무전기를 보다가 메모지를 바라보는 해영의 눈빛. 간절함이 배어 있다. 메모지의 '1999년 인주 여고생 사건'이란 글씨로 향하는 화면.

씬/70　　　**N, 과거, 인주시 거리 일각**

밤, 여기저기 건물에 불빛이 켜진 인적이 드문 한적한 지방 소도시. 동사무소 같은 공공기관 앞에 걸려 있는 '공기 좋고 살기 좋은 아름다운 인주시를 만듭시다'라는 플래카드 위로

＊ 자막 - 1999년 2월 인주

씬/71　　　**N, 과거, 인주시, 모처**

컴컴한 방 안, 모니터 불빛만이 유일한데, 모니터를 비추면 인주고 홈페이지다. 홈페이지의 게시판을 클릭하는 손. 게시판에 한 글자, 두 글자씩 쳐내려가는 누군가의 손.

'모든 건 버드나무 집에서 시작됐다'

씬/72	N, 과거, 몽타주

- 밤, 인주시내 PC방.
담배연기가 희뿌연 PC방. 온라인 게임 소리가 여기저기 요란하게 들리는데 PC방으로 뛰어 들어오는 남고생 1.

남고생 1   야, 홈피 게시판 봤어?

- 시간 경과되면
모여서 게시판 글을 확인하는 남고생들.

'모든 건 버드나무 집에서 시작됐다. 처음엔 한 명이었고, 그다음엔 일곱 명의 인간. 마지막엔 열 명의 악마들'

- 가정집. 여고생 두 명이 굳은 얼굴로 모니터 화면을 보고 있다.

'악마는 멀리 있는 것이 아니라 우리 주변에 있다'

- 과거, 인주시 모처. 계속해서 키보드를 두드리는 누군가의 손.

'친구였던 여학생을 짐승처럼 짓밟고도 여전히 우리와 함께...
아무 일도 없었다는 듯 웃고... 떠들고...'

- 또 다른 인주 시내 PC방.

게임 중인 일진 1을 비롯한 불량 학생들. 불량 학생 중 한 명 게시판을 읽다가 얼굴 굳으며 일진 1을 툭툭 친다.

일진 1   아 왜!
불량   (굳은 얼굴) 이거...
일진 1   뭔데?
불량   버드나무집이면 거기잖아.

게시판 글을 보고 나서 삽시간에 얼굴 굳는 일진 1...

씬/73   N, 과거, 해영의 집

밥상 위에 교과서를 펼쳐 놓고 해영에게 공부를 가르쳐주고 있는 선우. 그때, 거실에 놓여있던 유선전화가 울린다. 전화를 받는 선우.

선우   여보세요. (사이) 나야. 무슨 일인데? (놀라서 눈빛 굳는)

씬/74   N, 과거, 해영의 집 밖

대문을 막 나서는 선우, 뒤에서 해영이 쫓아 나온다.

선우   집에 있으라니까
해영   나도 가면 안 돼?
선우   넌 못 가는데야. 형 금방 갔다 올게.

뾰로통한 얼굴의 해영이 집으로 들어가면, 선우 급하게 뛰기 시작한다.

씬/75   N, 몽타주

- 인주고등학교 외경

- 학교 건물 복도를 달리는 혜승의 뒷모습.
- 교무실에서 굳은 얼굴로 학교 게시판 글을 보고 있는 선생님들.
(게시판 글은 아래가 전체글. 위 몽타주씬은 사이사이 보여주는 느낌으로 썼습니다)

'모든 건 버드나무 집에서 시작됐다. 처음엔 한 명이었고, 그다음엔 일곱 명의 인간. 마지막엔 열 명의 악마들. 악마는 멀리 있는 것이 아니라 우리 주변에 있다. 친구였던 여학생을 짐승처럼 짓밟고도 여전히 우리와 함께... 아무 일도 없었다는 듯 웃고... 떠들고... 죄를 지은 사람은 많은데 죗값을 받은 사람은 하나도 없다. 어디서부터 잘못된 걸까... 난 어떻게 해야 할까...'

- 학교 건물 계단을 빠르게 오르는 혜승이의 발.
- 야간 자율 학습 시간 도중 낮게 얘기를 나누고 있는 학생들. "그 게시판 얘기 들었어?" "버드나무집?" "그거 3반에 걔라며" 정신없이 떠드는 아이들의 입.
- 학교 계단을 쉬지 않고 올라가는 혜승이의 발. 마지막 계단을 딛고 쾅 문을 열면 옥상이다.
- 밤, 인주 고등학교 옥상. 난간을 향해 말릴 틈도 없이 뛰어가는 혜승의 뒷모습. 마치 금방이라도 난간 밖으로 몸을 날릴 것 같은 혜승의 모습에서

씬/76   N, 과거, 고급 일식집 복도

정적이 흐르는 일식집 복도. 앞서 걷고 있는 보좌관의 뒤를 따라 걷고 있는 범주. 잔뜩 긴장한 기색이 역력하다. 보좌관 한 룸 앞에 멈춰 서면 앞에 대기하고 있던 종업원 문을 조심스럽게 연다.

씬/76- 1   N, 과거, 일식집 룸

넓고 고급스러운 일식집 룸 안으로 들어서는 보좌관.

보좌관　　(90도로 인사한 뒤) 도착했습니다.

보좌관 뒤를 바라보며 눈짓하자, 잔뜩 긴장한 범주 안으로 들어선다. 그제야 보이는 테이블에 앉아있는 누군가... 넓은 테이블에 차려진 일식 정통 요리를 범주 쪽은 바라보지도 않고 천천히 음미하듯 먹고 있는 장영철 의원이다. 범주, 그런 영철을 보다가 넙죽 엎드려 절을 하며

범주　　　형사기동대 반장 김범줍니다.
영철　　　(여전히 시선 주지 않으며 보좌관에게) 경찰 쪽은?
보좌관　　내일 경찰청 차원에서 쇄신인사를 단행할 예정입니다.
영철　　　그래... 조직이 썩지 않으려면 새 인물을 계속 수혈해야지.

엎드려 있던 범주, 영철의 얘기에 눈빛 반짝하며 더욱 몸을 낮추며

범주　　　뭐든 맡겨만 주십시오. 충성을 다하겠습니다.

그제야 천천히 범주를 바라보는 영철.

영철　　　그게 무슨 소리예요. 나한테 충성을 하다니... 경찰이 그래서 쓰나...

범주, 영철의 말에 바싹 긴장하는 눈빛.

영철　　　경찰은 무슨 일이 있어도 흔들려선 안 돼요. 공정하고 투명하게... 수사해야죠.

범주, 이게 무슨 말인가.. 천천히 고개를 들다가 영철의 서늘한 시선과 마주친다.

범주	...(멈칫하다가 영철의 속내를 알아차리는) 그럼요. 공정하고 투명하게...
영철	한 치의 오차도 없이...

서늘한 영철의 눈빛을 바라보며 서서히 비열한 미소를 짓는 범주.

범주	한 치의 오차도 없이... 그렇게 하겠습니다.

다시 영철을 향해 몸을 숙이는 범주. 천천히 시선을 돌려 다시 여유 있는 미소를 띠는 영철. 우아한 손놀림으로 식사를 다시 시작한다.

씬/77   D, 과거, 형기대 사무실

사무실 안으로 들어오는 재한, 보면 한 쪽에 종이컵 커피를 마시며 수군대는 형사들이 보이는데, 고개를 절레절레 젓는다든지, 혀를 찬다든지 얼굴 표정들이 그다지 좋지 않다. 그 무리 중에 끼어있던 수현, 재한을 보고 재한에게 다가온다.

수현	오셨어요
재한	무슨 일인데 분위기가 이래?
수현	인주에서 성폭행 사건이 터졌는데 그게 좀...
재한	왜?
수현	피해자가 여고생인데... 연루된 가해자 숫자만 열 명이 넘는데요.
재한	(기가막힌) 뭐? 열 명?!

멈칫하는 재한의 시선에서

- 인서트
67씬.

해영	형사님한테... 부탁이 있습니다. 그때 1999년 인주에서 무슨 일이 벌어졌는지... 제게 그 사건의 진실을 말씀해 주세요. 제게... 정말... 중요한 일입니다.

– 다시 형기대 사무실로 돌아오면, 문 열리면서 들어서는 범주.

범주	다들 들었겠지만, 인주에서 사건이 하나 터졌다. 관할서 차원에서 감당하기 힘든 사건이라, 형기대를 중심으로 특수수사팀을 구성하기로 했다. 형기대 1팀이 주축이 되고 내가 직접 내려가서 지휘할 예정이다. 형기대 1팀, 김정제, 최석원, 김예철, 채상훈.

범주가 이름 호명하면, 정제, 형사 1, 형사 2, 형사 3을 비추는 화면.

범주	한 시간 안에 준비 끝내. (팀원들 둘러보고는) 바로 인주로 내려간다.

범주, 나가고... 호명된 형사들, 일어서서 짐을 챙기려는 듯 나가는데 재한, 그중 형사 3을 붙잡는

재한	야, 나 좀 보자.

씬/77- 1   D, 과거, 형기대 건물 앞/기동차량 안.

건물 앞에 시동이 걸린 채 세워져 있는 기동차량으로 짐이 든 가방을 들고 내려오는 범주. 조수석 문을 열고 차에 올라타다가 룸미러를 보고 멈칫. 뒷자리 형사 1, 2와 함께 앉아있는 재한이다.

범주	여기서 뭐 하는 거야?
재한	채 형사가 몸이 안 좋다고 해서, 제가 대신 가기로 했습니다.

맘에 들지 않는 시선으로 룸미러를 통해 재한을 바라보는 범주.

재한	왜요? 제가 가면 안 되는 이유라도 있습니까?
범주	(재한 짜증스럽게 보다가 정제에게) 출발해.

차를 출발시키는 정제.

씬/78   D, 과거, 국도 일각

인주로 향하는 국도를 달리고 있는 기동차량. 차 안에는 운전을 하는 정제, 조수석엔 범주. 뒷좌석에는 재한을 비롯한 형사들이 앉아있다. 그런 재한, 그리고 범주의 시선에 보이는 저 앞쪽의 녹색 표지판. '인주시에 오신 걸 환영합니다'라고 적혀있다. 표지판을 지나쳐서 인주 시내로 들어가는 자동차.

씬/79   D, 과거, 인주서 앞

차에서 내리는 범주와 재한을 포함한 형기대 인원들. 인주서 앞에서 서성이던 기자들, 재한 일행에게 다가오며

기자 1	형기대에서 오신 건가요?
기자 2	앞으로 수사 방향은 어떻게 됩니까?
기자 1	상부에서 수사를 일부러 축소시키려고 한다는 소문이 돌던데요.

그때, 인주서 건물 안에서 기자들 뚫고 일행에게 다가오는 치수.

치수	형기대에서 오셨죠? 이쪽으로 오시죠. (기자들을 밀어내며) 어허, 이 사람들 좀 절루 가요.

치수의 인솔 하에 경찰서 안으로 들어가는 형기대 일행.

씬/80   D, 과거, 인주서 강력계 사무실

강력계 사무실 테이블에 앉아있는 재한과 정제, 형사 1, 2. 한편에 주르륵 앉아있는 일진 1을 비롯한 다섯 명 정도의 동네 불량학생들. 그 앞을 가로막고 선 학생들의 부모 몇 명, 형사에게 따지고 있다.

엄마   조사를 해? 누구 허락도 없이 조사를 해? 내 아들이 뭘 잘못했는데?

관할형사   그러니까 조사해보면..

엄마   뭘 조사를 해요, 조사를 하길! 여자애가 작정하고 꼬리치는데, 안 넘어갈 남자가 어딨어요! 우리 아들은 아무 잘못 없다니까!

그런 모습을 힐긋 보는 형기대 일행. 그때, 커피 들고 다가오는 치수. 테이블위에 올려놓으며

치수   멀리까지 오시느라 수고 많으셨습니다. 한 잔들 드세요.

정제   쟤네들이에요?

치수   피해자가 최초진술에서 진술한 불량 서클 애들입니다. 시내에서도 소문난 애들이에요. 못된 짓만 골라 하더니...

재한   아까 그 얘긴 뭡니까?

치수   (보면)

재한   기자들 얘기요.

치수   (보일 듯 말 듯 얼굴 굳다가 다시 미소 지으며) 다 지어낸 헛소립니다. 누가 수사를 축소합니까.

씬/81   D, 과거, 인주서 강력계 반장실

지금까지 수사 자료를 살펴보고 있는 범주. 그런 범주 눈치를 보면서 맞은편에 앉아 있는 인주서 반장.

범주   (한 장 두 장 살펴보다가) 처음부터 끝까지... 엉망진창이네요.

반장   (땀 닦으며) 그게...

범주   이런 식으로 일하시니, 기자들이 저렇게 시끄럽게 구는 겁니다.

	지금이 쌍팔년도 아니고, 투명하게 수사해야죠. 투명하게...
반장	예? 하지만...

범주, 수사자료 안에 끼어져 있는 게시판 글을 보는

범주	이게 시작이었죠?
반장	게시판 글은 올리자마자 바로 삭제시켰습니다.
범주	그러니까... 그것부터 잘못이었어요. 삭제시킨다고 학생들 사이에 쫙 퍼진 소문이 사라집니까? 기자들한테 원본글 공개하세요.
반장	(놀라는) 예? 하지만...
범주	세상엔 살 가치도 없는 벌레 같은 놈들이 많습니다. 그런 벌레 같은 놈들은 한 번 잡을 때, 아예 씨를 말려 버려야 돼요.
반장	(무슨 소린지 모르겠다는 듯 보는)
범주	처음엔 한 명, 그 다음엔 7명, 마지막으로 열 명. 합해서 열여덟 마리 벌레만 잡아들이면 끝나는 겁니다. 어차피 지역 이미지만 갉아먹는 쓰레기들인데, 이참에 깨끗이 소독해 버리죠... 투명하게.
반장	어쨌든... 전 김범주 반장만 믿겠습니다.
범주	반장님도 따로 처리해 줘야 할 일이 있습니다.
반장	(보면)
범주	(게시판 글 들어올리며) 이 글을 올린 장본인이 누군지 알아내세요.
반장	안 그래도 계속 찾고는 있는데...
범주	(강하게 보는) 찾고는 있는 데가 아니라 반드시 찾아내야죠.
반장	(깨깽...) 알겠습니다.

씬/82   D, 과거, 인주서 회의실

치수를 비롯한 인주서 강력계 형사들 네다섯 명과 재한을 비롯한 형기대 형사들에게 게시판 글을 나눠주고 있는 범주.

재한	(게시판 글 보다가) 이게 사실입니까? 누가 작성한 거죠?

범주	인주고 학생으로 짐작될 뿐 누군지 밝혀지진 않았어.
정제	이게 사실이면, 가해학생 수가 훨씬 늘어납니다.
범주	찾아내야지. 끝까지... 이재한은 피해자 만나서 이 글이 사실인지 진위 여부 파악하고 김정제는 정확히 어디서 범행이 저질러졌는지 수색하고, 다른 인원들은 학교 관계자들 수사해서 이 글 올린 사람 찾아내. 형기대 한 명에 파트너로 관할서 형사가 붙어서 수사를 시작한다. 이상.

범주 나가고 파트너로 정해진 형사들끼리 서로 다가가서 인사하는데, 재한에게 다가오는 치수. 해맑은 미소로

치수	앞으로 잘 부탁합니다. 아까 정신이 없어서 제대로 인사를 못했네요. 인주서 안치수 경삽니다.

씬/83 N, 현재, 병원 중환자실 밖 복도

전 씬의 치수의 모습, 현재의 나이 든 치수의 모습으로 오버랩된다. 안타까운 표정으로 어딘가를 바라보고 있는 치수. 치수가 바라보고 있는 유리창 너머에는 중환자실 침대 위에 누워있는 소녀(10대 후반)가 있다. 침대에 붙어있는 명찰에는 '환자 : 안현경, 보호자 : 안치수'라는 글씨. 그런 소녀의 상태를 체크하는 간호사. 딸의 모습을 안타깝게 바라보는 치수.

– 시간 경과되면
중환자실 문 앞에서 얘기중인 의사와 치수.

의사	아무래도 오래는 못 버틸 것 같네요... 마음의 준비를 하시는 게...
치수	(!)

의사 목례하고 지나가면 망연자실한 치수가 유리창으로 딸의 모습을 돌아보는데... 그때 울리는 핸드폰. 화면 보면, 김범주 수사국장이다.

똑똑 노크 소리와 함께 국장실로 들어서는 치수. 범주, 창밖을 바라보고 있다. 치수, 그런 범주를 바라보는데...

범주   ...딸 아이가 위독하다구?
치수   ...
범주   그래서... 그런 거야? (뒤돌아서는데 눈빛에는 전혀 연민이나 동정 따위 보이지 않고 차갑기만 하다) 딸내미 죽어 나갈 테니까, 병원비 따위 필요 없다. 그래서 그따위로 구는 거냐고.

치수, 말없이 범주를 보는...

범주   박해영이 그때 죽은 박선우 동생이란거... 너 알고 있었지?
치수   (멈칫해서 보는)
범주   알면서 보고 안한 이유가 뭐야?!!

범주, 무섭게 다가와서 치수 멱살 잡아 벽에 쾅 밀치며

범주   개를 키워놨더니, 주인을 물어? 계장 모가지 따위 당장에라도 쳐낼 수 있어!
치수   ...압니다
범주   뭐?

치수, 범주를 보다가 범주의 손을 강하게 잡아 밀쳐내고는 외투 안주머니에서 봉투 하나를 꺼내서 근처 테이블 위에 올려놓는다.

치수   이제 다 끝났습니다...

치수, 목례하고 사무실을 나간다. 범주가 보면, 테이블 위에 놓인 봉투

에 '사직서'라고 적혀있다. 범주의 눈빛이 싸늘하게 굳는다.

씬/85   **N, 현재, 국도 일각**

어두운 국도를 달리는 자동차. 치수, 굳은 표정으로 운전을 하고 있다.
저 앞쪽으로 보이는 녹색 표지판. '인주시에 오신 걸 환영합니다' 푯말
을 지나 인주시로 진입하는 치수의 자동차.

씬/86   **N, 현재, 해영의 옥탑방**

책상 위에 펼쳐져 있는 인주 사건 수사기록들과 사건 기사 스크랩들.
수사기록들을 다시 한 번 읽어보고 있는 해영. 그때, 울리는 핸드폰.
'안치수 계장'이다.

해영   (의아한 얼굴로 시간 보며) 박해영입니다.
치수(소리)   ...나야.
해영   이 시간에 웬일이십니까? 사건이라도 터진 거예요?

씬/87   **N, 현재, 인주 병원 일각**

로비를 걸어 어디론가 이동하면서 해영과 통화 중인 치수.

치수   ...박해영. 네가 인주 사건에 왜 그렇게 매달리는지 알아. 네 형 박선우
가 그렇게 죽은 거... 나도 안타깝게 생각한다.

씬/88   **N, 현재, 해영의 옥탑방**

해영, 놀라서 멈칫하다가... 싸늘해지는

해영   그게... 무슨 얘깁니까? 내 뒷조사를 한 거예요? 어디까지 알고 있는 거

죠?

응급실 앞을 지나는 치수. 구급차의 사이렌 소리 깔리고, 다급히 지나치는 이동 침대의 소리.

치수   ...그 사건... 생각보다 훨씬 더 위험해. 네가 진실을 알게 된다면... 너도 네 형처럼 위험해질 거야.

해영   ...아뇨. 난 알아야겠습니다. 우리 형이 왜 그렇게 죽을 수밖에 없었는지, 내가 죽는 한이 있어도 알아낼 거예요.

응급실을 지나쳐서 엘리베이터 맞은편 비상구 문을 여는 치수. 들려오는 '띵'하는 엘리베이터 도착음. 비상구 안으로 들어오는 치수. '탕' 비상구 문 닫히는 소리.

치수   진실을 알고도 감당할 수 있다면... 내려와. 인주로...

해영   그때 무슨 일이 있었는지... 알고 계신 겁니까?

치수   ...(결심이 선 듯) 그래... 알아. 그때 무슨 일이 벌어졌는지...

내가... 내 손으로 그 사건을 조작했으니까...

씬/94　　　　**N, 현재, 해영의 옥탑방**

소스라치게 놀라서 벌떡 일어서는 해영.

해영　　　　...그게... 사실이에요?
치수(소리)　　두 시간 뒤... 인주병원 앞이다.

씬/95　　　　**N, 현재, 인주 병원 비상구 계단**

핸드폰 너머 '여보세요! 계장님!' 하는 해영의 소리 무시하고 전화를 끊는 치수의 모습에서

씬/95- 1　　　**D, 과거, 인주 시내 병원 로비.**

재한과 함께 로비로 들어서는 과거의 치수의 모습으로 오버랩 되는 화면.

치수　　　　피해자는 강혜승이란 학생입니다. 이번에 2학년으로 올라가는 학생이죠.

그때, 저 앞쪽에서 걸어 나오는 교복을 입은 동진과 스치듯이 지나가는 재한과 치수. 두 사람의 뒤쪽으로 멀어지는 동진의 손에는 빨간 목도리가 담긴 쇼핑백이 들려져 있다.

씬/96　　　　**D, 과거, 인주 시내 병원 복도/병실**

혜승이 병실을 향해 걸어오며 대화중인 재한과 치수

치수　　　　가해자로 지목된 불량 학생들과도 자주 어울렸나 봐요. 사건 직후 자살

을 시도했어요. 정신적으로 불안해서, 아마, 직접 만나긴 힘들 겁니다.

그때, 저 앞쪽, 혜승이 병실 앞에서 연락을 받고 치수와 재한을 기다리고 있던 듯한 혜승 父. 치수를 보자 꾸벅 인사를 한다.

- 시간 경과되면
복도 한편에 서서 대화를 나누고 있는 치수, 재한, 혜승 父다. 혜승 父, 치수가 건네준 게시판 글을 보고 머뭇거리다가

혜승 父	(다시 건네주며) 맞수다.
재한	(보면) 뭐가 맞다는 거죠?
혜승 父	거기 있는 얘기 다 맞다고요.
재한	(보면) 처음 피해자가 진술한 가해자는 열 명이라고 들었는데요. 왜 거짓말을 한 거죠?
혜승 父	여자애가 그런 짓을 당했는데, 더 많은 놈한테 당했다고 떠벌릴 일 있어요? 쪽팔려서 그랬다고 그럽디다.
치수	누구누군지 기억한데요?

혜승 父, 주머니에서 주섬주섬 메모지를 꺼내서 건넨다.
재한, 보면 안에 주르륵 열여덟 명의 이름과 학교명이 적혀 있다.

혜승 父	밤마다 어울려 다니던 놈들이래요. 원... 여자애가 함부로 몸을 놀리니, 그딴 일이나 당하지.

재한, 힐긋 혜승 父를 보는

치수	확실한 거죠?
혜승 父	지 사인까지 거기 있잖아요.

재한, 보면 피해자 이름들 제일 밑 강혜승이란 이름.

재한 최초 진술도 그렇고, 지금도 그렇고 아버님이 대신 진술을 하셨는데요. 직접 만나서 얘길 듣고 싶습니다.

혜승 父, 약간 당황해서 치수와 찰나 시선 마주치는데...

치수 피해자가 정신적으로 불안해서, 외부인은 절대 면회 사절이랍니다.
재한 잠시면 됩니다.
혜승 父 잠시고 나발이고 안 된다니까 그러네. 할 말 끝났으니까, 이제 가세요.
재한 술 드셨어요?
혜승 父 (멈칫하다가) 이 양반이 진짜 보자보자 하니까... 할 말 끝났으니까, 가라고! (돌아서서 병실로 들어가며) 내 입으로 내가 술도 못 마셔? 재수 없게... 형사면 다야?

재한, 그런 혜승 父의 뒷모습을 보는데, 열린 병실 너머 침대에 반쯤 누워 있는 혜승이와 시선 마주친다. 혜승 父 병실문 닫으려는 순간, 재한, 누가 말릴 틈도 없이 병실 문을 박차고 안으로 들어가 혜승이에게 다가가며

재한 네가 혜승이니? 나 서울에서 온 형사야.

순간, 혜승 父도 치수도 놀라서 그런 재한을 만류하고 혜승이는 그런 상황이 겁이 나는 듯 비명을 지르며 이불 뒤집어써 버린다.

치수 이러시면 곤란합니다.
혜승 父 남의 딸 죽어나가는 꼴 보고 싶어?

재한, 두 사람의 제지를 뚫고 혜승이 침대 옆 사이드 테이블에 자기 명함 내려놓으며

재한	뭐든 직접 얘기하고 싶은 거 있으면 연락해. 알았지?

하는데, 결국 혜승 父와 치수의 완력에 이기지 못하고 병실 밖으로 내쫓기는 재한. 쾅, 문 닫히는...

치수	이러다 피해자한테 무슨 일이 생기면 어쩌려고 이러세요?
재한	...피해자 아버지, 알코올 중독이죠?
치수	알코올 중독이라고 해도 피해자 친붑니다.
재한	하지만..
치수	피해자가 준 명단, 조사해 보면 진위 여부가 가려지겠죠. 이제부터 우리가 수사하면 됩니다.

재한, 어쩔 수 없다.

치수	가시죠.

재한, 어쩔 수 없이 치수를 따라 걷기 시작하는데, 재한과 치수가 향한 반대편 화면 비추면, 지금까지 모든 상황을 지켜본 듯한 선우가 서 있다. 재한과 치수 복도 꺾여져서 사라지는데 다시 쾅 문 열리며 나오는 혜승 父, 바닥에 재한의 구겨진 명함을 집어던져 버리는

혜승 父	재수 없을래니까... 어따가 이런 걸...

하고는 들어가려다가 선우와 시선 마주치는

혜승 父	얼씬도 하지 말랬지?
선우	혜승이 괜찮나요?
혜승 父	너라면 괜찮겠냐? 그만 꺼져. 다시 오기만 해봐.

눈을 부라리며 안으로 들어가 버리는 혜승 父. 선우, 가만히 땅에 떨어

진 명함을 바라본다.

씬/97　　　　D, 과거, 인주 시내 병원 외곽 주차장

주차장으로 걸어오는 재한과 치수. 그때, 울리는 재한의 핸드폰.

재한　　　이재한입니다. (하다가 놀라는) 거기가 어디라고?

전화 끊으며 치수에게

재한　　　범행 장소를 찾아냈답니다.
치수　　　(멈칫하는)

씬/98　　　　D, 과거, 인주 시내 외곽 국도 일각

국도변에 있는 단층 건물 앞에 와서 멈춰 서는 차에서 내리는 재한과
치수. 벌써 건물 앞쪽에 와 있는 정제를 비롯한 형기대 형사들의 모습.
재한, 정제에게 다가가서

재한　　　어떻게 된 거야?
정제　　　재작년까지 고깃집으로 영업하다가 폐업한 건물인데, 시내 불량 서클
　　　　　애들이 아지트처럼 사용했다는데. 고깃집 상호가 버드나무 집이었대.
재한　　　(멈칫해서 보다가 건물 살펴보며) CCTV는?
정제　　　흉가 같은 건물에 누가 CCTV를 설치했겠냐. 대신 반대편 밭주인 내외
　　　　　랑, 근처 주민들이 애들을 자주 목격했대. 목격자 증언 받아내면 그래
　　　　　도 일이 풀릴 것 같아.

정제, 어딘가를 바라보고, 재한 그쪽을 바라보면 순박하게 생긴 농부
내외가 형사들에게 뭐라고 뭐라고 진술을 하고 있다.

- 밤, 인주서 강력계 사무실
사무실에 앉아서 조사를 받고 있는 농부 내외.

남편   꽤 됐어요. 걔네들 그 건물에 왔다 갔다 한 게... 맨날 거기서 술 퍼마시고, 담배 피고... 경찰에 신고해도 뭐 그때뿐이고...

정제, 책상 위에 불량 학생들과 다른 학생들의 사진들 섞어서 일렬로 주르륵 내려놓는다.

정제   이 중에서 그 학생들 얼굴 알아보실 수 있겠어요?

하나둘씩, 사진들 뽑아내기 시작하는 농부 내외.

정제   그 학생들하고 같이 드나들던 여자애가 있었을 텐데요...
농부 남편   예, 한 명 있었어요.

- 농부 남편의 진술대로 보이는 화면. 낮, 단층 폐가 건물로 들어가는 학생들. 동장, 지나가다가 이상하게 보는데, 일진 1을 포함한 불량학생들 사이, 겁먹은 듯 보이는 혜승이가 끼어 있다.

- 농부 남편, 혜승이 사진을 보며

남편   맞아요. 얘였어요.
재한   확실해요?
남편   몇 번 봤는데, 확실히 얘였어요.

- 겁먹은 듯한 인주고 교복을 입은 여학생들을 조사 중인 재한.

재한	혜승이랑 친했니?
여학생 1	걔... 학교에는 친구 별로 없어요. 학교에 잘 나오지도 않고...
여학생 2	시내에선 자주 봤어요. 노는 애들하고 자주 어울려 다녔어요.
재한	(사진들 보여주면서) 이 중에서 혜승이랑 같이 다녔던 애들 알아볼 수 있겠어?

여학생들, 사진들을 골라내기 시작하고... 그 모습을 멀리서 그저 가만히 지켜보는 범주의 모습.

– 인주서, 회의실
한 명 두 명씩 화이트보드에 가해자 사진들이 붙여진다. 그런 화이트보드를 바라보고 있는 정제와 재한. 그 옆엔 혜승 父가 준, 가해자 명단이 있고

정제	모두 해서 합이 열여덟 명. 피해자가 지목한 가해자 명단과도 일치해. (피곤한 듯 목 돌리며) 가해자 진술만 받아내면 얼추 끝이 보이네.
재한	(생각에 잠겨있는)
정제	왜 또?
재한	...확증이 없잖아.
정제	야, 서울도 아니고 CCTV 하나 제대로 설치되지 않은 동네에서 확증이 어딨어? 목격자 진술이라도 확보된 게 기적이지.

재한, 그럼에도 불구하고 뭔가 찜찜한 듯, 화이트보드를 바라본다.

정제	이 사건 이제 거의 끝난 거니까, 교대로 잠깐 눈이라도 붙이자.
재한	...(여전히 찜찜한)
정제	아, 쫌 그만하고 다녀와. 네가 자야, 이따 나도 자지.

씬/100   D, 과거, 여관 인근 거리

생각에 잠겨, 여관 건물로 다가오고 있는 재한. 그때, 앞쪽에서 교복을 걸친 선우가 고개를 푹 숙이고 재한과 부딪칠 듯스치고 지나간다. 재한, 그런 선우를 한번 힐긋 본 뒤 여관으로 들어가는데...

씬/101   D, 과거, 여관 입구

여관으로 들어서는 재한. 카운터의 여관 주인 커다란 서류 봉투를 의아한 듯 보다가 재한 들어서자

주인	형사님. 서울에서 오셨죠?
재한	그런데요?
주인	(봉투 내밀며) 방금 어떤 학생이 서울에서 온 이재한 형사님한테 이걸 좀 건네달라고 하고 가던데... 좀 전해 줄 수 있어요?

재한, 의아한 얼굴로 봉투를 받고는, 봉투를 열어보는데 안에서 나오는 사진 한 장. A4지 정도 크기의 컬러사진. 어딘가에 전시 중인 사진이었던 듯, 사진 아래쪽에 프린트 아웃된 '1998년, 인주고등학교 학생회 간부 수련회' 라고 적혀 있고, 숲을 배경으로 미소 짓고 있는 일곱 명의 남자 고등학생들이 찍힌 사진이다. 재한, 도대체 이게 뭐지? 그냥 봉투 안에 넣고 걸어가려고 하다가 멈칫하는... 재한, 다시 한 번 봉투를 열어 사진을 내려다본다. '인주 고등학교 학생회 간부 수련회'라는 글씨를 보다가... 아이들의 숫자를 세어본다.

재한	일곱 명...

떨려오는 재한의 눈빛에서

- 인서트
'처음엔 한 명이었고, 그다음엔 일곱 명의 인간. 마지막엔 열 명의 악마들'

- 다시 여관으로 돌아오면

볼펜으로 인주 고등학교 간부 회의 '인'자와 '간'자에 동그라미를 친다.

재한   ...일곱 명의 인간... 일곱 명의 인주고 학생회 간부...

재한, 불길한 시선이 되면서...

재한   설마...

씬/102   N, 현재, 인주 시내 도로 일각

늦은 밤, 인적이 드문 인주 시내를 달리고 있는 해영의 차. 저 앞쪽으로 인주 병원 건물이 보이기 시작한다. 그때, 저 앞쪽에서 달려오면서 해영의 차와 스치듯이 사라지는 하얀색 자동차. 룸미러에 걸려있는 눈에 띄는 하얀색 동물 털로 된 액세서리. (꼭 동물털이 아니더라도 눈에 띄는 액세서리면 됩니다) 해영, 급한 마음에 그 차는 신경도 안 쓰고, 달려가서 인주 병원 정문 앞에 차를 대고 내려선다. 하지만, 치수의 모습은 보이지 않는다. 핸드폰을 꺼내, 치수에게 전화를 걸면서 주변을 두리번거리며 이동하며 치수를 찾는 해영. 치수, 전화를 받지 않는다. 해영, 답답한 듯 다시 한 번 전화를 걸면서 계속 치수를 찾는데, 병원 정문 옆쪽 골목 안에서 들려오는 희미한 핸드폰 벨소리. 그 소리에 다급히 골목 쪽으로 들어서는데 가로등 아래, 서 있는 치수의 뒷모습. 해영, 핸드폰을 끊고 '계장님!' 치수를 부르면서 다가가는데... 갑자기 풀썩 자리에 쓰러지는 치수. 해영 놀라서 치수에게 달려가서 쓰러진 몸을 돌려세우는데, 고통에 일그러진 치수의 얼굴, 핏물로 흥건하게 가슴이 젖어 있다. 놀라서 치수를 바라보는 해영의 얼굴에서...

11부 끝

시그널 The Signal
12부

씬/1　　　　　**N, 현재, 인주, 거리 일각**

피를 흘리며 쓰러져 있는 치수를 놀란 얼굴로 바라보는 해영.

해영　　　계장님... 이게...

해영, 다급히 떨리는 손으로 주머니에서 핸드폰을 꺼내서 119버튼을
누르는데, 그 손을 잡는 치수

해영　　　(다급히) 잠시만 기다리세요. 119를...
치수　　　(말 끊으며) 무전기...
해영　　　예?
치수　　　이재한... 목소리를... 들었어...

해영, 굳은 눈빛으로 치수를 본다.

- 인서트
늦은 밤, 광역 1 계장실. 모두들 퇴근한 듯 텅 빈 사무실에 앉아서 무전
기를 내려다보고 있는 치수. 그때, 시간 11시 23분이 되고... 갑자기 불
빛을 내면서 '치치칙' 잡음 소리가 들린다. 치수, 의아한 시선으로 무전
기를 내려다보는데 순간 무전기 너머에서 들려오는 또렷한 재한의 음
성.

재한(소리)　　　박해영 경위님? 나 이재한입니다.

소스라치게 놀라서 무전기를 떨어뜨리는 치수.

재한(소리)　　　경위님? 듣고 있어요? 경위님?

부들부들 떨면서 그런 재한의 목소리를 듣고 있는 치수의 모습에서

- 다시 거리로 돌아오면, 해영을 바라보는 치수의 눈빛.

치수 ...그럴 리가 없는데... 이재한이 살아있을 리가 없는데... 무전을 듣고... 확인해 봤어... 분명히... 거기였어... 돌계단 아래...

해영 ...지금... 무슨 말씀을 하시는 거에요?

치수 ...내가... 이재한을 죽였어...

해영, 놀라서 얼어붙는다.

해영 그게... 무슨...

치수 내 손으로... 이재한을 죽였어... 그게... 제일... 후회돼...

해영 (믿기지 않는) 계장님...

치수 만약 살아있다면... 이재한 형사가 살아있다면... 어쩔 수 없었다고... 말해줘... 그럴 수밖에 없었다고...

해영 도대체... 도대체... 왜... 계장님이.

치수 ...(점차 의식 희미해져가는)모든... 시작은... 인주였어...

해영 계장님... 정신차리세요!

그러나, 피를 흘리면서 서서히 의식을 잃어가는 치수.

해영 (다급히 119에 전화를 거는) 여기요! 인주 병원 옆길이에요. 사람이 다쳤습니다! 빨리 와주세요. 급합니다. (하고는 치수의 가슴팍을 지혈하는) 계장님! 안 돼요. 죽으면 안 됩니다! 계장님!!

그런 해영의 모습에서 서서히 암전되는 화면.

씬/2   **N, 병원 영안실 앞 복도**

급한 발소리와 함께 뛰어오는 수현, 계철, 헌기. 영안실 앞 복도 의자에 망연자실 앉아 있는 옷과 손이 피투성이인 해영과 그 옆에 서 있는 신고를 받고 온 듯한 관할서 형사 1, 2.

수현	(다급히 해영에게 다가서며) 도대체 어떻게 된 거야?
계철	계장님이 당했다는 게 무슨 소리야?

해영, 어디서부터 어떻게 얘기해야 할지, 갈피를 못 잡고 있는데, 또다시 들려오는 다급한 발소리들. 보면 역시 연락을 받고 달려온 듯한 강 형사를 비롯한 광수대 형사들이다. 수현과 해영, 그리고 관할서 형사들을 충격으로 떨리는 눈빛으로 보던 강 형사, 관할서 형사에게

강 형사	어떻게 된 거야?
관할형사 1	저희도 아직 사건을 파악 중입니다. 119신고를 받고 출동했는데, 현장에 피해자와 (해영 보며) 저분이 함께 있었습니다. 유일한 목격자예요.

강 형사, 시선 해영을 보는데, 옷과 손에 묻은 피. 순간, 확 감정 올라오는 듯 해영의 멱살을 잡아서 뒤로 밀치며

강 형사	너 뭐야! 너 계장님한테 무슨 짓을 한 거야!!

그런 강 형사, 만류하는 계철과 헌기.

계철	뭐 하는 거야. 같은 식구끼리
강 형사	누가 같은 식구래?
헌기	그만하세요. 아직 뭐가 어떻게 된 건지 밝혀진 것도 없는데...
강 형사	저 새끼 손에 묻은 게 누구 핀데? 계장님 피라구!

그때, 들려오는 범주의 목소리.

범주(소리)	지금 뭐 하는 거야?!

일동, 소리가 난 쪽을 보면 복도 끝에 서 있는 범주다.
범주의 모습에 강 형사를 비롯한 광수대 형사들, 목례하며 뒤로 물러서
고 그 사이로 뚜벅뚜벅 다가오는 범주. 수현과 해영을 바라본 뒤

범주   ...안치수 계장은?

다들, 쉽게 입을 열지 못하고 범주를 바라본다.

범주   내 말 안 들려? 안치수 계장은 어떻게 됐어?
해영   ....현장에서... 사망하셨습니다.

해영을 바라보는 수현의 눈빛엔 보일 듯 말 듯 걱정이 배어있다.
범주의 무표정한 눈빛. 광수대 형사들의 눈빛에는 적개심이 가득하다.

씬/3   **D, 광수대 소회의실**

바늘 하나 떨어지는 소리까지 들릴 정도로 적막한 소회의실. 회의용 테
이블 가장 끝 쪽에 앉은 해영. 그 맞은편에는 차가운 눈빛의 범주 앉아
있고, 수현과 계철, 헌기를 비롯한 광수대 형사들 그 주변을 둘러싼 채
두 사람을 바라보고 있다.

범주   안치수 계장과 인주에선 왜 만나기로 한 거야?
해영   ...계장님이 전화를 하셨습니다. 1999년 인주 여고생 집단 성폭행 사건
에 대해서 하실 말씀이 있다고 하셨어요.
범주   무슨 얘기?
해영   ...그 사건이 조작됐다고 하셨습니다.

범주, 해영을 보는 눈빛.

범주   사건이 조작됐다? 어떻게?

해영	그 얘기까진 듣지 못했습니다. 제가 도착했을 땐 벌써 누군가한테 습격을 당하신 뒤였어요.
범주	현장에서 수상한 사람은 보지 못했나?
해영	...계장님 혼자 계셨습니다.
범주	흉기는?
해영	보이지 않았습니다.
범주	(점차 목소리 다그치듯 커지면서) 증인은? 주변 정황은?
해영	주변이 너무 어두워서...

'쾅' 테이블 치면서 일어서는 범주.

범주	대한민국 경찰이... 그것도 네 직속상관이 칼을 맞고 죽었는데 아무것도 듣지도 보지도 못 했다?

광수대 형사들, 독기가 오른 눈빛으로 해영을 바라본다.

범주	광수대는 어때? 니네들 대장이, 날고 기는 에이스들이 모였다는 광수대 책임자가 차가운 길바닥에서 살해당했다. 범인 잡기 전까지 두 발 뻗고 편하게 잘 놈은 없겠지.

광수대 형사들, 범주를 보는 눈빛.

범주	광수대 전 인원 이 사건에 붙어. 안치수 계장 죽기 전 행적, 통화내역, 카드 내역, 범행 현장 주변 CCTV 모든 수사자료 조사해서 범인 내 눈 앞에 달고 와. 단...

광수대 형사들과 수현, 계철, 헌기 범주를 보는데...

범주	장기미제 전담팀은 이 사건에서 빠진다.
수현	안치수 계장님은 저희 상관이기도 했습니다.

범주	...팀원 중에 유력한 용의자가 있는데, 수사에 참여시킬 순 없어.

얼굴 굳는 해영.

해영	전 아닙니다. 제가 왜...
범주	그걸 판단하는 건 우리야. (광수대 형사들 향해) 조사 시작해.

범주, 나가는...
강 형사, 범주 나가자 해영보며

강 형사	(차가운) 조사에 응해 주셔야겠습니다. 박해영 경위님.

씬/4   D, 광수대 조사실

테이블에 마주 앉아 해영을 조사하는 강 형사.

강 형사	마지막 통화를 했을 때, 인주 병원 앞에서 열한시 정각에 만나기로 한 거 맞죠?
해영	(보다가) 예.
강 형사	그 사실을 다른 사람한테 얘기한 적 있어요?
해영	아뇨.
강 형사	계장님도 마찬가지예요. 계장님 통화목록을 살펴봤는데, 그쪽하고 통화한 게 마지막이었거든. 그러니까.. 두 사람이 그곳에서 만나기로 한 걸 아는 사람은 계장님과 그쪽... 단 둘 밖에 없었다는 거지.
해영	...(답답한) 난 아닙니다.
강 형사	그때, 계장님하고 왜 싸운 거야?
해영	(멈칫해서 보면)
강 형사	지난번에, 사무실에서... 기억 안 나?

- 인서트

9부 1씬.

해영   ...왜요? 제가 이재한 형사에 대해서 알고 싶어 하면 안 됩니까? 아니면 이재한 형사의 실종에 대해 제가 알면 안 되는 비밀이라도 있는 건가요?

차갑게 얼굴이 굳은 치수, 저벅저벅 다가간다. 해영의 바로 앞에 멈춰서며 노려보는

치수   이재한 형사 실종사건엔... 비밀 같은 건 없어.

해영과 치수, 서로를 날카롭게 바라보는데... 문 열리는 소리와 함께 '아쉽네 삼겹살엔 소주인데' '비상 끝나면 시원하게 한 잔하죠' 대화 들려오며 들어서는 강 형사, 문 형사. 들어서다가 치수와 해영 보고 의아한 얼굴로 멈칫.

– 조사실로 돌아오면, 날카로운 눈빛으로 해영을 바라보는 강 형사.

강 형사   그날 계장님과 무슨 얘기를 한 거야? 왜, 계장님과 싸운 거냐고?

해영, 차마 입이 떨어지지 않고... 그런 해영을 의심스럽게 바라보는 강 형사.

씬/5   **광수대 사무실**

치수의 책상을 수색하고 있는 형사들. 서랍 안에서 나오는 작은 액자. 치수 딸이 아직 건강하던 어렸을 때, 미소 짓고 있는 사진이다. 다른 서랍 안에서 나오는 고지서들. 모두 광성병원 고지서다.

씬/6   **D, 광성병원, 중환자실 앞 복도**

170

광성병원 중환자실 앞에서 의사와 얘기 중인 문 형사.

문 형사　골수암이요?

의사　예. 환자도 보호자도 많이 힘드셨을 겁니다. 꽤 오랜 시간 투병을 했거든요.

문 형사　환자는요?

씬/7　D, 경찰청 수사국장실

창밖을 바라보고 있는 범주에게 보고를 하고 있는 문 형사.

문 형사　따님이 있었는데... 골수암으로 투병하다가 3일 전에 사망했답니다. 계장님이 워낙 집안 얘기를 안 하셔서... 아무도 모르고 있었습니다. 면목이... 없습니다.

범주　...그 밖에 다른 상황은?

문 형사　범행현장, 주변 CCTV를 조사 중인데 계장님이 사망한 곳 주변만 CCTV가 설치돼 있지 않았습니다. 만약 일부러 약속장소를 거기로 잡았다면, 사전에 범행을 계획했을 가능성도 있습니다.

범주　통화목록이나 카드 내역은?

문 형사　계장님이 돌아가시던 날, 통화목록을 조사하던 중에... 수상한 얘길 들었습니다.

씬/8　D, 광수대 또 다른 조사실

조사실에 마주 앉아 있는 문 형사와 성범. 성범의 책상에 통화내역서를 내려놓는데, 그중에 형광펜으로 성범의 전화번호가 표시돼 있다.

문 형사　안치수 계장님하곤 무슨 사이였어?

성범　조폭 출신 나이트 사장이 광수대 계장이랑 무슨 사이였겠어요.

문 형사　(차갑게) 똑바로 대답 안 해?

성범	...(보다가) 예전에 우리 애들 사건 담당하셨는데 그때부터 쓸 만한 정보 물어다 드리고 그랬습니다.
문 형사	(통화목록 가리키며) 이날, 오후 세시 경에 계장님이랑 통화했지? 무슨 얘기했어?
성범	그냥 사는 얘기했습니다.
문 형사	(쾅 내려치며) 제대로 대답 안 해?
성범	얘기하면 믿어줄 것도 아니잖아요.
문 형사	이게 진짜
성범	같은 경찰들끼리 밥그릇 싸움하는데, 끼어들어봤자, 손해 보는 건 나 같은 놈 아닙니까.
문 형사	...그게... 무슨 소리야?
성범	...몇 주 전에 경찰이 한 명 찾아왔습니다.
문 형사	경찰 누구?
성범	박해영이란 경찰이었어요. 찾아와서 안치수 계장에 대해 꼬치꼬치 물었습니다.
문 형사	(눈빛 변하며) 뭘 어떻게 물었는데?
성범	안 계장님이 돈을 먹지 않았냐 사건을 조작하지 않았냐 자꾸 그런 얘길 하는 거예요. 난 모른다고 했는데도 자꾸만 거머리처럼 들러붙어서 사람 귀찮게 했습니다. 그것 때문에 계장님한테 전화 드렸어요. 부하 직원 조심하시라고...

씬/9 D, 경찰청 수사국장실

7씬에서 이어지는 여전히 창밖을 바라보고 있는 범주.

범주	박해영이 안치수 계장 뒷조사를 했다... 이유는 밝혀졌나?
문 형사	...아뇨. 박해영이 그 부분에 대해선 계속 묵비권을 행사 중입니다.

씬/10 D, 광수대 조사실

강 형사에게 조사받고 있는 해영.

강 형사　　안치수 계장님 뒤는 왜 캐고 다닌 거야?

해영　　　　…

강 형사　　김성범이 다 불었어. 계장님, 뒷조사는 왜 한 거야? 너 대체 뭘 숨기고
있는 거냐고?!

해영, 입이 떨어지지 않고… 그런 해영을 의심스럽게 바라보는 강 형
사.

씬/11　　　　**D, 경찰청 수사국장실**

범주, 돌아서서 문 형사를 보는

범주　　　　박해영, 샅샅이 뒤져. 과거부터 현재까지 모든 행적들 조사해서 왜 안
치수 계장 뒷조사를 한 건지… 확실히 알아내고, 뭐든 나오면 곧바로
나한테 보고해.

문 형사　　알겠습니다.

씬/12　　　　**D, 광수대 건물 밖 복도**

사무실로 다가오는 문 형사에게 다가서는 수현.

수현　　　　안치수 계장님이 돌아가시기 전에, 박해영하고 사무실에서 다퉜다는게
사실이야?

문 형사　　그런 건 어디서 들었어?

수현　　　　그때, 무전기를 들고 있었다고 하던데. 맞아?

문 형사　　국장님 얘기 못 들었어? 전담팀은 수사팀에서 제외됐어. 더 이상 알려
고 하지 마.

173

문 형사, 수현 지나쳐서 가려는데, 다시 앞을 막는 수현

수현　　안치수 계장님 유품에서 혹시 무전기 안 나왔어? 노란색 스마일 스티
　　　　커가 붙은 무전기야.
문 형사　다시 한 번 말하는데, 이 사건에서 관심 끊어.

문 형사, 수현 지나쳐서 사무실로 걸어가버린다. 수현, 그런 뒷모습을
바라보는...

씬/13　　　　N, 조사실 밖 복도

지친 얼굴로 조사실에서 나오는 해영과 강 형사. 강 형사, 해영을 차갑
게 바라보며

강 형사　핸드폰 꺼놓지 마시고 어디 멀리 가지도 마시고... 평소처럼 하세요. 알
　　　　지?

해영, 그런 강 형사를 보다가 뚜벅뚜벅 걸어간다. 그러다가 모퉁이를
돌아서는데 기다리고 있던 수현과 마주치는...

씬/14　　　　N, 비상구 계단

수현과 마주 서서 대화중인 해영

수현　　상황이 안 좋아.
해영　　(보면)
수현　　계장님 이혼하시고 혼자 몸으로 지금까지 딸을 키우셨나 봐. 한 번도
　　　　집안 얘기를 한 적이 없으셔서 아무도 몰랐는데 그 딸이 며칠 전에 죽
　　　　었대. 골수암으로...

해영, 그런 일이 있었구나... 눈빛 가라앉는...

수현   광수대 형사들 모두 폭발 직전이야. 그런데 계장님이 죽을 때 같이 있던 년 제대로 진술도 안 하고 있어. 잘못하면, 네가 다 뒤집어쓰게 생긴 거야.

해영   난 아닙니다.

수현   알아. 난 너 믿어.

해영   (멈칫해서 보는)

수현   난 네가 계장님을 죽이지 않았다고 생각해. 그러니까 묻는 거야. 계장님 뒷조사는 왜 한 거야?

해영   ...

수현   뭘 알아야 도와줄 거 아냐.

해영, 수현 보다가... 천천히 결심한 듯 입을 연다.

해영   ...이재한 형사님... 비리 사건... 모두 조작된 겁니다.

수현   (멈칫해서 보는) 네가... 그걸 어떻게 알아? 너 이재한 선배 뒷조사까지 한 거야?

해영   안치수 계장님과 김성범이란 조폭이 같이 공모한 거예요.

수현   네가 그걸 어떻게 안 건데? 왜 그걸 네가...

해영   그게 중요한 게 아니잖아요. 중요한 건 안치수 계장이 이재한 형사 비리와 관련이 있다는 거고, 그 뒤에 더 큰 경찰 세력이 있다는 거예요...

수현   ...

해영   ...아까... 그랬죠. 날 믿는다고... 나도 그렇습니다. 형사님 밖에 없어요. 경찰 조직에서 유일하게 믿을 수 있는 사람... 형사님뿐이라고요.

수현   증거 있어? 안치수 계장님이... 이재한 선배 비리를 조작했다는 증거.

해영   ...계장님이 돌아가시기 전까진 심증뿐 이였어요. 하지만... 이젠 확실해졌어요.

수현   그게 무슨 얘기야?

해영   ...계장님은 이재한 형사의 비리 조작에 가담할 수밖에 없었을 겁니다.

수현	무슨 얘기냐고?
해영	(수현 보다가) 계장님이... 돌아가시기 전에 나한테 그러셨어요. ...이재한 형사를... 계장님이 죽였다고...

수현, 순식간에 얼어붙는다.

수현	...거... 거짓말하지 마... 도대체... 왜... 계장님이...
해영	제게 그러셨습니다. 계장님 손으로 직접... 이재한 형사를 죽였다고...

수현, 믿기지 않는... 떨리는 눈빛으로 해영을 바라본다. 재한이 죽었다는 걸 예상은 하고는 있었지만, 도저히 믿을 수 없고, 믿고 싶지도 않다.

수현	도대체... 왜!! 계장님이... 계장님이 왜!!!
해영	인줍니다.
수현	(보는)
해영	모두... 인주에서 시작됐다고 했어요... 인주 사건... 이재한 형사님도... 계장님도... 모두 그 사건 때문에 죽임을 당한 거예요.

해영을 떨리는 시선으로 바라보는 수현의 모습에서

씬/15   D, 과거, 인주고등학교 교무실

화면을 바라보고 있는 재한의 얼굴로 오버랩 되면 다들 수업에 들어간 후, 한적한 교무실, 학생주임(50대, 남)과 얘기 중인 재한이다.

학주	혜승이랑 친한 애들이요?
재한	예. 학교 안에서 친한 애들은 없었어요?
학주	학교에 잘 나오지도 않았어요. 나와도 혼자만 돌고... 애가 워낙 말수도 적어서 선생님들도 대하기 힘들어했었어요.

재한	들어보니까 (떠보는 눈빛) 인간 애들 중에 한 명이랑 사귀었다던데
학주	(화들짝 놀라는) 예? 무슨 말도 안 되는 소리를... 인간 애들이 뭐가 부족해서 혜승이랑...

하다가 학주, 아차 싶어 갑자기 말을 멈춘다. 재한, 그런 학주보다가

재한	인간이란 게... 인주고 학생회 간부들 맞죠?
학주	...그게...
재한	걔네들 학적부 좀 볼 수 있을까요?

당혹스러워 보이는 학주.

씬/16 　　D, 과거, 인주서 강력계 반장실

범주와 인주서 반장, 마주 앉아 대화를 하고 있다. 반장, 당황한 얼굴로 쩔쩔매고 있다.

범주	이재한요?
반장	예. 학생회 간부 애들 학적부를 요청했답니다. 아무래도 뭔가 눈치를 챈 것 같아요.

범주, 굳은 얼굴로 생각에 잠기다가

범주	게시판 글 쓴 애는 찾았습니까?
반장	그... 그게... 아직...
범주	분명히 그 간부 애들 중에 하납니다. 그 일을 자세하게 알고 있는 사람은 걔네들밖에 없어요. 그런데, 일곱 명 중에 하나 찾아내는 게 그렇게 어렵습니까?
반장	다들 아니라고 하는데 어떡합니까.
범주	아니라고 한다고 그 말을 곧이곧대로 믿어요? 족쳐서라도 잡아냈어야

죠!

반장   죄... 죄송합니다.

범주   죄송하다? 그런 얘기로 끝날 것 같아요? 이재한 형사가 우리보다 먼저 그 애를 찾아내면 나도 당신도 다 끝이라고!

반장   그 학생들, 일곱 명 모두 말씀하신 데로 연락 차단시켰습니다. 제대로 연락도 안 될 거예요.

범주   ...걔들, 인주 밖으로 이동시키세요.

반장   예? 어디로...

범주   어차피 방학 아닙니까. 친척 집으로 보내건, 가족여행을 보내건, 인주에서 치워버리라고요.

씬/17   D, 과거, 교무실

테이블에 앉아서 학적부를 살펴보고 있는 재한. 일곱 명의 학생들의 사진, 이름, 가족관계, 성적 등이 적혀있다. '이정혁' '서경일' '주현탁' '백민호' '김수광' '심진욱' '이동진' 각각 학생들의 학적부 내용을 살펴보는 재한의 시선, 멈칫하는데... 가족관계, 아버지 직업란이다. 각 학생들의 아버지 직업을 살펴보는데... 인주시멘트 과장, 부장, 상무, 이사 등 모두 인주 시멘트와 관련이 있는 직업들이다. 그런 직업란을 가만히 바라보는 재한.

씬/18   D, 과거, 몽타주

- 인주서 반장실, 학생들 집으로 전화하고 있는 반장.

반장   그러니까, 친척집이라도 보내라고. 시간 없으니까, 빨리 보내. 알았지?

- 교무실, 재한, 학적부, 생활 발달 사항을 빠르게 확인해본다. 그런 재한의 모습 위로

재한(소리)   친구들과 절대 해선 안 되는 일을 저질렀다. 하지만 죄책감에 못 이겨, 자신들이 저지른 죄를 게시판을 통해 알렸다. 내성적이며 예민한 성격이지만, 적어도 옳고 그른 판단을 내릴 수 있는 정의감을 가진 아이...

재한의 시선으로 쿽줌 되는 학적부, 생활 발달 사항의 글씨들.

'매사에 능동적이며 협동심이 강하고 성적도 대체로 양호함'
'적극적이고 활달한 성품으로 자의식이 강함'
'화통하고 쾌활한 성품으로 주변을 이끌어가며 학급 일에 모범적임'
'조용하고 침착한 언행으로 주위 사람들을 이해하고 사랑하며 교우관계가 매우 좋음'
'말이 적은 편이며 봉사정신이 뛰어나고 매우 성실함'
'착하고 정이 많은 편이며 친구를 깊이 이해하고 급우 간에 신뢰감이 두터움'
'학급반장으로서 타의 모범이 되고 성적도 우수함'
특별활동 부서 '축구부' '영어 스피치' '문예부' '미술부'
출결석 사항.

- 인주서, 반장실
호출을 당한 듯, 들어서는 치수. 반장, 학생 명단 '이동진' '주현탁' 두 명을 건네며

반장   애네 집 좀 가봐. 전화를 안 받아.

- 인주 병원(혜승이가 입원한 병원)으로 들어서는 재한. 간호사들이 있는 스테이션으로 다가가서 뭔가를 묻는다.

- 인주시 골목 일각
학적부를 들고 주변을 두리번거리면서 어딘가를 찾고 있는 재한. 그런 재한을 스치듯이 지나가는 차에 타고 지나가는 치수.

씬/19　　　**D, 과거, 동진이 집 인근 골목 일각**

재한, 동진의 사진이 붙혀진 학적부 복사본을 들고서 주변을 두리번거리고 있다. 그 밑에 적혀진 '인주시 상명동 275번지'란 주소. 재한, 주변을 두리번거리다가 한 구멍가게 앞에서 호빵 기계에 호빵을 넣고 있는 늙은 주인을 발견하고 '실례합니다' 다가가는

재한　　　말씀 좀 물을게요. 여기 275번지가 어디죠? 이 근천 거 같은데...

씬/20　　　**D, 과거, 동진의 집 앞/차 안**

'상명동 275번지'라는 푯말에서 화면 빠지면, 깔끔하게 정돈된 양옥집. 담장 안 너머로 커다란 버드나무 가지들이 바람에 흩날리고 있다. 삐꺽 문 열리면서 나오는 어두워 보이는 낯빛의 동진이 여행 가방을 들고 있고, 그 뒤로 동진이의 등을 밀고 있는 치수.

치수　　　집에 있으면서 왜 전화를 안 받아.

동진이의 등을 떠밀면서 집 앞에 세워놓은 차 뒷좌석에 태우는 치수. 그리고 운전석으로 가서 올라타며

치수　　　당분간 휴대전화 꺼놓고, 부모님 연락 말고는 아무 전화도 받으면 안 된다.

하고, 시동 걸고 출발하려는 순간, 갑자기 '쾅' 앞 유리창을 치는 손, 여기까지 빠르게 올라온 듯 거친 숨소리의 재한이다. 치수, 놀라서 굳은 얼굴로 그런 재한을 바라보는데... 뒷좌석으로 와서 동진의 옆자리에 올라타는 재한.

재한　　　역시 인주서 형사님다우시네. 형사님도 눈치 챈 거죠?

치수	...(당황해서 보는)
재한	(동진을 보며) 모든 건 버드나무집에서 시작됐다... 게시판에 글 올린 애 말입니다.
동진	(시선 크게 흔들린다)
재한	이동진. 바로 너지?

치수, 눈빛 얼어붙고 동진의 시선 흔들린다.

재한	인주서로 가시죠. 그러려고 오신 거 아닙니까?

씬/21　　　**D, 과거, 인주서 강력계 사무실 조사실 앞 복도/관찰실**

바들바들 떨고 있는 동진이를 데리고 조사실로 향하는 재한. 그 뒤를 따라오다가 굳은 얼굴로 그 모습을 바라보는 치수. 소식을 들은 듯 뛰어나온 반장을 비롯한 인주서 형사들, 굳은 얼굴로 그런 재한을 바라보는데, 조사실로 동진이를 데리고 들어가 버리는 재한. 뒤늦게 소식을 들은 듯, 다급히 조사실 쪽으로 다가오는 범주. 반장을 향해

범주	애 부모한테 연락해요. 어서!

반장에게 얘기한 뒤, 다급히 관찰실로 들어가는 범주. 조사실 안의 상황을 주시한다.

씬/22　　　**D, 과거, 인주서 강력계 조사실**

조사실에 동진이를 앉히고, 맞은편으로 걸어가서 앉는 재한. 동진이는 여전히 겁을 먹은 눈빛으로 바들바들 떨고 있고...

재한	고개 들고 나 쳐다봐
동진	(여전히 고개 숙인)

재한	이동진!
동진	(움찔, 머뭇머뭇 고개 들어보면)

재한이 테이블 위에 뭔가를 올려놓는데, 보면 인주고 홈페이지 게시판 글이다.

재한	모든 건 버드나무집에서 시작됐다.
동진	(고개 떨구며 괴로워하는)
재한	처음엔 한 명이었고, 그다음엔 일곱 명의 인간, 마지막엔 열 명의 악마들.
동진	난 모르는 일이에요.
재한	악마는 멀리 있는 것이 아니라 우리 주변에 있다. 친구였던 여학생을 짐승처럼 짓밟고도 여전히 우리와 함께 아무 일도 없었다는 듯 웃고... 떠들고...
동진	난 몰라요!

재한, 그런 동진이를 바라보다가

재한	네 생활기록부를 봤어. 아니... 너네 일곱 명 꺼 모두 다... 다른 여섯 명은 니 말처럼 아무 일도 없었다는 듯 학교에 다녔어. 동아리 활동도 하고, 내년 회장 출마도 준비하고... 그런데 너만 아니었어.
동진	...(고개를 떨구는)
재한	11월 중순부터 결석에 조퇴에.. 병결이라고 적혀 있긴 했지만, 아픈 게 아니었던 거 맞지?
동진	...
재한	인주 작은 동네야. 병원마다 네가 입원한 적이 있는지, 통원한 적이 있는지 알아봤지만, 그런 적 없었어. 대신 다른 이유 때문에 병원에 왔었지.
동진	(고개 들어보는)
재한	입원한 혜승이를 보러 몇 번이나 왔다가 그냥 돌아갔다면서... 간호사가 네 사진을 보고 확인해줬어.

182

동진	...
재한	악마가 되고 싶지 않았던 거잖아.
동진	(눈물을 떨구기 시작한다)
재한	친구들 때문에 했다고 해도 정말 해서는 안 되는 일이었어. 하지만, 넌 네가 잘못했다는 걸 알아. 그러니까 얘기해. 처음... 한 명. 걔가 다 시킨 거니?

– 관찰실의 범주의 시선, 멈칫

동진	(겁이 나는 듯, 움찔한다)
재한	(그런 기색을 읽고 천천히) 처음부터... 얘기해봐. ...혜승이 너랑 무슨 사이였어?
동진	...아무... 아무사이도... 아니였어요... (울먹거리며) 그날... 전에는... 한 번도 얘기해 본 적도 없어요...
재한	...그날?

동진이 기어코 눈물이 터진다.

동진	...걔네 둘이 먼저 찾아왔어요...
재한	(보는)

씬/23   D, 몽타주/동진의 집 앞/동진의 집(동진의 회상)

– '상명동 275번지'라는 푯말 옆의 초인종을 누르는 남학생의 손. "누구세요"하면서 대문을 철컥 여는 동진, 동진의 시선 쫓아가보면 대문 앞에는 선우가 서 있다.

동진	이 시간에 웬일이야?

하다가 선우 뒤를 보면 혜승이가 서 있다.

동진	...강혜승? 뭐냐 이 조합은?

- 동진의 집 거실
거실 한 쪽에 멀뚱멀뚱 앉아있는 혜승. 그런 혜승에서 조금 떨어져서
대화하고 있는 선우와 동진.

동진	너 같은 범생이가 저런 가출 소녀랑 어떻게 친해졌냐?
선우	너희 집 낮에 비지? 당분간 일주일에 하루만 좀 빌리자.
동진	왜?
선우	혜승이 공부할 데가 없어서 그래
동진	너네 집 있잖아
선우	우리 집은 멀기도 하고... 좀 그래...
동진	근데, 둘이 무슨 관계야? 너... 혹시 쟤 좋아하냐?
선우	(무안한) 그런 거 아냐. 그냥... 스승과 제자 사이?

동진, 뭔 소리야? 의아하게 보는...

- 시간 경과되면
주방 식탁에서 교과서를 펼쳐놓고 혜승에게 공부를 가르쳐주는 선우.
거실 소파에 앉아서 그 모습을 힐긋 보는 동진.

씬/24   D, 과거, 인주서 조사실

재한	그래서 그다음엔?

동진, 더 말을 잇기가 겁나는 듯 우물쭈물하는데, 조사실 밖에서 들려
오는 '이동진!!'하는 동진 父의 목소리. '우리 동진이 어딨어?!!' 화가
난 동진 父의 목소리 들려오고 동진, 더욱 움츠러드는데, 쾅 조사실 문
이 열리면서 동진 父가 들이닥친다.

동진 父	(동진 보자마자 일으켜 세우며) 일어나. 가자
재한	지금 뭐 하는 겁니까!
동진 父	그러는 당신이야말로 뭐 하는 짓이야?! 얘 미성년잔 거 안보여요? 누구 동의 받고 애를 데려온 거냐고!!
재한	중요 사건 참고인입니다. 그 손 놓으시죠
동진 父	내 아들 내가 데려간다는데, 당신이 뭔데 이래라 저래라야!

동진 父, 곧바로 동진이 일으켜 세우고는 끌고 나간다.

씬/25   D, 과거, 인주서 조사실 밖 복도

동진이를 데리고 형사들 사이로 멀어지는 동진 父. 뒤이어 나오는 재한, 그런 동진 父를 향해 걸으며

재한	이보세요!

하는데, 뒤쪽에서 들려오는 범주의 목소리.

범주	보내드려.
재한	(뒤돌아보며) 안 됩니다. 또 무슨 핑계를 대서라도 거짓 진술을 시작할 거라고요.
범주	상대는 미성년자야. 정식으로 소환 절차 밟지 않으면 문제가 커질 수 있어.
재한	(답답하지만 어쩔 수 없는)
범주	일곱 명의 인주고등학교 학생회 간부들. 그 학생들 족치면 나올 거야. 처음 한 명이 누군지...

재한, 범주를 바라보는...

범주	정식으로 참고인 소환조사하고, 진술서 확보해.

반대편으로 멀어지는 범주. 재한, 답답하지만, 어쩔 수 없다. 반장, 중간에서 눈치 보다가 범주 뒤를 따르는

씬/26   D, 과거, 인주서 또 다른 복도

범주, 복도를 걷는데 그 뒤를 따라오는 반장.

반장   어쩌려고요? 진짜 다 밝히려는 겁니까?
범주   처음 한 명... 잡아야죠. 모두 그것 때문에 시작된 거 아닙니까.
반장   미쳤어요?
범주   비바람을 대신 맞아줄 바람막이가 필요합니다. 돈 없고... 빽도 없어서 아무도 그 사람을 감싸주지 않을 만한 희생양...
반장   그런 학생을 어디서...
범주   아까, 그 학생이 진술했잖아요. 어디서부터 시작됐는지...

범주의 입가에 알 듯 모를 듯 비열한 미소가 걸린다.

씬/27   N, 현재, 해영의 옥탑방

해영의 옥탑방, 책상 옆 의자에 앉아있는 수현. 아까의 충격에서 아직 헤어 나오지 못한 듯, 가라앉은 눈빛. 해영, 그런 수현을 힐긋 보다가 다시 자료들을 챙기기 시작한다. 수현, 그런 해영을 보다가 천천히 해영이 혼자 지내는 방안을 둘러본다. 책꽂이에 꽂힌 범죄심리학 서적들. 벽면 여기저기에 붙혀진 미제 사건들에 대한 자료들 연도별로 정리된 미제 사건 파일들. 미제 사건에 대한 해영의 집착이 느껴지는 방안을 둘러보는데... '탁' 수현 앞에 자료들을 내려놓고 마주 앉는 해영. 수현, 보면 '1999년 인주 여고생 집단 성폭행 사건'이란 자료철과 아래에는 '1999년 인주 여고생 성폭행 사건 관련기사' 그 아래에는 '경찰청 내 1999년 여고생 집단 성폭행 관련 자료' 빼곡히 모아놓은 인주 자료들을 내려다보는 수현의 시선

해영	지금까지 겨우 모은 게 이거에요. CIMS 프로그램이 나오기 전이라 발로 뛸 수밖에 없었습니다. 경찰청 내부에 공식적으로 남은 자료 외에는 쓸 만한 것도 별로 없었어요. 특수수사팀 구성원 파악도 제대로 못했죠. 알다시피, 강력계 형사들이랑 안 친한 스타일이라... 검찰 쪽에 남아있는 자료도 건너 건너서 구했지만, 경찰 쪽 자료보다도 허술했어요.

* 자막 - CIMS 프로그램 : 범죄 수사과정에서 작성된 문서를 디지털화하여 저장, 관리하는 경찰청의 범죄정보 관리 시스템.

수현, 해영의 얘기를 들으면서 자료철들을 내려보다가... 해영을 본다.

수현	이걸 보기 전에 먼저... 네 얘길 들어야겠어.
해영	(보는)
수현	...그때, 인주에서... 너한테 네 형한테 무슨 일이 있었던 거야?

해영, 가만히 수현을 보다가... 당시를 회상하는 듯 얼굴 어두워지는데...

씬/28   N, 과거, 인주, 해영의 집/해영의 회상

앉은뱅이책상에서 해영이 푼 참고서를 채점하고 있는 선우. 하나둘씩 맞아갈 때마다 어린 해영의 얼굴에 희망이 부풀어 오른다. 선우, 그런 해영이 귀여운 듯, 마지막 문제가 마치 틀린 듯, 장난을 치다가 맞았다는 듯 동그라미를 치고 점수를 매기는... 백 점이다. 해영, '앗싸!' 신나하고...

해영	백 점이면 소원하나 들어준댔다.
선우	그래서 소원이 뭔데?
해영	(얘기할까 말까 하다가...) 진짜 들어주는 거지?
선우	뭔데?
해영	엄마랑 아빠랑 형이랑 같이 외식하는 거...

선우	에... 소원이 뭐 그런 거야.
해영	진짜야. 그때 먹었던 오므라이스 엄청 맛있었단 말이야.
선우	알았어. 엄마, 아빠한테 얘기해 볼게.

하는데, 밖에서 '쾅쾅쾅' 문 두드리는 소리.

해영	어! 엄만 가봐!

해영, 신이 나서 뛰어나가서 문을 여는데, 문 밖에는 굳은 얼굴의 정제와 인주형사 1이 서 있다.

해영	...누구... 세요?

정제, 해영 보다가 해영 뒤쪽 선우를 본다.

정제	박선우지?

선우, 불길한 예감이 드는 듯... 멈칫하는...

씬/29   N, 과거, 해영의 집 외곽/해영의 회상

정제에게 이끌려서 나오는 선우. 그 뒤를 따르는 인주형사 1. 어린 해영, 겁나고 무서운 얼굴로 그 뒤를 따라 나오는

해영	형... 어디가...?
선우	(뒤돌아보며) 해영아, 문 잘 잠그고 있어.
해영	(울먹이며 따라오는) 형... 가지마... 나... 무서워...
선우	(해영이 걱정되는) 빨리 들어가서 문 잠그고 있어. 금방 올게.

울먹이며 선우를 보는 해영, 점점 멀어지는 선우의 뒷모습.

– 밤, 전씬과 연결되는... 혼자 남아서 가만히 시계를 바라보고 있는 겁먹은 얼굴의 어린 해영. 밖에서 바람이 부는 듯 끼익 문소리가 나자 곧바로 '형이야?' 하고는 뛰어나간다. 하지만, 문 밖에는 아무도 보이지 않는다. 혼자 남은 밤이 무서운 듯, 자꾸만 눈물이 흐른다.

– 밤, 인주서로 들어서는 해영. 울어서 붉게 충혈된 눈빛으로 주변을 둘러보다가 지나가는 순경 한 명을 잡고

해영   저기요... 우리... 형 좀 만나게 해주세요.
순경   너, 지금이 몇 신데, 집에 안 가구 돌아다녀? 빨리 집에 가.
해영   우리 형 좀 찾아주세요. 경찰 아저씨들이랑 같이 갔는데...
순경   내일 엄마랑 같이 와.
해영   아저씨...

– 밤, 인주서 건물 밖, 절박하게 순경한테 매달려 보지만, 순경, 매정하게 건물 밖으로 해영을 내몬다. 막막한 얼굴로 떨면서 건물 밖에서 울음을 터뜨리는 해영.

– 밤, 해영의 집. 짐을 싸고 있는 해영 父와 그런 해영 父(40대 후반). 옆에서 울고 있는 해영 母(40대 중반)

해영 母   선우아버지.. 제발..
해영 父   내가 왜 걔 아빠야. 난 그런 자식 둔 적 없어.
해영 母   우리 선우, 그럴 애가 아니에요.
해영 父   그럼, 경찰들이 죄도 없는 애를 잡아갔다는 거야?

부모들 다투는데, 그 사이 어린 해영은 겁먹은 눈빛으로 '형... 언제 와?'를 되풀이하지만, 그런 해영 따윈 안중에도 없는 부모들.

– 밤, 아버지 손에 이끌려 멀어지는 해영. 그런 두 사람의 뒤를 따라오
며 울음을 터뜨리는 해영 母. 해영 역시 연신 뒤돌아보며

해영　　　　엄마... 엄마...!

그런 모습 위로

현재 해영(소리) 형이 그렇게 된 후에 엄마랑 아버지는 이혼을 하셨고, 난 아버지를 따
라 서울로 올라왔어요. 그땐, 너무 어려서 형이 뭘 잘못했는지 몰랐어
요. 그냥 겁이 났을 뿐이었죠.

씬/30　　　　**D, 과거, 해영 母의 집 안/해영의 회상**

4부, 78씬과 동일, 좀 더 빠르게 보이는 해영의 과거. 삐걱 문을 열고
어두컴컴하고 초라한 단칸방으로 들어서는데... 순간 멈칫한다. 방바닥
에 붉게 퍼진 피. 그 피를 쫓아가면, 방 저쪽에 숨겨 있는 선우를 보고
놀라는 해영.

현재 해영(소리) 소년원에 갔던 형이 나왔다고 해서, 형을 찾아갔을 때도... 자살한 형을
봤을 때도... 왜 그랬는지... 아무것도 몰랐어요. 그 이유를 안 건 나중이
었죠.

씬/31　　　　**D, 과거, 2006년, 편의점**

해영, 편의점 알바를 하고 있는 듯 카운터에서 음악을 듣고 있는데, 음
료수를 가지고 카운터로 와서 계산하려는 해영이 또래의 남자고등학
생(이하 친구로 칭함). 해영, 시선 마주치지 않고 기계적으로 계산하고
있는데... 친구, 해영을 보다가... 맞나?

친구　　　　박해영. 너 박해영 맞지?

190

해영	(그제야 얼굴보고 멈칫)
친구	(맞구나 반가운) 맞구나?

해영, 자신을 반가워하는 친구를 알아보긴 하지만, 마냥 반갑지 않은, 피하고 싶은 눈치다.

- 시간 경과되면
편의점 밖 테이블에 마주앉아 있는 친구와 해영.

친구	이 근처 사는 거야?
해영	뭐... (긍정도 부정도 아닌 말 흐리는)
친구	난 아직 인주 살아.
해영	(보일 듯 말 듯 눈빛 어두워지는)
친구	(해영 눈치 보다가) 너 그렇게 갑자기 전학가고... 좀 이상한 소문이 있었어.
해영	(보면)
친구	너네 형 학교 일진형들 있잖아. 그 형들 중에 한 명이 경찰에 증언을 했대.
해영	(보는)
친구	너네 형이 그 날 학원 땡땡이 치구 혜승이 누나 데리고 버스타고 가는 걸 봤다고... 우린 너네 형 잘 알잖아. 학원 땡땡이 칠 성격이 아닌데... 이상하다고 다들 그랬어.
해영	(보다가 말 끊는) 누가...?
친구	(보는)
해영	그 형들 중에 누가 그랬는데?
친구	...왜 있잖아. 한 쪽 손에 화상 자국 있던 형.

해영, 서서히 얼굴 차갑게 굳는다.

씬/32   D, 과거, 2006년, 인주시 거리 일각

누군가가 핸드폰으로 통화를 하며 걷는데, 핸드폰을 들고 있는 손에 화상자국이 보인다. 동네 백수 같은 후줄근한 복장의 남자(이하 일진 1)가 걸음을 멈춰 서서 보면, 앞에 차가운 표정으로 서 있는 해영이다. 일진 1, 해영을 못 알아보고 지나치려는데,

해영	왜 그랬어
일진 1	(뭐야? 보는)
해영	왜 거짓말했어?
일진 1	(보다가)... 너... 박선우 동생?
해영	우리 형이 혜승이 누나랑 버스 타고 가는걸 봤다 그랬다며. 진짜로 본 거 맞아?
일진 1	(멈칫하다가) 이 새끼가 뭐라는 거야.
해영	진짜 본 거 맞냐구!
일진 1	이게 진짜...
해영	(일진 1의 멱살을 잡아 벽으로 밀치며 떨리는 눈빛으로) 왜 거짓말했어?
일진 1	뭐?
해영	그때 우리 형을 봤다고? 거짓말하지 마.

　

－ 인서트
과거, 1999년, 고등학생이었던 일진 1과 친구들. 골목에서 지나가는 학생들 삥을 뜯고 있다. 골목을 지나가던 어린 해영(12세). 멀리서 그 모습을 보다가 겁먹은 얼굴로 고개 돌려 빠르게 걸어가고...

－ 다시 거리로 돌아오면
부들부들 떨리는 눈빛으로 일진 1의 멱살을 잡는 해영.

해영	그때, 학교 근처 골목에 있었잖아. 그런데 버스에 타는 형을 어떻게 봤다는 거야?
일진 1	(멈칫하며 해영 손 뿌리치려는) 이거 놔.

해영	(더욱 강하게 멱살 잡으며) 왜 그랬어? 왜 거짓말했냐고!!
일진 1	(해영 손 뿌리쳐 버리며 걸어가는)
해영	(그런 일진 1 보다가 달려가서 붙잡는다) 가서 얘기해. 경찰한테 가서 다시 얘기해. 잘못 봤다고, 거짓말했다고 얘기하라고.
일진 1	야... 이 병신새끼야. 경찰한테 얘기하라고? 나한테 그렇게 얘기하라 그런 게 경찰이야.

해영, 뭐에 얻어맞은 듯, 얼어붙는다.

해영	그게... 무슨 소리야?
일진 1	돌아가라.

일진 1, 멀어지고, 충격에 휩싸여 멍하니 서 있는 해영.

씬/33   과거, 2006년, 인주시, 당구장

한산한 당구장. 당구를 치고 있는 네댓 명 정도의 20대 중반으로 성장한 일진들. 문 열고 들어서는 일진 1.

일진 2	뭐하느라고 이제 와.
일진 1	(다가와서 무리에 끼며) 기분 더러운데, 한 잔하러 나가자.

하는데, 무리들, 문가 쪽을 의아한 듯 보는

일진 2	저건 뭐야?

일진 1, 뒤돌아보면 어느새 쫓아온 듯 굳은 얼굴로 문가에 서 있는 해영이다. 일진 1, 아... 골치 아프게 됐네...

해영	(다가오며) 하던 얘기 끝까지 해봐.

일진 1	하... 진짜...
해영	끝까지 해보라고! 왜 못하겠어? 내가 대신해줘? 우리 형... 아니지.
일진 2	뭐야? 이거...
해영	(일진 2는 보이지도 않는 듯 일진 1만 보며) 우리 형이 그런 거 아니었지? 아무것도 모르고 뒤집어쓴 거지? 대답해!!
일진 2	(해영, 뒤로 밀치며) 뭐냐니까!
해영	(일진 2 뿌리치며) 그쪽하곤 할 말 없으니까 저리 비켜
일진 2	이 새끼가 진짜...

다시 한 번 해영을 밀치는 일진 2, 해영, '비켜!' 하고는 일진 2에게 주먹을 날리는데, 오히려 일진 2에게 한 대 언어맞는다. 해영, 뒤로 휘청하지만, 더욱 달려들고, 일진 1을 제외한 일진들과 해영의 싸움이 벌어지기 시작한다. 눈앞에 보이는 게 없는 해영, 처음엔 한 대 맞고 한 대 치며 대등하게 싸우지만 점차 힘이 달리는 듯, 계속 맞기 시작하는... 그러나 바득바득 이를 갈고 일진들에게 덤벼든다. 그러다가 큐대로 머리 한 대 맞고 피투성이가 된 채 바닥에 쿵... 쓰러지는... 일진들 '뭐야... 이거...' 점점 아득해져 가는 해영의 시선에, 하나둘씩 당구장을 떠나는 일진들의 모습. 마지막으로 당구장을 떠나려는 일진 1. 마지막 힘을 다해서 일진 1의 다리를 붙잡는 해영. 일진 1 보면...

해영	...누구야... 우리 형한테 누명 씌운 새끼들...
일진 1	...네가 알면 어쩔건데...
해영	가만 안 둬... 우리 형 그렇게 만든... 놈들... 가만 안둘 거야...
일진 1	네 형이 왜 누명을 썼는지 알아? 돈 없고 백 없고 힘이 없어서야.
해영	...(떨리는 시선)
일진 1	그러니까 너도 입 닥치고 가만히 자빠져서 네 인생 살아. 그나마 선우 동생이라서 해주는 충고다.

뚜벅뚜벅 멀어지는 일진 1. 텅 빈 당구장에 홀로 쓰러져 있는 해영, 분하고 억울함에 눈물이 맺힌다...

씬/34   N, 현재, 해영의 옥탑방

현재의 해영의 얼굴로 오버랩되는 화면.

해영   분명히... 그때 그렇게 얘기했습니다. 경찰이 그렇게 증언하라고 했다
          고... 그 사건은 조작된 거예요. 우리 형은... 범인이 아닙니다.

가만히 해영이 모은 서류철을 바라보다가...

수현   그때... 특수수사팀에 형기대 선배들이 내려갔었어. 당시 형기대 반장
          이었던 김범주 국장, 이재한 선배와 형기대 1팀이었지.
해영   그 형사들... 만날 수 있을까요?
수현   (보다가 서류철 챙겨서 일어나며) 아니. 넌 안 돼.
해영   (그런 수현을 잡으며) 왜요? 우리 형 일입니다.
수현   그러니까, 안 돼. 게다가, 넌 안치수 계장님의 살인 혐의를 받고 있어.
          더 이상 의심받을 만한 행동은 하지 않는 게 좋아.
해영   (답답한) 형사님...
수현   그리고 이건... 내 일이기도 해.

해영, 수현을 본다. 눈빛 깊은 곳에 슬픔이 배어있다.

씬/35   N, 현재, 해영의 옥탑방 건물 앞

차에 올라타는 수현. 그런 수현을 바라보는 해영을 보며

수현   무슨 일이 생기건, 바로 연락할게. 넌 수사 끝나고 진범이 잡힐 때까지
          얌전히 있어. 이건 팀장으로서 명령이야.

수현, 문 쾅 닫고 출발하는... 그런 모습을 바라보는 해영.

씬/36   N, 현재, 해영의 옥탑방

다시 방으로 돌아오는 해영. 가만히 생각에 잠기다가, 천천히 가방 안에서 뭔가를 꺼낸다. 무전기다. 무전기를 바라보는 해영의 눈빛에서

씬/37   N, 과거, 인주서 강력계 사무실

재한, 가만히 무전기를 내려다보면서 생각에 잠겨있는 모습에서

- 인서트
- 조사실에 마주 앉아 있는 간부회 중 민호와 재한. 민호, 굳은 얼굴이지만, 죄책감이 느껴지지 않는 부잣집 도련님 같은 도도함이 배어있다. 재한, 그런 민호를 훑어보다가

재한   인주고등학교 2학년 3반 백민호. 맞지?
민호   ...예.
재한   인주고등학교 학생 간부회 맞고
민호   예.
재한   이동진이 모든 걸 얘기했어. 강혜승 사건 너도 가담한 거 맞아?
민호   ...(굳은)
재한   대답해. 맞아?
민호   그러고 싶어서 그런 거 아니에요. 모두 다 박선우가 시킨 거예요.

재한, 그런 민호를 멈칫해서 보는

- 역시 조사실에서 조사를 받고 있는 정혁. 재한의 앞에는 정혁의 학적부가 놓여 있고

정혁   박선우 개 이중인격이에요. 범생인척하는 얼굴에 다 속는 거라고요. 이번에 그 일도 박선우가 먼저 시작한 거예요

- 조사받고 있는 경일

경일   (울먹울먹) 그날 선우가 술을 마시자고 그래서... 지금도 잘 생각이 안
         나요... 선우가 어떤 방으로 데려갔던 건 기억이 나는데... 제가 미쳤었
         나 봐요. 저 감옥 가는 건가요?

- 여전히 조사받고 있는 민호.

민호   혜승이가 자기 맘대로 안 되니까 열 받은 거겠죠. 그때는 완전히 눈이
         돌아있었어요

그런 민호를 가만히 바라보는 재한.

재한   그러니까... 네 범행을 인정한다는 거지?
민호   (멈칫하며) 무슨 소리예요. 다 선우가 시켰다니까요.
재한   다른 애가 시켜서 한 거면 빠져나갈 수 있을 거 같니? 아니면 누가 그
         렇게 말하라고 시킨 거야?
민호   (눈빛 굳어서 보다가) 난 사실대로 얘기했을 뿐이에요.
재한   ...그래 좋아. 너희들 인주고 간부회. 일곱 명 다 선우가 시켜서 그 일에
         가담했다고 진술했어. 그런데... 왜, 피해자 혜승이의 1차, 2차 진술에는
         너네들 이름이 빠져 있었던 거지?
민호   (더욱 흔들리는) 그... 그걸... 내가 어떻게 알아요?

그런 민호를 바라보는 재한의 모습에서

- 다시 인주서 강력계 사무실로 돌아오면 가만히 무전기를 바라보고
있는 재한의 모습 오버랩 된다.

재한(소리) 일곱 명의 인간... 모두들 박선우란 애를 지목했어... 마치 약속이나 한
            것처럼...

그때, '왔습니다!' 소리에 무전기 주머니에 넣으면서 복도로 나가는 재한.

씬/38　　　　　**N, 과거, 인주서 건물 복도**

복도로 나서는 재한, 그 옆의 정제 저 멀리 복도 끝을 바라보면 어두운 복도 끝 쪽에서 들려오는 발자국 소리. 걸어오는 치수와 인주형사 1, 그리고 그 사이에서 겁먹은 눈빛으로 걸어오는 선우와 시선 마주치는 재한.

씬/39　　　　　**N, 과거, 인주서 조사실**

무릎 위에 깍지를 끼고 있는 하얀 손이 미세하게 떨린다. 틸업하면, 공포에 질려있는 선우다. 그런 선우의 앞에 재한이 마주 앉아있다. 선우를 훑어보는 재한.

재한	박선우.
선우	(떨리는 눈으로 보면)
재한	혜승이 사건, 네가 주도한 거야?
선우	...아뇨. 저 아니에요.
재한	간부회 애들 증언이 전부 일치했어. 네가 주범이라고

충격으로 떨리는 선우의 눈빛. 그런 선우에게 재한, 하얀 A4용지 가득 적혀 있는 진술서 복사본을 보여준다. '박선우가 주도를 했고 다들 어쩔 수 없이'라는 문장이 눈에 들어온다. 진술서 제일 아래 '이동진'이라는 이름 위로 붉게 지문이 찍혀있다.

재한	게시판에 글을 쓴 동진이까지 널 지목했어.
선우	정말 저 아니에요.
재한	네가 맞다는 증언은 넘쳐나는데, 네가 아니라는 증거는 하나도 없어.

선우, 그런 재한을 보다가 주머니에서 뭔가를 꺼내서 내민다. 꾸깃꾸깃
해졌다가 핀 듯한 재한의 명함이다. 11부 96씬, 혜승 父가 병실 밖으로
집어던진 명함.

선우   ...혜승이 병실 밖에서 아저씰 봤어요. 아저씬 진실을 밝혀 줄 꺼라고
          생각했어요. 그래서... 여관에 그 사진을 갖다 드린 거에요. 인간 애들
          이 누군지... 알려드리고 싶어서...
재한   (선우 보다가) 그게 너였어?
선우   ...전 아니에요. 만약 내가 그런 짓을 했다면... 왜 아저씨한테 그런 사진
          을 드렸겠어요.
재한   (선우를 보다가) 도대체... 뭐야... 처음 한 명... 그럼 걘 도대체 누구냐고?
선우   몰라요... 제가 아는 건... 다들 거짓말을 하고 있다는 것 뿐이에요...

선우의 눈빛을 가만히 바라보는 재한.

씬/39- 1   D, 과거, 동진의 집 밖

답답한 얼굴로 초인종을 누르고 있는 재한. 문 열리는데, 보면 동진 父
다. 재한을 보자, 눈빛 굳는 동진 父. 문을 닫으려는데, 문을 다급하게
잡는 재한.

재한   잠시만요.
동진 父   또 뭐요? 진술서 줬잖아요.
재한   동진이힌테 직접 확인하고 싶은 게 있습니다.
동진 父   진술서에 있는 얘기가 답니다. (문 다시 닫으려는)
재한   (다급히 다시 막으며) 잠시면 됩니다. (안에 대고) 동진아! 이동진!!

그런 재한을 뒤로 밀치는 동진 父.

동진 父   더 이상 우리 애 괴롭히면, 나도 가만있지 않을 거예요.

고압적인 시선으로 재한 보고는 문 쾅 닫고 들어가 버리는 동진 父. 재한, 답답한 시선으로 문 보다가.. 천천히 돌아서서 걸어 나오다가 문득 뭔가가 시선에 들어온다. 처음엔 인식하지 못하고 지나치려다가... 순간, 눈빛 굳어서 다시 돌아본다. 그런 재한의 시선 쫓아가보면, 동진의 집 앞마당에 있는 바람에 하늘거리고 있는 버드나무.

재한 ...버드나무... 모든 건... 버드나무 집에서 시작됐다... (눈빛 더욱 굳는)... 설마...

씬/40 D, 과거, 폐 고깃집 안

11부 98씬, 버려진 고깃집 건물 내부를 살펴보고 있는 재한. 주변 곳곳에 과자봉지, 담배꽁초, 소주병 따위가 버려져 있는데, 쓰레기가 하나같이 최근에 버려진 듯 깨끗하다. 이상함을 느낀 재한.

재한 소주병, 담배꽁초, 과자 봉지, 다른 쓰레기들에 비해 너무 깨끗해...

– 인서트
11부 99씬.

남편 꽤 됐어요. 걔네들 그 건물에 왔다 갔다 한 게... 맨날 거기서 술 퍼마시고, 담배 피우고...

– 돌아와서

재한 증언, 증거가 모두 조작된 거라면...

– 인서트
– 39-1씬, 동진의 집 앞 큰 버드나무를 굳은 얼굴로 바라보고 있는 재한.

재한(소리)	범행 현장은 여기가 아니라... 버드나무가 심어진 그 집 일수도 있어.

씬/41　　　　D, 과거, 인주 시내 외곽 국도 일각

밖으로 나온 재한, 주변을 둘러보는데, 황량한 논밭이 펼쳐진 가운데 저 멀리서 무언가를 발견하고 다가가는 재한. '찐빵' '술빵'이라고 적힌 트럭 노점상이다.

\- 시간 경과되면
재한과 트럭 노점 주인(50대, 남)이 트럭 옆에서 이야기하고 있다.

노점	내가 여기 왔다 갔다 한지만 벌써 3년 반째요
재한	그럼 저기 저 건물도 자주 보셨겠네?
노점	어디요?
재한	(손으로 가리키며) 저기, 재작년까지 고깃집이었는데
노점	아아 기억나네요
재한	저 버드나무집이란 데가 폐업하고 나서 고등학생 애들이 건물을 아지트로 썼다던데 혹시 본 적 있으세요?
노점	글쎄... 애들은 못 봤는데... 근데 형사 양반 잘못 알고 있네. 저 식당은 버드나무집이 아니라 밤나무골이었어요

놀라서 멈칫하는 재한의 시선.

재한(소리)	왜 기짓말을 한 겁니까?

씬/42　　　　D, 과거, 농부 내외의 집 앞

농부 남편에게 따지듯이 묻는 재한이다. 남편은 당황한 기색이 역력한데

남편	누... 누가 거짓말을 했다고

재한	버드나무집이라는 식당은 처음부터 없었어요. 이름을 왜 속였죠?
남편	...
재한	아들 때문입니까?
남편	(멈칫해서 보는)
재한	아들이 인주시멘트에 다니던데 말을 맞춰달라고 협박을 하던가요? 아니면 돈이라도 쥐어줬어요?
남편	...
재한	어른들 이기심 때문에 죄 없는 애가 누명을 썼어요. 이게 당신들이 말하는 살기 좋은 고향 동넵니까?
남편	...
아내(소리)	이기적인 게 왜 우리뿐이에요?

집 안에서 나오는 아내

아내	...당신들도 똑같잖아요.
재한	(보는)
아내	경찰들도 다 알고 있었어요. 서울에서 내려온 형사는 우리가 어떻게 말해야 되는지 가르쳐주기도 했고요

얼굴 굳는 재한.

씬/43   D, 과거, 인주서 주차장

인주서 뒤편 인적 없는 주차장. 벽면에 쾅 세게 등을 부딪치는 정제다. 정제 앞에는 굳은 얼굴의 재한이 서 있다.

정제	(등 아픈) 아이씨... 왜 이래?!
재한	너도 알고 있었지. 이 사건 범인, 증인, 경찰까지 처음부터 다 한패였단 거
정제	(짐짓)... 무슨 소리야 그게

재한	네가 발견했다는 범행 현장. 버드나무집! 거기가 아니었다는 거... 너... 알았잖아.
정제	(눈빛 잠시 흔들리는)
재한	내가 아는 형기대 김정제는 그거 하나 확인 안 할 사람이 아냐...
정제	(애써 미소로) 야... 이재한
재한	김범주냐?
정제	(얼굴 굳는)
재한	김범주가 돈이라도 찔러준 거야? 그깟 돈 몇 푼으로 형사 자존심을 팔 아먹은 거야?! 너 그렇게 싸구려였어?
정제	(보다가)... 그래. 나 싸구려다.
재한	너... 진짜, 돈 받았어? 너 미쳤어?!!
정제	형사질 십 몇 년 동안 우리한테 남은 게 뭔데? 마누라 혼자 애 둘 키울 동안 아무것도 못 해주고 고생만 시켰어. 그런 마누라가 울더라. 하나 뿐인 처남 빚보증을 잘못 섰다가 집이 날아가게 생겼다고... 형사질 하 면서 그나마 있던 전셋집 날아가서 애들이랑 길바닥에 나앉게 생겼다 고...
재한	...(떨리는 눈빛으로 보는)
정제	그래. 나 싸구려야. 네가 징그럽게 싫어하는 김범주 돈 받아먹고 사건 조작했다. 그래서 뭐? 나 하나 눈 감았더니, 우리 가족이 행복해 지는 데... 어차피 내가 아니더라도 누군가는 먹을 돈인데... 그 돈 먹은 게 뭐?!
재한	너 진짜 이럴래...
정제	...(자기도 답답한... 아!! 소리 한 번 치다가) 재한아... 한 번만... 한 번 만... 안되겠냐? 어차피 우리가 나서도... 이 사건 안 돼. 어차피 안 될 사건인데... 한번만... 눈감아주면 안 되겠어?

재한, 절박하게 얘기하는 정제를 본다. 이런 상황 자체가 화나고 답답
하다. '아! 씨!' 뒤돌아서 뚜벅뚜벅 멀어지는... 그런 재한을 바라보는
정제.

씬/44   D, 과거, 인주서 복도

답답한 얼굴로 걸어오는 재한, 저 앞쪽에서 걸어오는 범주를 발견하고, 열 받은 얼굴로 범주에게 다가선다.

재한   돈이 꽤 남아도시나 봅니다. 여기저기 뿌리고 다니셨던데요.
범주   (빙긋 웃으며 보는)
재한   여기도 돈 냄새 맡고 온 겁니까? 인주 시멘트... 거기에요? 인주는 그 회사 때문에 굴러간다면서요? 그 회사랑 이 사건이 관련이 있는 거 아닙니까?
범주   안 그래도 찾고 있었어. 만나고 싶어 할 것 같아서...

재한, 의아한 시선으로 범주를 보는...

씬/45   D, 과거, 인주서 조사실 옆 관찰실

관찰실로 들어서는 범주와 재한. 조사실을 바라보는 재한, 놀라서 멈칫한다. 조사실에 치수와 마주 앉아 있는 사람은 바로 초췌한 얼굴의 혜승이다.

씬/46   D, 과거, 인주서 조사실

치수, 맞은편 혜승이를 보면서 질문을 던진다.

치수   이번 사건을 주도한 애가 박선우... 맞니?
혜승   (부들부들 떨고 있는)
치수   다른 애들 모두 선우를 지목했어. 맞니?
혜승   ...그게...

순간, 쾅 문 열리면서 들어서는 재한. 혜승, 놀라서 본다.

재한	혜승아. 잘 생각해서 대답해. 이건 한 사람의 인생이 달린 문제야.
치수	왜 이러세요. 나가세요.

치수, 재한을 뒤로 밀치며

| 재한 | (밀쳐지면서도) 아니잖아. 진범은 다른 애잖아. 도대체 뭐가 그렇게 무서운 건데? 도대체 왜?!! |

하는데, 순간 들려오는 혜승이의 가느다란 목소리.

| 혜승 | ...맞아요... |

재한, 치수, 혜승이를 바라보는데...

| 혜승 | 걔가... 맞아요... (눈물 한줄기 뚝 떨어지며) 박선우... 걔가 그랬어요... |

재한, 망연자실해서 혜승이를 본다.

| 혜승 | ...(흐느끼는) 선우가 그랬어요... 박선우가... 그랬어요... |

재한, 그런 혜승이를 가만히 보는...

씬/47   D, 과거, 동장소

어느새 텅 빈 조사실에 혼자 멍하니 서 있는 재한. 그런 재한의 뒤쪽으로 다가오는 범주.

| 범주 | 이번 사건 가해자들, 미성년자고 초범이잖아. 웬만한 애들은 다 선처해 줄 거야. 사회봉사건 뭐건... 물론 주동자로 몰린 박선우는 자기가 진 죗값을 받아야겠지만... |

(비웃듯 웃으며 재한을 바라보며) 수고했어. 이제 정리하고 올라가자고.

범주, 돌아서려는데...

재한	정제도... 이 사건도... 저 여자애도... 모두... 돈입니까?
범주	무슨 소린지 모르겠지만... 돈이 필요하긴 하겠지. 저 여자애. 벌써 너덜너덜해졌어. 기사는 대문짝만큼 나고 실명까지 거론되고... 새 인생을 살 수 있는 방법은... 네가 그렇게 싫어하는 돈 아니겠어?

범주의 얘기를 듣는 재한, 허탈하고 기가 막히고 답답하다...

재한	...처음 한 명... 도대체 누군데.. 이러는 거예요. 누군데 아무 죄 없는 애를 사지로 몰아넣는 겁니까? 도대체 얼마나 대단한 애길래 인주시 전체가 이 난리를 치는 거냐고요?
범주	(그런 재한을 보다가 빙긋 웃음) 몰라서 물어? 처음 한 명... 박선우잖아.

범주, 비릿하게 미소 지으며 재한을 스쳐지나간다. 재한, 답답한 상황에 무력감마저 느껴지는데...

씬/48   N, 과거, 차 안

멍하니 운전석에 앉아있는 재한. 무전기를 내려다보고 있다.
가만히 무전기를 내려다보다가... 무력한 한숨.

씬/49   D, 현재, 골목 일각

평범한 소도시, 골목 한편에 위치한 슈퍼마켓. 외부에서 음료수 박스들을 정리하고 있는 뒷 모습, 이제는 희끗희끗 해진 쉰에 가까운 나이가 된 정제. 박스를 정리하다가 뒤를 돌아서던 정제, 누군가를 발견하고 환한 미소. 다가오고 있는 수현이다.

정제   야, 쩜오!
수현   (미소) 오랜만이에요. 선배님.

씬/50   D, 카페

카페에 마주앉아 있는 정제와 수현.

정제   텔레비전에서 봤어. 광수대 장기미제 전담팀이라며? 야... 오래 살고 볼
           일이다. 네가 팀장까지 다하고..
수현   (미소) 잘 지냈어요?
정제   뭐... 사는 게 그렇지 뭐... 여긴 무슨 일인데?
수현   미제 사건 전담팀이 무슨 일이겠어요. 미제 사건 때문이지.
정제   (보일 듯 말 듯 긴장하는) 미제? 무슨 사건인데?
수현   ...1999년, 인주 여고생 사건. 기억나죠?
정제   ...글쎄... 워낙 오래전 사건이라..
수현   그 사건 끝내고 올라오자마자 선배님, 사표 냈죠? 갑자기 송별회도 없
           이 떠나서 꽤 섭섭했는데...
정제   ...그랬나? (하다)아... 내 정신 봐라... 약속이 있어서... 나 먼저 일어날게.
수현   ...안치수 계장님이 죽었어요.
정제   (일어나려다 멈칫해서 보는)
수현   누군가한테... 살해당했어요.
정제   (놀라서 보는)
수현   인주 사건 때문이에요. 그 사건의 진실을 알리려다가 돌아가셨어요. 도
           대체, 그때 무슨 일이 있었던 거예요?
정제   (떨리는 눈빛으로 보다가) 아무... 일도 없었어. 수사 자료에 적혀있는
           그대로야. 됐어?

정제, 얼굴 굳어서 일어나려는데, 그런 정제의 팔을 잡는 수현

수현	그뿐만이 아니에요. 안치수 계장님이 죽기 전에 그랬대요.. 자기 손으로 이재한 선배님을 죽였다고..

정제, 충격으로 얼어붙는다.

정제	그게... 무슨 말이야...
수현	그러니까, 얘기해 줘요. 도대체 그때 무슨 일이 있었는지...
정제	(혼란스럽게 보다가)... 난... 모른다니까... 난 몰라.

정제, 수현을 밀치고는 일어나서 나가버리는데...

수현	(그런 정제의 뒤에 대고) 이재한 선배님은 선배님, 제일 친한 친구였어요.
정제	(멈칫하는... 괴롭다)
수현	뭐라도... 하나라도... 얘기해줘요. 뭐라도...
정제	(반쯤 뒤돌아보며)... 재한이는... 그 사건... 포기하지 않았어.
수현	(보면)
정제	미안하다. 내가 해줄 얘기는 이것뿐이야.

정제, 뒤돌아서 나가버린다. 그런 정제의 뒷모습을 답답한 듯 바라보는 수현.

씬/51 D, 광수대 건물 주차장

출근하는 듯 차를 몰고 주차장으로 들어서는 해영. 차를 세우고 내리려는데, 백미러를 통해서 보이는 사람. 조사를 받고 나오는 성범이다. 해영, 멈칫해서 보는데 성범, 주차장에 세워놓은 차에 올라탄 뒤, 출발한다. 성범이 탄 차를 보는 해영. 순간 멈칫한다. 성범의 차 앞 룸미러에 달려진 하얀 동물 털로 만들어진 액세서리.

- 인서트
11부. 102씬
늦은 밤, 인주고등학교를 향해 달리던 해영의 차. 반대 차선에서 스치
듯 지나가던 하얀색 자동차의 룸미러에 달린 동물 털로 만들어진 액세
서리.

- 주차장으로 돌아오면
멀어지는 성범의 차를 바라보는 해영의 눈빛 떨려온다.

해영(소리)   인주에... 계장님이 살해당한 곳에... 김성범이 있었어...

씬/52   N, 거리 일각

거리를 빠르게 달려오는 수현의 차. 저 앞에 서 있는 해영 앞에 끼이익
멈춰 선다. 빠르게 조수석에 올라타는 해영.

수현   그게 사실이야? 정말 안치수 계장님 살인 현장에 김성범이 있었어?
해영   계장님을 만나러 갈 때, 김성범 차를 봤어요. 일단, 출발해요.

씬/53   N, 몽타주

- 고속도로를 달리는 차 안. 대화를 나누고 있는 수현과 해영.

해영   계장님은 주저흔 없이 정확히 급소를 찔려서 돌아가셨어요. 범인은 살
        인에 익숙한... 김성범 같은 사람일 가능성이 큽니다.

- 연희 톨게이트를 지나고 있는 수현의 차. 그런 두 사람의 모습 위로

해영(소리)   김성범이 계장님을 죽였다면 단독범행이 아닐 거예요. 누군가의 사주
            를 받았을 가능성이 커요. 김성범은 뒷배경 없이 혼자 힘으로 지금 자

리에 올랐습니다. 이런 인물은 타인을 잘 신뢰하지 않고, 만일의 경우를 위해 뭔가 대비책을 남겨놨을 가능성이 높아요. 예를 들면 흉기나 사주를 받은 통화내역 같은 증거물요.

– 어두운 국도를 달리고 있는 수현의 차.

해영(소리) 집이나 사무실은 아닐 겁니다. 밥 먹듯이 법을 어기는 사람이니 영장 나오면 가장 먼저 수색되는 곳은 피할 거예요.

씬/54   N, 단층 주택 앞

야산 아래, 한적한 곳에 위치한 불빛 한점 보이지 않는 담장으로 둘러싸여진 단층 주택 앞에 멈춰 서는 자동차. 차에서 내려서서 주택을 바라보는 두 사람.

해영 김성범의 모친 명의로 된 건물이에요. 2000년부터 소유했으니까, 꽤 오래됐죠.

수현, 주변을 경계하며 주택 쪽으로 다가간다. 현관문 앞에는 자물쇠가 채워져 있다. 수현, 주머니 안에서 옷핀을 꺼내서 자물쇠를 능숙하게 따기 시작한다.

해영 형사가 이래도 됩니까?
수현 당연히 안 되지. 나 같은 옛날 경찰이나 하는 짓이니까 (자물쇠 따고) 넌 내일 영장 받아서 들어와.

쾅 문을 열고 안으로 들어가는 수현. 해영, 어이없는 듯 보다가 뒤를 따라 들어간다.

씬/54-1   N, 주택 안

주택 안으로 들어서는 해영과 수현. 한치 앞도 보이지 않는 주택 안.

해영   (스위치를 찾으며) 금고를 선호할 거예요. 성격상 치밀하게 숨기진 않았을 겁니다.

달칵 소리와 함께 불이 켜지는 주택. 순간, 멈칫하는 해영과 수현. 환한 불빛 아래 드러난 내부. 가구 하나없이 휑한 내부다. 설마... 하는 시선으로 주변을 두리번거리는 해영.

수현   잘못 찍었네. 김성범 소유 건물, 이거 하나뿐이야?
해영   예. 이거 하나였어요.
수현   나이트클럽이나 집에 숨겼을 수 있어. 여긴 아냐.

수현, 먼저 주택을 빠져나간다. 해영, 설마... 잘못 찍은 건가... 답답한 듯 둘러보다가 수현을 따라 빠져나간다.

씬/55   **N, 주택 외곽**

먼저 주택에서 걸어 나오는 수현, 해영, 혼란스런 얼굴로 연신 뒤를 보며 걸어 나오다가, 주택 현관에 설치된 계단을 보지 못하고 넘어진다. 해영, '아...' 아픔을 참으며 일어서려다가... 순간, 계단을 보고 멈칫한다. 손에 만져지는 차가운 돌계단... 그 아래 흙 색깔이 최근에 엎은듯 보드랍다. 그런 흙을 바라보는 해영의 시선에서

– 인서트
1씬, 거리에서 죽어가던 치수

치수   ...무전을 듣고... 확인해 봤어... 분명히... 거기였어... 돌계단 아래...

– 다시 주택 앞으로 돌아오면

설마.. 떨리는 시선으로 계단을 바라보는 해영.

수현   (의아한 듯 보는) 왜 그래?

해영   ...아무것도 없는... 이런 주택을 왜 십 몇 년 동안 팔지도 않고 갖고 있
         었던 걸까요...

수현   무슨 소리야?

해영   (떨리는 소리로) 안치수 계장님. 최근 행적 확인해 줄 수 있어요?

해영을 의아한 듯 바라보는 수현.

씬/56   N, 장기미제 전담팀

몰래 숨어서 낮은 목소리로 통화 중인 계철.

계철   자꾸, 이런 거 시킬래?

수현(소리) 어떻게 됐어? 알아냈어?

씬/57   N, 주택 외곽

초조한 시선으로 통화 중인 수현을 바라보는 해영.

해영   알아냈데요? 연희 톨게이트를 지났는지만 알아보면 됩니다.

수현   응.. (사이)... 알았어. 고마워.

전화를 끊는 수현. 해영 보며

수현   이틀 전에, 연희 톨게이트를 지나쳤데. 계장님이 여길 왔다 가신 거지?
         그걸 넌 어떻게 안 거야?

해영, 점차 확신으로 변해가는 눈빛. 떨려오기 시작한다. 돌계단 밑쪽

을 바라보다가 별장 뒤쪽을 빠르게 두리번 거리며 뭔가를 찾기 시작한다. 그 뒤를 따르는 수현

수현   도대체 뭘 찾는 거야?

해영, 그때, 별장 뒤쪽 한편에 쌓여있는 연장을 발견하고 다가가서 그 중에서 삽을 쥔다.

수현   도대체 뭐 하는 거냐고?

해영, 그런 수현을 보다가 삽을 들고 돌계단으로 돌아와, 땅을 파기 시작하며 수현에게

해영   플래시 비춰요.

수현, 의아한 듯 보다가 플래시를 땅에 비춘다. 해영, 말없이 삽으로 땅을 파기 시작한다.

– 시간 경과되면
어느 정도 파헤쳐진 구덩이. 아무것도 나오지 않는다. 해영, 여전히 묵묵히 땅을 파는데...

수현   ...얘기해... 도대체 뭔데?

해영, 말없이 계속 땅을 파다가, 멈칫.. 뭔가가 걸렸다. 삽을 집어던지고, 손으로 미친 듯이 땅을 파헤치기 시작한다. 사람의 백골사체 중 손 부위다. 플래시를 비추던 수현, 놀라서 떨리는 시선으로 다가오는 해영, 말없이 손으로 땅을 더욱 파헤친다. 수현, 역시 옆에서 해영을 도와 땅을 파헤치는데.. 파헤쳐진 흙 사이로 점차 드러나기 시작하는 백골사체. 순간, 멈칫하는 수현... 어깨뼈 쪽에 철심이 박혀 있다. 떨려오는 수

현의 시선, 백골사체가 걸친 누더기 같은 옷들 사이에서 뭔가를 발견하고 들어 올리는 순간, 무너진다.

수현   (들릴 듯 말 듯) 안 돼...

해영, 수현의 손에 들린 물건을 보면 15년 동안 흙 속에서 썩지 않고 있었던 경찰 신분증. 바로 재한의 사진이다. 급격하게 떨리는 해영의 시선. 역시 떨려오는 수현의 눈빛 교차되면서

12부 끝

시그널 The Signal

13부

씬/1   D, 현재, 국과수 특수부검실

차가운 스테인리스 침대 위에 탁 소리와 함께 놓이는 백골사체의 뼈에서 화면 서서히 빠지면, 하나두개씩 침대 위에 놓는 연구사의 손길에 따라 침대 위에 시신 모양으로 완성되는 재한의 백골사체. 어깨에 박혀 있는 철심.

씬/2   D, 현재, 특수부검실 밖 복도

조용한 복도 밖에 앉아있는 해영과 수현. 해영, 굳은 얼굴로 있다가 천천히 수현을 바라보면 수현의 손과 눈빛, 애써 참으려 하지만, 미미하게 떨리고 있다. 그런 수현의 모습에서

씬/3   D, 과거, 형기대 건물 복도

'타타탁' 복도를 뛰는 경쾌한 발걸음. 신난 듯 보이는 과거, 1999년의 수현의 얼굴이다. 계단도 한두 걸음으로 파파팍 뛰어 올라간다.

씬/4   D, 과거, 형기대 사무실

'쾅' 소리와 함께 문이 열리면서 환한 미소로 들어서는 수현.

수현   좋은 아침입니다!

하지만, 재한도 정제도 보이지 않는 형기대 사무실 안, 형사들의 표정은 좋지 않다. 밝은 얼굴로 들어서던 수현, 들어서서

수현   왜요?

형사들, 수현 눈치 보며 우물쭈물하고 수현, 주변 둘러보는데, 재한도

216

정제도 보이지 않는다.

수현   (보다가) 오늘... 인주팀 복귀하는 날 아니에요? 근데... 다들 아직 출근
        전이신가?

        뒤숭숭한 느낌의 분위기 사이, 인주로 내려가지 않은 형사 3, 수현을
        보며

형사 3   정제 사표 냈다.
수현   (놀라서 멈칫하는) 사표...요? 왜요?
형사 3   나도 모르지. 다짜고짜 사표 던지고는 짐만 챙겨서 나갔어. 이재한도
        무단결근이고... 분위기 진짜 싱숭생숭하다.

        수현, 불안한 얼굴로 재한의 빈 책상을 바라본다.

씬/5   D, 과거, 재한 父의 시계방 앞

        '전진사'라는 간판에서 빠지면 여기가 맞는지 긴가민가 두리번거리며
        걸어오던 수현, 시계방 문을 조심스럽게 열고 들어간다.

씬/6   D, 과거, 재한 父의 시계방

        조심스럽게 문을 열고 들어서는 수현

수현   실례합니다...

        그러나 시계방 안에서는 아무런 인기척이 없다. 아담하고 소박한 시계
        방의 내부 보이고. 수현, 주변을 두리번대다가 벽면에 붙어있는 달력이
        눈에 띄는데 2월 26일에 빨간 동그라미가 크게 쳐져 있다. 그때, 수현
        의 등 뒤에서 들려오는 목소리.

재한 父(소리)   시계 맡기러 오셨어요?

돌아보면 시계방 안으로 들어와 막 문을 닫고 있는 재한 父.

수현   저... 이재한 선배님을 뵈러 왔는데
재한 父   우리 아들인데. 무슨 일로...
수현   (퍼뜩 90도로 인사하는) 아! 아버님 안녕하세요!

재한 父, 어리둥절해서 수현을 바라본다.

씬/7   D, 재한의 방

책상에 앉아 무언가를 적고 있는 재한. 한쪽 옆에 놓인 봉투 위에는 '사직서'라고 적혀있다. 그때, 드르륵 소리와 함께 열리는 문. 재한, 허걱 놀라서 사직서 쓰던 종이 반대로 엎는데, 들어서는 재한 父.

재한 父   손님 왔다.

그런 재한 父 뒤로 들어서는 수현과 시선 마주치는 재한.

재한   (놀라서 멈칫하는) 너 뭐야?
재한 父   숙녀한테 너가 뭐냐. (수현 흡족하게 보며) 난 가게 나가볼 테니까... 오래 얘기하다 가요.

재한 父 묘한 미소와 함께 돌아서서 방문 굳게 닫고 나가고, 재한 그런 재한 父를 기가 막힌 듯 보다가 수현 보며

재한   여기까지 왜 왔어?

수현, 재한 보다가... 책상 위에 놓여진 사직서라고 적힌 봉투를 가리키며

218

수현	저거... 뭐에요?
재한	됐으니까, 신경 끄고 왜 왔는지나 얘기해.
수현	김정제 선배님도 올라오자마자 사표 내고, 선배님까지 왜 이래요?
	무슨 일 있어요?
재한	(보다가)... 남이야 사표를 내건 말건 무슨 상관인데?
수현	(서운한 기색을 감추며) 남이 사표를 내건 말건 상관하고 싶진 않지만,
	이건 아니죠. 아버지 생일날 사표 내는 아들이 어딨어요.
재한	...(멈칫) 뭐?
수현	달력에 동그라미 쳐져 있던데 오늘이 아버님 생신 아니에요? 선배님
	생일은 4월이잖아요

재한, 급히 벽에 걸린 달력을 보면, 바빠서 못 뗀 듯, 1월 달력이다. 달력 넘겨서 확인해보면 2월 26일, 붉게 동그라미가 쳐져 있다. 아차 싶다... 이런 것도 챙기지 못했구나... 눈빛 가라앉는데...

수현	미역국이나 제대로 끓여드린 거예요?
재한	...(미안함에 말문이 막히는)
수현	(그런 재한 얼굴 보면서) 봐봐, 내가 이럴 줄 알았어. 지금까지 한 번도
	미역국 끓여 드린 적 없죠?

씬/8   D, 과거, 재한의 집 인근 도로

재래시장을 굳은 얼굴로 빠르게 걷고 있는 재한, 그 뒤를 종종걸음으로 빠르게 따라붙고 있는 수현. 재한, 자꾸 따라붙는 수현이 귀찮은 듯, 힐끔 보다가 갑자기 멈춰 서서 뒤돌아보며

재한	너 왜 자꾸 따라와. 내가 알아서 한다니까.
수현	알아서 어떡하려고요? 설마 사드리려는 건 아니죠?
재한	(찔리지만 당당하다) 그래, 사 드릴 거다. 제일 맛있는 미역국으로
수현	와... 진짜 양심 없다. 지금까지 키워주신 태산 같은 은혜를 돈 몇 천 원

으로 막으시겠다?

재한   (말문이 막히는)

수현   생일상은요 맛이 아니라 정성이라고요. 제가 도와 드릴 테니까 그냥 따라오시기나 하세요.

씬/9   D, 과거, 재래시장 일각

먼저 앞장서서 걸어가는 수현. 그런 수현을 보다가 내키지 않는 걸음으로 따라가고 있는 재한.

재한   너 진짜 요리할 줄은 알아?

수현   그럼요. 절 뭘로 보고...

저 앞쪽으로 보이는 건어물 가게. 잔뜩 진열된 물건들 가운데 자신 있게 뭔가를 집어 드는 수현.

수현   (한 뭉치 집어 들며) 미역 좋네. 파릇파릇한 게...

그때 가게 안에서 나오는 가게 주인.

가게 주인   다시마 사시게?

수현   (자기도 이게 다시마라는 게 믿기지 않는다)

재한   (옆에서 보다가) 미역이라며?

가게 주인   미역은 그 옆에 있는 게 미역이지

재한, 수현을 미심쩍게 보면, 수현 슬쩍 다시마를 내려놓고 미역을 집어 든다.

수현   이게 미역이죠... 이런 게 미역이야.

씬/10   D, 과거, 재한의 집 부엌

칼로 마늘을 자르는 재한, 마치 소꿉장난하듯 어설프게 조각조각 내고 있는데, 옆쪽에서 마치 불이 난 듯 하얀 연기가 올라온다. 보면 냄비에 고기 볶고 있던 수현, 고기들이 냄비 바닥에 들러붙고, 점점 심해지는 연기에 어쩔 줄을 모르는... 그러다가 연기가 올라오는 냄비에 허둥지둥하다가 냄비에 찬물을 들이붓는다. 옆에서 보던 재한, 이건 아니다 싶은 얼굴로 바라보다가 수현과 시선 마주치는

씬/11   N, 과거, 재한의 집 거실

거실 한가운데에 놓인 밥상 위에 차려진 저녁상. 미역국과 각종 반찬들인데, 꽤나 밥상이 단출하다. 밥상에서 빠지면 상 주위에 둘러앉은 재한 父와 재한, 수현.

재한 父   (그저 흐뭇) 아이구 이거, 내가 생일상을 다 받아보고... (수현이 보는) 형사답지 않게 이쁘고 싹싹하고 어디서 이런 색시를 다 구했냐.
재한   뭔 소리예요. 애가 오해하겠네.

하자, 수현 보면 수현, 실실 웃고 있다.

재한   넌 뭐가 좋다고 웃어.
재한 父   아, 웃는 사람을 왜 뭐라 그래. 웃으면 좋은 거지. 자, 먹자! 먹자구!!

다들 미역국을 한 입 떠먹는데, 모두들 미리 짜기라도 한 듯 멈칫한다. 놀랄 정도로 맛이 없다. 재한 父, 정말로 먹지 못하겠지만, 다시 미소 만개하며

재한 父   우리... 밥 말고 반주나 한잔 할까?
수현   예! 제가 한잔 따르겠습니다.

재한	뭔 술을... 얘 술 못해요.
수현	(눈 똥그랗게 뜨고) 저 술 잘합니다!

씬/12　　　N, 과거, 거리 일각

거리를 달리고 있는 택시, 그런데 끼이익, 급브레이크를 밟고 한편에 멈춰 서고는 내려서는 기사. 짜증 가득 얼굴로 뒷자리 문을 열면, 그제 야 보이는 뒷좌석의 풍경. 재한 어떻게든 막아보려 하지만, 수현 만취 가 된 개가 되어서 '인형의 꿈'을 불러젖히고 있다.

수현	한 걸음 뒤에 항상 내가 있었는데~ 그대~ 영원히 내 모습 볼 수 없나요~
기사	돈 안 받을 테니까, 내려요. 아 진짜, 시끄럽게...
재한	(할 말이 없다)...죄송합니다. 얘가 원래 이런 얘가 아닌데...
기사	내리시라고!
재한	예.

씬/13　　　N, 과거, 수현의 집 인근 도로 일각

끙끙거리며 수현을 업고 도로를 걷고 있는 재한. 뒤쪽에 업힌 수현은 재한의 목을 꼭 감고 잠이 들어 있다.

재한	하, 진짜... 쩜오 넌 내일 일어나면 죽었어.

그때, 수현 눈은 감은 채로 마치 잠꼬대인 듯

수현	...선배님.
재한	깼냐? 야 너 이제 웬만하면 좀 내려서.
수현	(말 끊으며) 경찰 그만두지 마요.
재한	(멈칫)
수현	선배님이 그랬잖아요. 경찰도 할만하다구...

재한	......
수현	나는 못 그만두게 해놓고 혼자만 그만두는 거 반칙이에요.
재한	...나는 형사 자격 없는 놈이야.
수현	선배님이 자격이 없으면 세상에 형사할 사람 아무도 없겠네...
재한	......
수현	나한텐 이재한이 최고의 형사란 말이에요... 그러니까 절대로 그만두면 안 돼요...

수현, 다시 스르륵 잠이 든다. 쓴웃음을 짓는 재한...

씬/14   D, 현재, 국과수 특수부검실 밖 복도

전씬의 수현의 모습에서 현재, 떨려오는 눈빛의 수현으로 오버랩 되고... 그때, 복도 끝쪽에서 들려오는 발걸음소리. 그 소리에 고개 들어 복도 끝을 보면 연락을 받고 온 듯, 떨리는 눈빛의 재한 父다.

수현	오셨어요..

해영, 수현의 말투에 재한의 아버지임을 직감하고 바라보는... 재한 父, 터벅터벅 다가와서

재한 父	...찾은... 거야?
수현	...그게...

그때, 복도 끝 쪽에서 다가오는 윤서의 발걸음 소리. 해영, 수현, 재한 父 그쪽을 바라보는데... 윤서, 굳은 얼굴로 다가온다. 손에는 DNA 감정결과지가 들려있다. 모두들 윤서를 바라보는데,

해영	어떻게 됐나요?
윤서	백골사체 DNA... 일치했습니다. 백골사체는 실종된... 이재한 씨가 맞

아요.

예감은 했지만, 마음이 쿵 내려앉는 해영과 수현, 그리고 천천히 눈가가 붉어지는 재한 父, 휘청한다. 옆에 서 있던 수현 재빨리 부축해주는...

재한 父   ...(벌벌 떨리지만, 최대한 정신을 수습하려는) 재한이... 우리... 아들... 어딨나?

씬/15   D, 국과수 특수부검실

끼이익 문이 열리고 천천히 들어서는 재한 父와 재한 父를 부축한 수현. 그리고 그 뒤의 해영. 재한 父, 침대 위에 놓인 재한의 백골사체를 가만히 바라본다.

재한 父   ....우리... 아들... 이제야... 왔구나...
수현   (안타까운) 아버님...

재한 父, 애써 슬픔을 참아보려 하지만, 백골이 되어 돌아온 아들의 모습에 결국 무너지고.. 그런 재한 父를 안타깝게 바라보는 수현.

재한 父   ...고마워... 우리 아들... 찾아줘서 고마워... 이제 됐어... 그래도 나 죽기 전에 이 놈 제삿밥은 지어 멕일 수 있겠어.

수현, 눈물을 흘리는 재한 父를 위로하듯 보듬는다. 그 모습을 안타깝게 지켜보던 해영, 다시 한 번 재한의 백골사체를 바라본다.

- 인서트
- 4부, 45씬~51씬
- 재한의 방에서 무전을 하던 재한.

재한 범인 잡았냐구 묻잖아요. 범인 잡았어요? (참았던 분노가 끓어오르며 이성을 잃는) 내가 가서 죽여 버릴 테니까 대답하라구!! (떨려오는) 사진으로만 봤겠지... 그저... 사진 몇 장에 희생자 이름... 직업, 발견 장소, 시각... 그게 당신이 아는 전부겠지만... 난 아냐...

　

－ 4부, 93, 94씬.
옥탑방, 옥상에서 무전중인 해영.

해영 형사님 덕분에 잡을 수 있었습니다. 형사님이 증거를 남겨줬어요. 형사님이 범인을 잡은 거예요. 늦었지만... 범인을 잡았습니다. 감사합니다.

　

－ 6부, 84씬, 85씬.
－ 과거, 차 안.

재한 (말하다 보니 울컥한) 거기도 그럽니까? 돈 있고 백 있으면 무슨 개망나니 짓을 해도 잘 먹고 잘 살아요? 그래도 20년이 지났는데... 뭐라도 달라졌겠죠?... 그렇죠?

　

－ 7부, 25씬.
형기대 건물 비상구에서 무전을 하던 재한.

재한 경위님! 경위님! 이 무전이 뭐가 잘못됐는지 모르지만, 죄를 지었으면 돈이 많건 백이 있건 거기에 맞는 죗값을 받게 해야죠. 그게 경찰이 해야 되는 일이잖아요.

　

－ 10부, 33~35씬.
－ 현재, 차 안에서 무전중인 해영.

해영 그런데 형사님. 그건... 궁금하지 않으세요? 지금... 2015년에 형사님은 어떻게 돼 있는지...

- 과거, 홍원동 거리 일각에서 무전하는 재한.

재한　　　...난요. 우리 아버지가 점보러 다니는 것도 질색인 사람입니다. 앞으로 잘 살든 못 살든, 그거 알아서 뭐 합니까. 어차피 내가 내 인생 사는 건데... 혹시라도 그때 나 만나서 정신 못 차리고 있으면 한 대 주먹질이나 해주세요. 정신 차리라고...

- 11부, 67씬

해영　　　형사님한테... 부탁이 있습니다. 그때 1999년 인주에서 무슨 일이 벌어졌는지... 제게 그 사건의 진실을 말씀해 주세요. 제게... 정말... 중요한 일입니다.

- 2부 37씬. 해영의 시점에서 들리는 무전.

재한(소리)　　박해영 경위님... 나는 이게 마지막 무전일 것 같습니다.

- 그리고 뒤이어 들리는 '탕' 하는 총소리.

- 현재로 돌아와서 차가운 철제 침대 위에 말없이 놓인 재한의 백골사체를 가만히 바라보는 해영. 처음 보는 재한이다.

씬/16　　　**N, 장례식장 건물 앞**

작고 허름한 장례식장 앞으로 다가오는 상복을 걸친 굳은 얼굴의 해영. 건물을 올려다보다가, 천천히 건물 안으로 들어간다.

씬/17　　　**N, 장례식장 앞**

'고인 이재한, 상주 이철용'이란 팻말이 적힌 장례식장으로 다가가는 해영. 장례식장 앞에 서 있는 정복 차림의 수현을 발견하고 멈춰 선다. '고인 이재한'이란 이름 석 자를 바라보는 수현의 시선, 천천히 시선 옮기면 화환 하나 없고, 조문객 한 명 없는 텅빈 빈소 앞에 멍하니 앉아있는 재한 父를 바라본다. 공허하고 슬픔이 묻어난다. 그런 수현을 가만히 보던 해영, 천천히 다가가서 옆에 서며

해영   괜찮습니다.
수현   (보는)
해영   화환 하나 없고, 찾아오는 조문객도 없고, 비리형사라는 누명을 쓰고... 15년 만에 백골사체로 발견됐지만... 그 긴 시간 동안... 잊지 않고, 기다려준 사람이 있으니까... 이재한 형사님께는 충분히 위안이 될 거예요.

수현, 해영의 얘기를 듣다가... 천천히 고개 돌려 다시 빈소 쪽을 보는

수현   둘이서... 제대로 같이 찍은 사진 한 장... 없었다는걸... 나중에 알았어... 그렇게... 그게... 마지막일 줄 알았다면... 조금이라도... 뭐라도 남겨 둘 걸... 그게... 제일 후회돼...

씬/18   과거, 몽타주

- 낮, 2000년, 재한이 실종된 직후, 감사관실 직원들 진양서 강력계 사무실에서 재한의 책상을 샅샅이 뒤지고 있다. 주변에서 굳은 얼굴로 지켜보고 있는 강력계 형사들(윤정이 사건 때 같이 있던 형사들로 하면 될 것 같습니다) 소식을 듣고 뛰어온 듯 놀란 얼굴로 뛰어들어오는 수현.

수현   도대체 지금 뭐 하는...

하다가 멈칫하는 수현. 감사관실 직원들이 딴 굳게 자물쇠가 잠겨있던 재한의 책상 가장 아래칸 서랍에서 돈다발들이 쏟아져 나온다. 놀라는

수현의 눈빛.

– 낮, 2000년, 시계방에서 꺼이꺼이 눈물을 흘리고 있는 재한 父와 그런 재한 父를 안타깝게 바라보고 있는 수현.

재한 父 그놈이... 도대체... 그놈이 어쩌다가...
수현 아뇨. 선배님, 그럴 분 아니에요. 제가 꼭 선배님 찾아낼게요. 제가 찾아낼게요.

– 낮, 2000년, 재한의 방. 박스 안에 담긴 사무실에 있던 재한의 물건들을 살펴보고 있는 수현. 그 안에서 나오는 수현이 갖고 있는 진양서 수첩. 수첩을 살펴보지만, 단서가 없는 듯 표정 어두워지는 다른 물건들을 살펴보기 시작하는데...

– 낮, 2000년, 13번 국도변에 위치한 직판장 앞, 주인에게 재한의 사진을 보여주는 수현. 하지만, 주인, 고개를 절레절레 젓고...

– 낮, 2000년, 13번 국도의 다른 가게에서 재한에 대해 묻고 있는 수현. 하지만 역시 고개를 젓는 주인. 수현, 천천히 가게를 걸어 나온다. 문득 멈춰 서서 끝없이 뻗은 13번 국도를 가만히 바라본다. 막막함과 재한에 대한 그리움, 간절함이 섞인 지친 수현의 눈가에는 금방이라도 눈물이 떨어질 듯하다. 그런 수현의 모습 위로

현재 수현(소리) 죽었을 거라고 생각했어...

씬/19   N, 현재, 장례식장 앞

빈소를 바라보며 담담하게 얘기를 이어나가는 수현.

수현 죽지 않았다면... 가족과 동료를 그렇게 저버릴 사람이 아니었으니까...

그래서 백골사체가 들어오기만 하면 국과수로 달려갔어... 그런데... 그래도... 가끔은 그런 생각이 들었어... 문이 열릴 때마다... 저 문으로 들어오지 않을까... 아무 일도 없었던 것처럼... 내 이름을 부르면서... 들어와 줬으면... 그랬으면...

떨려오는 수현을 가만히 바라보는 해영.

씬/20   N, 장례식장

빈소 앞에 국화를 놓고, 뒤로 물러서서 미소 짓고 있는 재한의 영정사진을 가만히 바라보는 수현.

- 인서트
1부, 11씬

재한	이번 주 주말쯤은 해결될 것 같아.
수현	(보는) 예?
재한	다 끝나면, 그때 얘기하자.

- 현재, 빈소로 돌아오면, 재한의 사진을 바라보는 수현의 시선.

수현(소리)   주말까지만 기다려 달라더니... 15년 걸렸어요. 먼저 약속 어겼으니까 선배님... 나한테 욕먹어도 할 말 없어요.

재한의 사진을 바라보는 수현의 눈가가 붉어진다. 그런 수현을 안쓰러운 시선으로 멀리서 바라보는 해영. 빈소 옆에서 그런 수현을 바라보며 눈물을 흘리는 재한 父.

씬/20- 1   D, 현재, 재한의 방

재한이 사용하던 책상 위에 영정사진을 내려놓는 재한 父. 그 뒤에서 재한 父를 모시고 온 듯, 그런 모습을 바라보고 있는 수현과 해영. 재한 父, 책상위에 영정사진을 내려놓고 눈물짓고... 어두운 얼굴로 그런 재한 父를 바라보는 해영. 주변을 둘러본다. 벽에 걸린 낡은 정복. 재한이 사용했을 책상.. 처음 보는 재한의 공간이다.

씬/21   N, 장기미제 전담팀

불 꺼진 텅 빈 전담팀 사무실로 들어서는 수현. 불도 켜지 않고, 가만히 책상에 가서 앉는다. 시선에 들어오는 배트맨 액자를 바라보는 수현의 시선에서...

씬/22   D, 과거, 재한의 방

18씬, 재한의 방에서 박스 안에 담긴 재한의 사무실 책상에 있던 물건들을 살펴보고 있는 수현의 모습에서 이어지는... 진양서 수첩을 보다가 내려놓고, 박스 안 다른 물건들을 살펴보다가 박스 가장 아래쪽에 놓인 배트맨 액자를 발견한다. (이 액자는 형기대 책상에는 없고, 진양서로 자원해서 왔을 때부터 재한이 갖고 있었던 걸로 생각했습니다) 액자위에 적혀진 '수갑 하나당 짊어진 눈물이 2.5리터다'라는 글귀. 수현, 재한이 생각나는 듯, 눈빛 가라앉으며 천천히 그 액자를 들어 찬찬히 바라보다가 멈칫... 약간 비스듬하게 끼어있는 배트맨 사진 사이로 다른 사진이 있는 듯하다. 수현, 혹시나 재한이 뭔가 숨겨놓은 게 아닌가? 서둘러 액자를 분리해서 배트맨 사진 뒤에 끼어있던 사진을 확인하는데, 눈빛이 흔들린다. 수현과 재한이 함께 찍은 홍보 사진이다.

수현   이게... 왜...

씬/23   N, 현재, 장기미제 전담팀

배트맨 액자 안의 사진을 가만히 바라보고 있는 수현. 순간 가슴이 너무 아파진다. 그간 꾹 참고 있던 감정이 터지면서 눈물을 흘리기 시작하는 수현.

씬/24   N, 해영의 차 안

차 안에 앉아서 뭔가를 의아한 시선으로 내려다보고 있는 해영. 해영의 손에 들린 건 낡은 껍데기집 명함이다.

- 인서트
- 20-1씬에 이어지는 느낌으로 재한 父를 쉬게 하러 나간 듯 수현도 재한 父도 보이지 않는 재한의 방. 방을 천천히 둘러보고 있는 해영. 그때, 책장 한편에 놓인 명함들을 꽂아놓은 박스에 시선 멈칫. 가장 앞쪽에 놓여 있는 낡은 껍데기집 명함을 의아한 얼굴로 들어 올리는 해영.

- 다시 차 안으로 돌아오면 여전히 명함을 내려다보고 있는 해영.

해영   이재한 형사님이... 이걸 왜...

씬/25   D, 과거, 재한의 차 안

한적한 국도. 재한이 차를 운전하고 있다.

씬/26   D, 과거, 국도 휴게소 내, 편의점

캔커피를 사고있는 재한. 계산을 하려다가 보면 매대 옆에 비치된 신문이 눈에 띈다.

- 시간 경과되면
편의점 한편에 마련된 간이 테이블에서 커피를 마시면서 신문을 넘겨보던 재한 멈칫하는데, 보면 '인주 집단 성폭행 사건 오늘 판결' 이라는 제목의 기사다. 생각에 잠기는 재한.

D, 과거, 1999년, 인주시 법원 건물 뒤편

건물 옆에 세워진 호송차량 주변, 기자들과 몰려든 구경꾼들로 인산인해다. 사람들이 몰려들자, 차량 주변 교도관들이 '돌아가세요' 하면서 뒤로 밀고 있는데... 그 사이, 어린 해영, 사람들 사이로 나와서 형을 보려고 애쓰고 있다. 그때, 사람들의 웅성거림 더욱 커진다. 건물 입구 보면 법원 경찰들의 호송을 받으며 건물을 빠져나오는 선우와 가해학생들. 해영, 수의를 걸치고 수갑에 포승줄에 제압된 채 걸어 나오는 선우를 보자, 그 모습만으로도 충격을 받은 듯 눈빛 떨려오는데... 가해학생들이 나타나자, '야, 이 미친놈들!' '저놈들 아주 죽여버려!' 가해학생들을 비난하는 구경꾼들의 목소리. 터지는 카메라 플래시 세례들. 어린 해영은 그런 사람들 사이에서 파랗게 질린 채, 소리도 못 내고 있는데... 그중, 갑자기 교도관을 밀치면서 가해학생들 앞을 막아서고 다가가려 하면서 고래고래 소리 지르는 혜승 父(40대, 남). 허름하고 남루한 차림새에 술에 취한 듯, 붉게 충혈된 눈빛이다.

혜승 父　　우리 딸년은 인생 쫑 나버렸는데... 뭐? 소년원? 1년? 이런 개 같은 경우가 어딨어! 내가 이 꼬라지로 산다고 내가 우습게 보여?

교도관들, 그런 혜승 父를 뒤로 밀쳐보려 하지만, 워낙 거세게 반항한다. 그 뒤쪽에는 그저 오열하고 있는 혜승 母의 초췌한 모습.

혜승 父　　야, 이 나쁜 새끼들아. 우리 딸래미 인생 책임져!! 책임지라구! 이거 놔!!

그런 혜승 父의 난동 때문에 잠시 멈춰선 선우 일행. 선우, 이 모든 상황이 현실처럼 느껴지지 않는 듯 넋이 나간 얼굴로 혜승 父를 보다가...

순간, 사람들 사이에 끼어있는 어린 해영과 시선 마주치자, 이 상황이 현실처럼 느껴지는 듯, 눈빛 거세게 흔들려 버린다. 해영, 역시 찰나 같은 순간, 슬퍼 보이는 선우를 바라보다가... 아무도 들어주지 않는... 들리지도 않는... 목소리를 내뱉는다.

해영   우리 형... 아닌데... 우리 형... 잘못하지 않았어요...

선우, 눈가가 붉어지는데, 혜승 父를 겨우 뒤로 밀친 교도관들. 호송차량을 향해 빨리 가라는 듯 등을 미는 경찰들. 선우, 굴비처럼 엮어져서 호송차량에 올라탄다. 해영, 그런 선우 얼굴을 마지막이라도 보려고 사람들 사이 쿵쿵 부딪치면서도 아득바득 호송차량 쪽으로 다가가며...

해영   형!!... 형!!

유리창문 너머 해영을 슬픈 눈빛으로 보는 선우. 출발하는 호송차량. 호송차량이 떠나자, 하나둘씩 떠나기 시작하는 구경꾼들. 하지만 그 자리에서 떠나지 못하고 울음을 터뜨리는 어린 해영.

해영   우리... 형... 아니에요. 우리 형... 아닌데...

그런 해영의 모습을 지켜보는 누군가의 시선. 보면 법원 앞 멀리에 서서 그런 해영을 굳은... 떨리는 눈빛으로 바라보고 있는 재한이다.

- 인서트
11부 67씬

해영   형사님한테... 부탁이 있습니다. 그때 1999년 인주에서 무슨 일이 벌어졌는지... 제게 그 사건의 진실을 말씀해 주세요. 제게... 정말... 중요한 일입니다.

- 다시 법원 건물 앞으로 돌아오면

아무도 보듬어 주지 않는 어린 해영, 홀로 남아서 닭똥 같은 눈물을 뚝 뚝 떨어뜨리고 있다. 그런 해영을 떨리는 시선으로 바라보는 재한.

재한　　　박선우... 박해영... 설마...

씬/28　　　**D, 과거, 인주서**

재한에게 선우의 등본을 갖다주는 관할형사 1.

형사 1　　　말씀하신 박선우 등본입니다.

등본을 확인하는 재한, 가족관계에 엄마와 선우 단둘뿐이다.

재한　　　엄마랑... 둘이 살아요? 동생이나 다른 가족은 없어요?
형사 1　　　동생이 하나 있긴 있었죠. 아빠가 다르긴 했지만...

멈칫해서 보는 재한.

씬/29　　　**D, 과거, 인주시 해영의 집 앞**

손에 들린 주소가 적힌 메모지를 보면서 떨리는 시선으로 두리번거리면서 걸어오는 재한. 그러다가 뭔가를 발견하고 멈칫한다. 담벼락과 대문에 '짐승새끼 죽어라' '인주에서 꺼져라' '죽어' 따위의 글귀가 붉은색 파란색 락카들로 정신없이 낙서돼 있는 해영의 집이다. 떨리는 시선으로 그런 집을 보다가... 활짝 열린 대문 안을 바라보면, 깨진 유리창이 보이고, 그런 유리조각들을 치우고 있는 해영 母(40대)가 보인다. 지친 표정이 역력한 해영 母, 문득 고개 들어 대문 앞에 서 있는 재한과 시선 마주친다. 재한, 해영 母 보다가 고개 숙여 인사하는...

씬/30	D, 과거, 인주시 해영의 집 안

초라한 거실. 한편에 놓인 앉은뱅이책상 같은 곳 위에는 선우가 붙여 놓은 듯, 선우와 해영이의 사진 한 장이 압정 같은 걸로 벽면에 붙여져 있다. 그런 거실에 차도 없이 마주 앉아 있는 해영 母와 재한.

재한 ...이혼 하셨다고요.

해영 母 ...뭐 더 나쁜 꼴을 보겠다고 계속 살겠어요. 큰 애야 전남편 사이에 낳은 자식이니, 내가 거두는 게 맞지만... 걔 때문에 작은 애까지 손가락질 받게 할 순 없잖아요. 지 아버지랑 떠나는 게 지한테도 좋을 거예요...

해영 母, 얘기하다가 벽에 걸려있는 사진을 보다가 울컥하는

해영 母 집이 가난해서, 제대로 챙겨주지도 못했어요... 바쁘다는 핑계로 이일 저일... 얼굴도 제대로 못 보고, 도시락도 하나 제대로 못싸주구... 그래두 둘이 얼마나 끔찍했는데... 서로 형, 동생 밖에 모르고 살았는데... 나한테는... 똑같은 내 새낀데...

눈물을 흘리는 해영 母를 안타까운 눈빛으로 바라보는 재한.

씬/31	N, 진양시 산동네

가파른 계단을 오르고 있는 재한, 번지수를 살피면서 걸어 올라가는데 손에 들고 있는 쪽지에는 '진양시 미경동 136-8' 이라고 적혀있다. 계단을 오르던 재한, 뭔가를 발견한 듯, 우뚝 걸음을 멈춘다. 재한이 바라보는 곳, '미경동 136-8'이라는 문패에서 아래로 화면 떨어지면, 대문 옆 담벼락, 가로등 아래 기대서 있는 해영이다. 힘없고 어두운 표정의 해영, 저격저격 발장난만 할 뿐이다. 그리고 그 모습을 바라보는 재한.

- 시간 경과되면

기운이 없는 듯, 대문 앞에 무릎을 모으고 쪼그려 앉아 있는 해영. 아래쪽 길모퉁이에 몸을 숨긴 채 여전히 해영을 물끄러미 바라보고 있는 재한. 그때, 재한의 아래쪽 계단에서 올라오는 아저씨의 인기척이 들리자...

해영   (반가운 얼굴로) 아빠야?

하지만, 전혀 모르는 아저씨를 보고 다시 어두워지는 해영. 아저씨는 그런 해영을 그냥 스쳐 지나가고... 다시 힘없이 자리에 앉아 무릎을 모으고 앉는 해영. 기운이 없는 듯 쪼그려 앉은 무릎 위에 얼굴을 묻고 있는 해영의 뱃속에서 꼬르륵 소리가 들린다. 재한, 그런 해영이 안타깝고 안됐다. 참지 못하고 앞으로 나서려는데, 해영, 고개를 들어 잠시 고민하다가 자리에서 일어나 터벅터벅 계단 아래로 내려간다. 그런 해영을 피해 잠시 모퉁이 안쪽으로 몸을 숨겼던 재한, 그런 해영의 뒷모습을 보다가 천천히 뒤를 따르기 시작한다.

씬/32   **N, 과거, 산동네 일각**

산동네를 내려와 보면 조금은 넓은 골목이 나온다. 골목을 터벅터벅 걷는 해영. 주변을 둘러보는데, 늦은 시각이라 불 켜진 상점이 거의 없다. 분식집, 식당은 거의 문을 닫고 골목에 불을 켜고 영업 중인 가게는 '껍데기집'이라고 적힌 가게 하나가 유일하다. 해영, 그런 껍데기집 밖에서 까치발을 들고 유리창을 통해 안을 바라본다. 멀리서 그 뒤를 따라오던 재한, 쟤가 뭘 하지? 보는데, 해영, 그러다가 갑자기 껍데기집 문을 열고 안으로 들어간다.

재한   쟤가.. 저기가 어디라고...

당황한 재한, 곧바로 해영의 뒤를 따른다.

씬/33   **N, 과거, 껍데기 집**

불판 위에서 지글지글 구워지는 껍데기들, 희뿌옇게 가게 안을 채우고 있는 고기 굽는 연기. 두어 개의 테이블에서 손님들이 껍데기와 소주를 먹고 있다. 그런 가운데 가게 안으로 걸어 들어오는 해영. 손님들도 주인아줌마도 그런 해영을 의아한 듯 보는데 타박타박 들어와서 테이블에 앉는다.

주인 아줌마	너, 여기 왜...
해영	(하는데) 오므라이스 주세요.
주인 아줌마	뭐?

하는데, 문 열리면서 들어서는 재한, 해영과 시선 마주칠 듯하자 문가의 테이블에 등돌리고 앉고, 주인아줌마 그런 재한에게 '어서 오세요' 하면서 다가가려고 하는데 해영, 주머니에서 꼬깃꼬깃한 천 원짜리 서너 장을 꺼내서 테이블 위에 올려놓으며

해영	저 돈 있어요. 오므라이스... 주세요.

그런 해영의 목소리를 듣는 재한의 눈빛, 가라앉는다.

주인 아줌마	(기가 막힌) 애가 지금 장난치나... 너, 집이 어디니? 엄마한테 가자. 도대체 애가 지금이 몇 신데...

하는데, '여기요' 손드는 재한.

주인 아줌마	너 잠깐 있어.

하고, 재한에게 다가오는데 재한, 해영 보이지 않게 지갑에서 만 원짜리 한 장 꺼내 주인에게 건네며 낮은 목소리로

재한	오므라이스 좀 해 줘요. 이걸로 재료값 하시고.

주인 아줌마	(해영과 번갈아보며) 애 아빠유?
재한	내 아들이면 이러고 있겠어요?

주인 아줌마, 재한을 미심쩍게 보면, 재한이 만 원짜리 한 장을 더 꺼내 건네며

재한	애가 배고파서 저러는 것 같은데, 좀 해줘요. 이건 수고비. 응?
주인 아줌마	(보는)

– 시간 경과되면

해영 앞에 놓이는 김이 모락모락 올라오는 오므라이스. 해영, 배가 많이 고팠는지 침 한번 꿀꺽 삼키고 숟가락을 들고 와구와구 맛있게 먹다가, 순간 멈칫한다. 형이랑 엄마 생각이 나는 듯 멈칫하고 글썽거리는... 문가에 등돌리고 앉은 재한, 유리창에 비친 그런 해영을 바라본다. 해영, 다시 눈물 닦고 씩씩하게 오므라이스를 먹기 시작한다. 그런 해영을 짠하게 바라보는 재한.

씬/34   N, 현재, 동장소

전씬의 과거와 거의 흡사한 현재의 껍데기집. 과거에 비해 손님이 없이 파리를 날리고 있는 껍데기집에서 이제 나이가 먹은 주인 아줌마가 꾸벅꾸벅 졸고 있는데 문 열리면서 들어서는 현재의 해영.

주인 아줌마	(문소리에 잠 깬) 어서오... (하다가 해영임을 확인하고는) 왔어? 오랜 만이네. 오므라이스 해줘?
해영	(그런 주인에게 다가와서 명함을 내미는) 이거 여기 명함 맞죠.
주인 아줌마	우리 꺼 맞네.
해영	(재한의 사진 꺼내 보여주면서) 혹시, 이런 분 아세요? 이 명함을 갖고 있던데...
주인 아줌마	(사진 보다가)... 그 사람이네.

해영	(멈칫해서 보면)

－ 인서트
33씬에 이어지는... 밥을 다 먹은 듯 일어서는 해영. 가게 문을 나선다.
재한, 해영을 기다린 듯, 바로 일어나서는 주인 아줌마에게

재한	(지갑에서 돈 있는 데로 꺼내 주인 아줌마에게 건네며) 앞으로도 저 꼬마 오면 밥 좀 해줘요.

하고 해영 따라 나가면서 가게 명함 한 장 챙기며

재한	제가 계속 연락할 테니까, 부탁 좀 할게요.

－ 다른 날 밤, 껍데기집에서 또다시 오므라이스를 먹고 있는 어린 해영. 그 모습을 먼 테이블에 앉아서 바라보고 있는 재한의 모습 위로

주인 아줌마(소리)	자기 자식도 아닌데, 이상한 사람이다 싶었지. 너한텐 절대 비밀로 해달라고 그랬었어.

－ 다시 현재, 껍데기집으로 돌아오면 해영, 멍한 얼굴로 가만히 서 있는...

주인 아줌마	그런데 언제부턴가... 갑자기 연락도 없이 안 와서 나도 까먹고 있었네...

그랬구나... 재한의 숨겨진 배려를 알게 된 해영, 눈빛 떨려온다.

씬/35   N, 현재, 가게 앞 거리

천천히 껍데기집 문을 열고 어두운 거리로 나오는 해영. 가만히 서 있

다가 천천히 고개를 돌려 드문드문 가로등이 켜져 있는 예전 해영의 집으로 연결된 골목 쪽을 바라보면 환상처럼 보이는 과거의 어린 해영과 그런 해영의 뒤를 따라 걸어가고 있는 재한. 현재의 해영, 그런 재한의 뒷모습을 떨리는 눈빛으로 바라본다.

해영(소리) ...혼자라고... 혼자라고... 생각했었는데... 그게... 제일 힘들었었는데...

씬/36 　　　 과거, 몽타주

- 과거, 2006년, 학교 옥상.
옥상에 마주 보고 있는 고등학생 해영과 불량학생들.

불량 1 소문 다 들었어. 너네 형 멋지더라.
해영 한 마디만 더하면... 죽는다.

기가 막힌 듯 웃는 불량학생들.

불량 1 왜 네 형이 쪽팔리냐?

순간, 뒤에 놓여 있던 가방을 집어 불량 1의 얼굴을 향해 집어던지면서 돌진하는 해영. 불량학생들과 4대 1로 몸싸움이 붙어 버린다. 처음엔 불량학생들, 어버버 당하지만, 수적인 열세를 어쩔 수 없는 듯. 한 대, 두 대 맞기 시작하지만, 해영, 다른 학생들은 안중에도 없고 불량 1만 조진다. 다른 학생들, 그런 해영을 떼 보려 하지만, 오히려 해영이 발로 까버리고 한 대 먹이자, 뒤로 나가떨어지고... 이미 기싸움에서 진 불량 1, 바닥에 나뒹군 채, 뒤로 물러서는데 그런 불량 1을 주먹으로 까다가 분이 안 풀리는 듯 주변 둘러보면 저 옆쪽으로 놓여 있는 중간 크기의 화분을 한손으로 들어 불량 1을 향해 내려치려는데...

불량 1 (겁먹고 얼굴 가리며) 그만...! 그만... 해... 잘못했어.

해영, 거친 숨을 내쉬며 그런 불량 1을 내려다보다가... 화분을 든 손, 부들부들 떨린다. 불량학생에 대한 화인지, 아니면 세상에 대한 울분인지 '으악!!' 고함을 지르며 바닥을 향해 화분 내려치고, 산산 조각이 나 버리는 화분. 해영, 거친 숨을 몰아쉬다가 옥상을 나가버린다.

– 밤, 과거, 2006년, 껍데기집
록음악 들으며 껍데기집으로 들어서는 해영. 자기 집 안방처럼 테이블에 앉으며

해영   여기, 오므라이스요.

아저씨들, 오므라이스? 뭔가 의아한 얼굴로 주인 아줌마를 보는데, 주인 아줌마, 아무렇지 않게 반 오픈된 주방 안으로 들어가서 오므라이스를 만드는

– 시간 경과되면
따뜻한 김이 올라오는 오므라이스를 내놓는 주인 아줌마.

주인 아줌마   좀 일찍일찍 다녀. 지금이 몇 신데...

대답 없이 무표정한 얼굴로 우적우적 먹기 시작하는 해영. 주인 아줌마 돌아서는데, 아저씨 중 한 명

아저씨   아들이야?
주인 아줌마   하이구... 아들은... 단골이야. 5년 진상 단골.
아저씨   그런데, 왜 멀쩡한 집 놔두고 껍데기집에서 저런 걸 찾는데...
주인 아줌마   남일에 신경 *끄고* 퍼뜩 먹고 들어가요.

그런 주변의 얘기들 전혀 들리지 않는 듯, 여전히 시끄러운 음악이 흐르는 이어폰을 귀에 꽂고 묵묵히 밥만 먹고 있는 해영.

- 밤, 과거, 2006년, 해영의 집 앞

해영의 집이 있는 오래되고 허름한 골목길. 터벅터벅 음악 들으면서 집으로 돌아오고 있는 해영. 뭔가를 발견하고 멈춰 선다. 보면, 자신의 집 앞에 오랫동안 기다린 듯, 발발 떨면서 서 있는 단정한 차림의 모범생 반장, 한도연(17세, 여)이다. 도연, 인기척에 돌아보다가 해영과 시선 마주치고... 본다. 눈빛에 지금까지 기다린 불만, 해영과 별반 친하지 않은 듯, 서먹함이 섞여 있다. 해영, 그런 도연을 보다가 뚜벅뚜벅 다가와서는 아는 척도 안하고 집으로 들어가려는데

도연　　　(기가 막힌) 야. 나 너 두 시간도 넘게 기다렸어.

해영, 아랑곳하지 않고 열쇠구멍에 열쇠 집어넣고 돌리는데, 도연, 그런 해영의 팔을 잡아 제지하다가 뭐야? 하는 표정으로 보는 해영과 시선 마주치자 어색해하며 잡은 팔 내리며

도연　　　나두 좋아서 온 거 아냐. 담임이 가보라고 해서 온 거지.
해영　　　(다시 들어가려고 문 열면서) 반장 노릇도 힘들겠네.
도연　　　너 내일도 안 나오면 정학이야.
해영　　　(들어가 버리는)
도연　　　(기가 막힌 얼굴로 문안에 대고 소리 지르는) 정학이라구. 정학!...

- 과거, 2006년, 인주시, 당구장.

해영, 일진 1 일행과 패싸움 벌이다가 피투성이가 돼서 쓰러진 상태에서도 당구장을 떠나려는 일진 1의 다리를 붙잡고 붙는

해영　　　...누구야... 우리 형한테 누명 씌운 새끼들...
일진 1　　...니가 알면 어쩔 건데...
해영　　　가만 안 둬... 우리 형 그렇게 만든... 놈들... 가만 안 둘 거야...
일진 1　　네 형이 왜 누명을 썼는지 알아? 돈 없고 빽 없고 힘이 없어서야.
해영　　　....(떨리는 시선)

- 과거, 2006년, 도연의 집 앞

새벽, 평범한 단독주택 외곽. '학교 다녀오겠습니다' 인사하는 도연의 목소리 들려오고 문 열리면서 가방 메고 나오는 도연. 문 밖으로 나오다가 뭔가를 발견하고 '히이익!' 놀라는.. 보면 문 옆에서 밤새 앉아있었던 듯한 피떡지 진 해영이다.

도연　　야, 너... 뭐야.
해영　　(도연을 기다리고 있던 듯 도연이 나오자 묵묵히 일어서는)
도연　　너 뭐냐니까...
해영　　대학 갈려면 어떡해야 되냐?
도연　　...뭐?
해영　　대학 가려면 어떻게 해야 되냐고.

- D, 과거, 2006년, 학교 운동장 일각

도연과 해영의 고등학교 운동장 일각. 철봉 밑에 쭈그리고 마주 앉아있는 해영과 도연. 도연, 나뭇가지로 바닥에 글씨 그려가며 해영에게 설명해주고 있다.

도연　　그러니까 대학 어디쯤 생각하는데?
해영　　아무나 갈 수 있는 대학 말구, 좋은 데.
도연　　(기가 막힌 듯 보는) 니가? 수능이야 그렇다 치고, 내신은 어쩌려고? 아무리 고1 성적이 15프로 반영된다구 해도 네 성적 완전 안드로메다급이잖냐. 앞으로 2년 동안 미친놈처럼 공부한다고해도... 가망이...
해영　　미친놈처럼 한다구.
도연　　그래서 아무나 못 가는 대학 어디?
해영　　...아무나 못 가고... 등록금도 싸면 좋고...
도연　　(보는) 얼굴도 이쁘고 성격도 좋고 몸매도 잘 빠지고 너한테만 잘하는데 이왕이면 부잣집 딸이었으면 좋겠다... 그렇다면 국립대 밖에 없어. 아무나 가는 데 말고 정말 좋은 국립대면... 서울대는 너 내신으론 죽었다 깨나도 안 되고 육사, 공사, 해사는 학생기록부를 보니까 그것도 안

되고 그럼... 경찰대 어때? 등록금 전액 면제에 숙식까지 해결해 준다
는데...

해영 (얼굴 차갑게 굳으며) 경찰대? 나보고 경찰이 되라고? 미쳤구나. 거긴
절대 안가.

도연 (보다가 파하하 기가 막혀 웃는) 야, 안 가는 게 아니라, 못가는 거야.
경찰대가 어디 PC방인 줄 아냐? 아무나 가게?

- 과거, 2006년, 껍데기집
주인아줌마, 카운터에서 졸고 있고 한쪽에서 오므라이스를 먹고 있는
해영. 먹다가 문득...

해영 아줌마.

주인 아줌마 (졸다가) 응, 왜? 짜? 물 줘?

해영 나... 경찰대 갈까?

주인 아줌마 ...(보는)

해영 왜?

주인 아줌마 ...사람이 분수를 알아야지. 깡패 새끼 안 되도 감지덕진데 경찰? 그것
도 모자라서 경찰대? 아이고 이놈아. 네가 거기 가믄 내가 손에 장을
지진다.

해영 (피식 미소) 그렇지. 경찰은 무슨...

서서히 미소 사라지는... 생각에 잠기는 해영의 얼굴에서...

씬/37   N, 현재, 해영의 옥탑방

전씬의 과거의 해영의 모습에서 현재 옥탑방에서 껍데기집 명함을 바
라보고 있는 현재의 해영으로 변하는 화면. 그때, 치치칙 무전기의 잡
음이 들려온다. 11시 23분을 가리키는 시계. 울리기 시작하는 무전기
를 바라보는 해영. 뭐라고 말을 꺼내야 할지 모르겠다.

씬/38   D, 과거, 재한의 차 안

산동네 일각에 세워진 차 안의 재한 역시 가만히 무전기를 바라본다.
재한, 역시 쉽게 입이 떨어지지 않는다.

해영(소리)   ...인주사건 말입니다
재한   (멈칫)

씬/39   N, 현재, 해영의 옥탑방

해영   ...그거...
재한(소리)   끝까지 가 볼 생각입니다
해영   (보는)

씬/40   D, 과거, 재한의 차 안

재한   제가 중요한 걸 잊고 있었습니다. 저야말로 포기하고 외면하면 안되는
            거였어요.

씬/41   N, 현재, 해영의 옥탑방

가만히 무전기를 내려다본다.

씬/42   D, 과거 재한의 차 안

재한   누군가 포기하기 때문에 미제 사건이 만들어진다고 그러셨죠. 이 사건,
            절대 그렇게 만들지 않을 겁니다.

씬/43   N, 현재, 해영의 옥탑방

해영   ...저는 형사님께서 행복하셨으면 좋겠어요...

씬/44   **D, 과거, 재한의 차 안**

재한, 의외의 해영의 목소리에 멈칫해서 무전기를 본다.

씬/45   **N, 현재, 해영의 옥탑방**

해영   형사님 곁에... 사랑하는 사람들과 함께 하는 게 사건을 해결하는 것보다 더 중요한 일일 수 있어요.

씬/46   **D, 과거, 재한의 차 안**

재한   ...저도 경위님이 행복했으면 좋겠네요...

씬/47   **N, 현재, 해영의 옥탑방**

해영   (뜻밖의 대답에... 멈칫하는)

씬/48   **D, 과거, 재한의 차 안**

재한   가난하더라도 가족들과 함께 한 지붕 아래서 따뜻한 밥상에 둘러 모여서 함께 먹고... 자고... 외롭지 않게... 남들처럼 평범하게... 그렇게 살았으면 좋겠습니다.

씬/49   **N, 현재, 해영의 옥탑방**

가만히 무전기를 바라보는 해영의 모습에서

- 인서트

- 35씬, 과거의 어린 해영과 그런 해영의 뒤를 따라 걸어가고 있는 재한. 현재의 해영, 그런 재한의 뒷모습을 떨리는 눈빛으로 바라보는 해영.

- 다시 옥탑방으로 돌아오면, 해영, 재한을 죽게 놔둘 수 없다...

해영   형사님. 인주 사건... 그만하세요. 그 사건 때문에 형사님이 위험해질 수도 있어요.

씬/49- 1   D, 과거, 재한의 차 안

재한   ...(멈칫하지만) 상관없습니다. 강력계 형사가 그딴 거 겁낼 것 같아요?

씬/49- 2   N, 현재, 해영의 옥탑방

해영   (답답한) 우리 무전은 89년이 처음이 아니었어요. 이 무전을 처음 보낸 건 내가 아니라 형사님이었어요. 2000년 8월 3일, 형사님이 아무것도 모르는 나한테 무전을 보냈다고요.

씬/49- 3   D, 과거, 재한의 차 안

재한   (의아한) 첫 무전을... 내가 보낸 거였다고요?
해영(소리)   맞아요. 그때, 형사님은 죽어가고 있었어요. 그리고 내게 다시 무전이 시작될 거라고... 89년의 형사님을 설득해 달라고 했습니다. 그리고 다시 89년의 형사님과 무전이 연결된 거예요.

          재한, 눈빛 혼란스럽다... 하지만... 무전기의 송신 버튼을 눌러서 해영의 말을 끊는 재한.

재한   됐습니다. 거기까지만 들을게요.

씬/49- 4   **N, 현재, 해영의 옥탑방**

해영, 무전기를 보는데...

씬/49- 5   **D, 과거, 재한의 차 안**

재한   ...난... 포기하지 않을 거예요. 어떤 일이 있더라도...

씬/49- 6   **N, 현재, 해영의 옥탑방**

해영   ...(답답한) 형사님... 하지만...

하고 보면, 이미 무전은 끊겨 있다. 해영, 안타깝고 불안하다.

씬/50   **D, 과거, 재한의 차 안**

역시 작동하지 않는 무전기를 바라보고 있는 재한. 마음을 다잡은 듯 서서히 미소가 가시고 얼굴 표정이 굳는다.

씬/51   **N, 현재, 회의실**

마주 앉아 있는 해영과 수현.

수현   지난번에 네가 그랬지. 경찰 조직을 믿을 수 없다고. 아직도 그렇게 생각해?

해영   예.

수현   (보는)

해영   이재한 형사님의 시신이 발견되고, 신고를 받은 경찰이 즉각적으로 움직였지만, 결국 김성범 체포에 실패했죠.

- 인서트

성범의 사무실. 쾅 문을 열고 들이닥치는 형사들. 그러나 사무실 안에는 아무도 없다. 불과 몇 분 전까지 사람이 있었던 듯 컴퓨터가 켜져 있고 마시던 커피 잔이 놓여 있다.

해영(소리) 불과 몇 분 차이로 김성범을 놓쳤습니다. 지금까지도 김성범은 잠적 상태구요.

- 돌아와서

해영 그 짧은 시간 안에 김성범이 눈치를 챘다는 건 보고체계에서 정보가 샜단 거예요. 분명히 경찰 조직 안에 선이 닿아있는 누군가가 있는 겁니다.

수현 ...(생각에 잠기는)

해영 광수대에 이 사실을 알려야 합니다. 안치수 계장이 이재한 형사님을 죽였고, 거기에 김성범이 가담했다. 계장님을 누가 죽였는지 밝혀내는 데 중요한 단서가 될 수 있어요.

수현 광수대엔... 절대 알려선 안 돼.

해영 (보는)

수현 안치수 계장님이 돌아가시고, 현재 광수대의 실질적인 책임자는 김범주 국장이야.

해영 (멈칫해서 보는)

수현 모든 시작은 인주 사건이었다... 계장님이 그러셨다면서? 인주 사건을 지휘한 책임자도 바로 김범주 국장이었어.

해영 ...김범주 국장이 연관이 있다는 건가요?

- 인서트
- 재한의 장례식장 건물 앞. 천천히 다가와 멈춰 서는 자동차. 뒷유리문 천천히 내려가는데, 뒷좌석에 앉아서 차가운 시선으로 장례식장을 바라보는 범주다. 그런 범주의 모습 위로

수현(소리)	김범주 국장, 머리 회전 빠르고, 정치력도 탁월해.

- 다시 옥탑방으로 돌아오면

수현	말단 순경으로 시작해서 경찰청 수사국장까지 올라가는 동안 파격적인 인사 때문에 말도 많았어. 뒤에서 쉬쉬하는 얘기론 정치권이나 재계 인사들과도 꽤 깊은 관계를 유지한다는 소문도 있고...
해영	(보다가 흥분하며) 김범주 국장을 더 파보면 뭐든 나올 겁니다. 인주사건의 책임자였다면, 그때 무슨 일이 있었는지도...
수현	(말 자르며) 경솔하게 행동하지 마. 어디까지나 심증뿐이야.
해영	하지만...
수현	만약 네 추측이 맞는다면, 그 사건 때문에 경찰이... 두 명이나 죽었어. 그만큼 감춰진 비밀이 크다는 얘기겠지. 다른 어떤 사건보다 훨씬 더 조심해서 움직여야 해.

서로를 바라보는 수현과 해영의 모습에서

씬/52   D, 현재, 장기미제 전담팀

책상에 앉아있는 계철, 헌기에게 인주 성폭행 사건과 관련된 서류들을 나눠주고 있는 수현. 계철과 헌기 서로 시선 마주치고는 다시 수현을 본다.

수현	알아. 미친 짓이지. 계장님 사건 때문에 다들 눈알 벌게져 있는데 인주 사건을 수사한다. 맞아. 미친 짓이야.

그때, 헌기 말없이 일어나서 화이트보드를 스르륵 끌고 와서 벽을 만든다.

헌기	미치더라도 조용히 미칩시다.
수현	(보는)

헌기	(목소리 낮추며) 계장님 사건 얘기 듣고 인주사건 좀 알아봤어요. 그때 진범으로 체포된 범인이 박 프로 친형이라면서요? 그 사건 때문에 그렇게 경찰들을 싫어했던 거 맞죠?
계철	다들 그래. 자기 가족이 범인으로 몰리면 억울하다, 내 가족은 아니다. 그런다고. 뭐... 그 어린 나이에 자살한 건 안됐지만...
수현	(계철 보는) 선배도 알아봤나 봐? 인주 사건?
계철	뭔 소리야. 난 몰라.

수현과 헌기, 계철을 본다.

계철	그래, 알아봤다. 뭐... 살펴봤는데... 증인들의 증언이 모두 일치했잖아.
수현	그래. 증인들의 증언. 그거 밖에 없었어. 그러니까, 반대로 하자면 증인들이 모두 거짓말을 했다면 진범은 다른 사람이었다는 거지.
계철	그래서 뭐? 그걸 밝혀봤자, 성폭행은 이번 공소시효 개정안에 포함되지 않았어. 벌써 공소시효가 끝나버렸다고.
수현	이 사건을 풀면, 계장님을 누가 죽였는지 밝혀낼 수도 있어. 계장님은 인주 사건의 진실을 밝히려 돌아가신 거니까...
계철	날고 기는 광수대 애들이 뛰고 있잖아. 왜 우리가 밝혀.
수현	광수대는 박해영을 가장 유력한 용의자로 보고 있어. 하지만, 난 박해영이 계장님을 죽였을 거라고는 생각하지 않아.
계철	물론... 나도 그렇게 생각해. 계장님이 어떤 사람인데... 강력계 형사가 프로파일러한테 당할 리가 있겠어.
헌기	맞아요. 박 프로 몸도 호리호리하니 나랑 캐릭터가 비슷하잖아.
수현	좋아. 그럼 정헌기는 당시 인주서 감식팀에 있던 사람들 통해서 당시 압수된 증거물 감식이 어떻게 됐는지 알아보고 선배는 당시 피해자 신병 좀 파악해 줘.

씬/53   몽타주

- 밤. 회의실, 51씬에서 이어지는 느낌으로

해영	강혜승... 당시 사건 피해자를 찾아내는 게 먼저에요.
수현	넌? 너야말로 그 피해자를 찾아왔을 거 아냐.
해영	그동안 할 수 있는 만큼 찾아봤지만, 찾을 수 없었습니다. 주소지도 허위로 기재됐고, 본인 명의로 된 신용카드, 핸드폰도 없었어요.
수현	...사람 찾는 건 프로파일러가 아니라 강력계 형사한테 맡겨져야지.

– 낮, 장기미제 전담팀 사무실(51씬과 다른 날 느낌으로) 주변을 두리번거리면서 들어서는 계철의 모습 위로

| 수현(소리) | 사람 찾는 댄 김계철 선배만한 사람이 없어. 선수 중에 선수지. |

– 낮, 사무실 수현과 마주 앉아 얘기 중인 계철.

계철	(여전히 주변 눈치보며 낮은 목소리로 속닥거린다) 강혜승, 찾아봤는데, 쉽지가 않아. 주소지도 허위로 기재됐고, 신용카드, 핸드폰도 없어. 게다가 엄마 아빠까지 사망했고 인주 살던 친구들하고도 연락을 끊은 지 꽤 됐더라고. 커넥션이 완전 끊어진 거지.
수현	그래서? 못 찾겠다구?
계철	어허, 성질 급하긴... (책상 밑으로 건강보험공단에서 조사한 서류를 건네며) 딴 건 몰라도 건강보험은 피해 갈 수 없지. 지속적으로 신경정신과를 다녔더라고.
수현	영장도 없이 용하네.
계철	나 김계철이야.

– 낮, 해영의 옥탑방 밖 옥상.
해영, 이불을 터는 척, 자연스럽게 옥탑방 난간 쪽으로 나와서 힐긋, 아래를 보면 해영의 집 밖에 세워져 있는 자동차. 안에 광수대 형사들의 모습이 언뜻 보이고...

– 낮, 해영의 집. 행동하기 편한 옷으로 갈아입는 해영.

- 낮, 해영의 옥탑방 옥상. 가방 메고 집을 나와 광수대 형사들의 눈을 피해 난간을 넘어 옆집 옥상으로 건너뛴다. 그런 해영의 모습위로

수현(소리) 광수대 형사들이 널 주시하고 있어. 조심해야 해.

- 첫 번째 인서트에서 이어지는 장례식장 일각

수현 우리가 인주 사건을 재수사하는 건, 외부에는 절대 알려져선 안 돼.

씬/54   D, 거리 일각

거리에서 초조한 시선으로 수현을 기다리고 있는 해영. 그때, 저 앞쪽에서 다가오는 수현의 자동차. 해영, 주변 한번 두리번거린 뒤, 차에 올라탄다. 곧바로 출발하는 수현의 차.

씬/55   D, 차 안

차를 출발시키는 수현, 해영에게 계철에게 받은 건강보험공단 서류를 넘긴다.

수현 김계철 선배도 거기까지 밖에 알아내지 못했어. 지속적으로 신경정신과를 다녔나 봐.

해영 외상성 스트레스 증후군에 시달렸을 겁니다. 불면증이나 우울증 때문에 약을 처방받아야만 했을 거예요.

수현 신경정신과 주소는 근처 신도시야. 하지만 거기까지야. 병원에 전화해봤는데, 거기도 허위 주소로 기재해놨어. 다음 번 예약도 잡지 않아서 언제 올지도 모르고...

해영 병원 근처일 겁니다.

씬/56   D, 몽타주

- 달리는 차 안의 두 사람의 모습 위로

해영(소리) 다수의 사람들, 특히나 다수의 남자들을 볼 때 두려움과 공포를 느낄 거예요. 대중교통을 이용하는 걸 꺼릴 겁니다. 걸어서 병원에 올 수 있을만한 거리에 살 가능성이 높아요.

- 신경정신과 건물 앞에 도착하는 두 사람. 태블릿 PC에서 주변 지도를 확인하고 있다.

해영(소리) 파출소나 경찰서 같은 공무원을 회피하는 마음도 강할 겁니다. 자신이 노출되는 것도 꺼릴 거예요. 원룸 지역이나 직장인들이 잠만 자고 출근하는 동네 쪽을 수색해 봐야 해요.

- 원룸이 모여 있는 거리 쪽 부동산에 혜승의 고등학생 시절 사진을 보여주고 있는 수현, 하지만 고개 가로젓는 주인.

- 수현과 나눠져서 다른 쪽 원룸 동네 주변 슈퍼마켓에 들리는 해영. 여주인에게 혜승의 사진을 보여주지만, 고개 젓는다. 그런 두 사람의 모습 위로

해영(소리) 신경정신과에 1년 정도의 주기로 한 번씩 들려서 우울증 약을 사갔어요. 한 달 치 정도의 약으로 1년을 버텼다는 건 어느 정도 외상성 스트레스 증후군을 이겨냈을 가능성이 있습니다. 과거를 잊고 새 출발을 했을 겁니다. 직업을 가지고 있을 가능성이 커요.

- 거리를 두리번거리면서 수색 중인 해영의 모습 위로

해영(소리) 지속적으로 사람을 접촉하는 사무직은 아닐 겁니다. 한자리에 오래 앉아서 집중하는 일은 힘들 거예요. 남자들을 자주 만나야 하는 직업도 아닐 거고 전문적인 직업도, 기술을 가진 정도의 직업일 거예요. 가급

적 여성을 상대로 인간관계를 지속적으로 유지하지 않아도 되는 직업일 가능성이 큽니다.

해영, 초조한 시선으로 주변을 두리번거리면서 걷는데, 동네에 위치한 아담한 화장품 가게 앞을 지나가다가... 30대 중반의 단정하고 얌전한 인상의 땅을 보고 걷는 여자가 해영과 멀찌감치 떨어져서 반대편으로 걸어간다. 순간, 멈칫하는 해영. 돌아서서 뒤를 돌아보면 화장품 가게로 다가가서, 열쇠로 문을 열고 있는 30대 중반의 여자. 해영, 화장품 가게를 본다.

해영(소리) 가급적 여성을 상대로 인간관계를 지속적으로 유지하지 않아도 되는 직업...

열쇠를 따고 가게 안으로 들어가는 30대 여자의 뒷모습을 바라보는 해영. 해영, 다급히 다가가서

해영 강혜승 씨.
30대여 (전혀 모르겠다는 얼굴로 돌아보며) 예? 누구요?
해영 강혜승 씨... 아닌가요?
30대여 아닌데요.

해영, 살짝 목례한 뒤 답답한 얼굴로 뒤돌아서는...

- 동네, 네일숍에서 나오는 해영. 그때 해영의 핸드폰 울린다. 보면, 031-700-8990. 모르는 번호다. 그냥 무시하는 해영.

- 옷 수선집에서 답답한 얼굴로 나오는 해영. 그때, 해영의 앞쪽 건물 화장실에서 나오는 혜승(30대 중반). 건물 1층의 미용실로 걸어가는데, 저 앞쪽에서 남자 아저씨들이 대화를 나누면서 다가오자 옆으로 슬쩍 비켜서 걸어가다가 미용실로 다가가는데... 해영, 그런 혜승을 지켜

보다가 다가가는

해영	...강혜승 씨...
혜승	(멈칫해서 뒤돌아보는 눈빛에 불안감이 엄습한다)

그런 혜승을 보자 맞구나, 직감하는...

해영	(신분증을 조심스레 꺼내서 보여주는) 서울청 박해영 경위입니다.
혜승	(겁먹은 얼굴로 뒷걸음질 치는)
해영	99년 인주 사건 때문에 찾아왔습니다.

혜승의 손이 미세하게 떨려온다.

혜승	난 할 말 없어요.
해영	힘드신 거 압니다. 오래 안 걸릴 거예요.
혜승	가세요. 난... 할 말 없다구요.

혜승, 돌아서려는데...

해영(소리)	박선우는 기억하시죠?
혜승	(멈칫, 돌아보는)
해영	박선우... 그때, 진범으로 몰렸던... 박선우가... 내 형이에요.
혜승	(놀라서 바라보는)
해영	최소한 저한테는 해줄 얘기가 있지 않나요?

혜승, 선우에 대한 죄책감에 흔들리기 시작한다.

씬/57   D, 현재, 카페

해영의 연락을 받고 온 듯, 함께 마주 앉아 있는 혜승과 수현, 해영.

수현	이 자리 불편하신 거 압니다. 짧게 여쭤볼게요. 인주 사건의 주범이 박 선우가 맞습니까?
혜승	...
수현	강혜승 씨
혜승	...선우는... 나를 진심으로 대해준 유일한 사람이었어요...

씬/58   N, 과거, 인주시 일각

으슥한 공원 한편에 앉아서 들고 온 비닐봉지에서 캔맥주를 꺼내는 고등학생 혜승. 어두운 얼굴로 캔맥주를 따려는데, 느껴지는 인기척. 저 앞쪽으로 혜승을 향해 걸어오는 교복 차림의 선우다. 혜승, 또 귀찮아지겠구나 짜증나는 얼굴인데

혜승	어떻게 매번 찾아오냐? 너 나 감시해?
선우	그러는 너는 왜 매번 집을 나오는데?
혜승	선도부 놀이는 학교에서나 해.
선우	오늘은 집에 들어가. 계속 이러다가 사고나.
혜승	잘난 척 적당히 해라.
선우	잘난 척이 아니라 너 걱정하는 거야.
혜승	걱정해? 나를?

혜승, 선우를 보다가 소매를 걷어서 맨살을 보여주는데, 혜승의 팔목을 본 선우가 멈칫한다. 보면, 혜승의 팔은 멍들고 베인 상처로 얼룩덜룩하다.

혜승	아빠란 사람이 술 먹고 해 논 거야. 집안이 하루 종일 술 냄새에 절어있다구. 그런데도 내가 집에 가야 돼?
선우	......
혜승	아무것도 모르면서 다 아는 것처럼 나대지 마

혜승, 선우를 무시하고 캔맥주를 따려는데... 그런 혜승의 손에서 캔맥주를 뺏는 선우.

혜승	뭐 하는 거야?
선우	술냄새 싫다면서. 계속 이렇게 살면 너 인생 망가져.
혜승	그래서 뭐?
선우	집에 안 들어갈 거면 혼자 자립할 수 있는 능력을 만들어야지. 내가 도와줄게.
혜승	네가 뭘 어떻게?
선우	기초지식 정도는 알아야 뭐라도 쉽게 배울 거야. 너 공부하는 거 이제부터 내가 봐줄게.
혜승	(보는)
선우	이래뵈도 성적은 전교권이야.

선우, 혜승을 향해 씨익 웃는다. 혜승, 그런 선우를 가만히 바라본다.

씬/59　　　D, 현재, 카페

혜승	날... 진심으로 대해준 건... 선우뿐이었어요. 날... 살린 것도... 선우였죠.

씬/60　　　D, 과거, 인주고 복도

교실과 복도 곳곳에서 삼삼오오 모여서 수군대는 아이들. "그 게시판 얘기 들었어?" "버드나무집?" "그거 3반에 걔라며" 복도 끝에서 아이들의 수군거림을 듣는 혜승, 절망에 가득 찬 얼굴로 뒷걸음질 치다가 뒤돌아 뛰기 시작한다. 11부, 75씬, 옥상을 향해 뛰어 올라가는 혜승이의 모습으로 연결되고...

씬/61　　　D, 과거, 인주고 옥상

쾅 옥상 문이 열리고 난간을 향해 무작정 뛰는 혜승. 난간을 향해 뛴다. 금방이라도 몸을 날리려는데, 순간, 아슬아슬하게 혜승이의 팔을 잡는 누군가... 보면 선우다.

혜승   (거의 패닉이 돼서 손목을 빼려는) 놔! 이거 놔!!

선우, 그런 혜승이를 안타까운 눈빛으로 바라보며

선우   혜승아!
혜승   이거 놔!!
선우   니 잘못 아냐!
혜승   (보는)
선우   니 잘못 아냐. 니가 죽을 이유 하나도 없어.
혜승   (눈물이 흘러내린다)
선우   니 잘못... 아냐.

현재 혜승(소리) 그때 선우는 죽을 뻔한 나를 살려줬는데... ...그런 선우를 내가 배신했어요...

씬/62   과거, 몽타주

- 낮. 병원.
침대 위에 앉아있는 혜승을 향해 무섭게 윽박지르고 있는 혜승 父.

혜승 父   너 어디 가서 쓸데없는 소리 하면 내 손에 먼저 죽을 줄 알어!

- 낮. 범주의 차 안
운전석에 앉아있는 범주, 조수석에는 혜승이 앉아있다. 12부 46씬, 혜승이가 인주서에서 조사받기 직전의 상황.

범주	니 인생은 니가 결정하는 거야. 현명하게 결정해.

- 12부 46씬.

혜승	걔가... 맞아요... (눈물 한줄기 뚝 떨어지며) 박선우... 걔가 그랬어요...

씬/63   D, 현재, 카페

혜승	그때... 난 너무 어렸고, 무서웠어요... 그렇게 하면 모든 게 끝난다고 해서... 그저... 빨리 모든 걸 끝내고 인주를... 그 지옥 같은 곳을 떠나고 싶다는 생각뿐이었어요. (해영을 보며) 미안해요... 정말 미안해요.
수현	그럼 박선우에게 누명을 씌운 진짜 주범은 누구였죠?
혜승	(표정 굳는)

씬/64   D, 과거, 인주 태진의 집 앞

* 자막 - 2000년 2월

높은 담장이 있는 고급 양옥집이다. 대문 앞에는 고급 승용차가 한 대서 있는데 그때 철컥 대문이 열리면서 나오는 교복과 책가방 차림의 태진. 운전기사가 열어주는 자동차 뒷좌석에 자연스럽게 올라탄다. 그리고 조금 떨어진 맞은편 길모퉁이에서 굳은 얼굴로 그런 태진의 모습을 바라보고 있는 재한이다.

씬/65   D, 과거, 인주시 거리 일각

마치 대장처럼 거리를 걷고 있는 태진, 그 뒤쪽으로 태진의 눈치를 보면서 함께 걷고 있는 인주고 간부회 학생 서너 명. 그런 모습을 열받은 시선으로 바라보는 재한의 모습 위로

현재 해영(소리) 인주 시멘트 사장 장성철 아들, 장태진이요?

씬/66　　　　D, 현재, 카페

군은 시선으로 떨리는 눈빛의 해영을 바라보고 있는 혜승

혜승 ...맞아요... 그 사람이에요.

씬/67　　　　D, 과거, 동진의 집

주방 식탁 의자에 혼자 앉아있는 혜승. 선우를 기다리며 무료하게 공책에 낙서를 하고 있다. 그때 주방으로 들어서는 동진.

동진 아무래도 오늘은 선우 못 오나 봐. 그냥 가라. 집에 손님도 있고...

동진, 거실 쪽의 눈치를 살피는데, 혜승도 살짝 고개 빼서 보면 거실 소파에 대충 기대앉아있는 태진의 뒷모습이 보인다.

혜승 알았어.

혜승, 식탁 위에 올려놓았던 참고서 따위를 가방에 챙겨 넣고, 겉옷 챙겨 입은 뒤, 빨간 목도리를 목에 두르고 나가려는데...

태진(소리) 박선우가 과외한다는 애가 얘냐?

혜승과 동진이 보면, 주방 입구 쪽에 비스듬히 기대서 있는 태진이다. 태진의 교복 위에 '장태진'이라는 이름이 실로 수가 놓여있다.

동진 예?... 예

태진 (비웃는) 왜. 서울대라도 가려고?

혜승, 기분 상하지만 대꾸 않고 나가려는데...

태진   박선우라는 놈은 학교에서나 밖에서나 꼴값을 떠는구나.

혜승, 우뚝 멈춰 서서 태진을 향해 돌아서며

혜승   그러는 오빤 뭐가 그렇게 잘났어요?
태진   (보는)
혜승   오빠 전교 1등 하는 거 다 과외해서 그런 거잖아요.
태진   (어이없는 헛웃음) 뭐?
혜승   선우는 자기 혼자 공부해서 전교 3등해요. 진짜 똑똑한 사람은 아빠 빽
           만 믿고 사는 오빠 같은 사람이 아니라 선우라구요.

태진의 표정이 급속도로 굳어지고, 눈에 광기가 돈다.

– 시간 경과되면
내팽겨진 듯, 바닥에 떨어져 있는 혜승이의 가방. 그 안에서 떨어져 있
는 참고서들. 동진, 방문 앞에 서서 어찌할 바를 모르고 안절부절못하
고 있는데, 방 안쪽에서는 몸싸움을 벌이는 듯, 쿵 하는 소리와 혜승이
의 비명소리가 들려온다.

씬/68   **D, 현재, 카페**

혜승이의 얘기를 들은 해영, 부들부들 분노로 떨려온다.

해영   인주시멘트 사장 아들... 장태진... 그 사람이었다구요...
혜승   ...맞아요... 장태진... 그 사람이에요.
해영   그... 한마디... 그 한마디였으면 됐는데... 어떻게... 아무 죄도 없는 우리
           형한테...
수현   박해영, 그만해.

해영	우리 형이 어떻게 됐는데요? 진짜 죄진 놈은 지금도 떵떵거리면서 아무 일도 없었다는 듯이 사는데.. 우리 형은 아무 죄도 없는데... 그 어린 나이에 죽어버렸다구요.

혜승, 선우가 죽었다는 얘기를 듣자, 소스라치게 놀란다.

혜승	...선우가... 선우가... 죽었다구요?
해영	그래요... 자살했습니다. 15년 전에
혜승	자살이라니... 그럴 리가... 그럴 리가 없어요. 한참 뒤에 정신을 차리고 선우를 찾아갔었어요.

씬/69   D, 과거, 소년원 면회실

수의를 입은 선우와 혜승이 유리벽을 사이에 두고 마주 앉아 있다. 혜승은 차마 선우의 얼굴을 보지 못하고 고개만 푹 숙인 채로 앉아있다. 한동안 침묵이 흐르고.

선우	혜승아.
혜승	(움찔)
선우	그때 내가 했던 말. 진심이었어... 니가 잘못한 거 아니야.
혜승	(눈물 그렁그렁해서 선우 보면)
선우	널 그렇게 만든 사람들은 따로 있어. 그러니까 전부 잊어버리고 다시 시작해.
혜승	(눈물 뚝 떨어지는)
선우	(미소 짓는) 괜찮아. 나도 다시 시작할거야. 나, 내 인생 포기하지 않아.
혜승	(왈칵 눈물 쏟는)... 미안해... 미안해....

씬/70   D, 현재, 카페

혜승	마지막으로 본 선우는.. 절대 자살할 사람처럼 보이지 않았어요. 밝은

263

얼굴로... 날 위로해 줬는데... 선우의 그 말 덕분에 견뎠어요. 다 잊어버리고... 잊어버렸다고... 그렇게 믿으면서 살았는데...

해영   강혜승 씨는 그렇게 살았겠죠... 하지만, 우리 형은 아니었어요. 소년원을 나오자마자, 자기 손으로 손목을 그어버렸다구요.

혜승   그럴 리가...

해영   지금이라도 늦지 않았습니다. 형의 결백을 밝혀주세요. 그러려면 강혜승 씨의 증언이 꼭 필요해요.

혜승, 충격과 혼란에 패닉이 된다.

혜승   ...아니요... 저 못해요... 남편이랑 딸이 있어요... 어떻게 얻은 가족인데... 또 다시 가족을 잃을 순 없어요.

해영   강혜승 씨 잘못이 아니잖아요. 강혜승 씨는 피해자예요.

혜승   ...그때, 내가 가장 힘들었던 게 뭔지 알아요? 내 잘못이 아닌데... 사람들은 날 손가락질했어요. 여자애가 처신을 어떻게 했길래... 몸을 어떻게 굴렸길래... 15년 전도... 지금도 똑같아요. 난... 그런 일을 또 다시 당하고 싶지 않아요.

해영   그럼 우리 형은요!

수현   그만해 이제.

해영   강혜승 씨!

혜승   죄송합니다...

급히 일어나 도망치듯 카페를 나가는 혜승. 해영이 뒤쫓아 가려는데 수현이 해영을 붙잡는다.

수현   박해영! 성폭행 공소시효는 이미 끝났어. 증언을 한다고 해도 우리가 할 수 있는 건 아무것도 없어.

해영   (형에 대한 기억으로 감정이 폭발하는) 장태진이 어떤 인간인 줄 알아요? 아버지는 인주시멘트 사장이고 큰아버지는 국회의원 장영철이에요. 지금도 인주에서 왕처럼 군림하면서 산다구요.

수현	...
해영	우리 형은 그 어린 나이에 죽었는데! 누명을 쓰고 그렇게 비참하게 죽어버렸는데 정작 범인은 아무 일도 없는 것처럼.. 도대체.. 이런 법이 어딨습니까... 그동안 나는... 나는...
수현	어쩔 수 없어...

해영, 울컥 눈물이 차오르는...

해영	...아직 기회가 있어요. 지금은 몰라도 과거라면... 뭔가 방법이 있을 거예요. 그때 진범을 잡는다면, 우리 형도... 이재한 형사님도 살릴 수 있을 수도 있어요.
수현	(멈칫) 그게 무슨 소리야? 해영, 수현의 말에 대꾸도 없이 말릴 새도 없이 카페를 나가버린다. 수현, 그런 해영을 다급히 뒤쫓아 나가는데 택시에 올라타서 멀어지는 해영. 그런 해영을 바라보는 수현의 눈빛.

씬/71   N, 해영의 옥탑방

손에 쥐고 있는 무전기를 바라보는 해영. 시계를 보면, 11시 21분이다. 해영, 다시 무전기를 뚫어져라 바라본다.

해영	(간절한) 형사님 제발... 제발...

씬/72   N, 과거, 기동차량 안

기동차량 뒷좌석, 재한의 옷자락 안에서 치치칙 무전 잡음이 들려오고 있다.

씬/73   N, 현재, 해영의 옥탑방 계단

옥탑방 건물 계단을 올라가고 있는 수현, 건물을 미심쩍은 표정으로 올려다본다.

- 인서트

해영　　　...아직 기회가 있어요. 지금은 몰라도 과거라면... 뭔가 방법이 있을 거예요. 그때 진범을 잡는다면, 우리 형도... 이재한 형사님도 살릴 수 있을 수도 있어요.

- 돌아오면, 수현, 건물을 올려다보는

씬/74　　　**N, 현재, 해영의 옥탑방**

해영, 무전기에 대고 다급하게 말을 걸고 있다.

해영　　　이재한 형사님!! 형사님!!!

씬/75　　　**N, 현재, 해영의 옥탑방 밖**

해영의 문을 두드리려던 수현, 안에서 들려오는 '이재한 형사님!' 하는 해영의 다급한 말소리에 멈칫한다.

수현　　　...이재한 형사?

13부 끝

시그널 The Signal

14부

주차장으로 들어오는 재한의 차.

* 자막 - 2000년 2월 15일

무표정한 얼굴로 내려서서 건물 쪽으로 향하는 재한. 순간 끼이익 마찰음을 내면서 재한의 앞에 위협적으로 서는 고급 승용차. 승용차 운전석에서 내리는 사람, 범주다. 재한에게 저벅저벅 다가오는 범주. 재한은 이미 예상했었다는 듯한 표정이다.

재한	야, 차 좋네요. 인주 사건 아주 잘 마무리 지어서 서울청 형사과장까지 승진하시더니, 잘 나가시나 봅니다. 그렇게 잘 나가시는 분이 여긴 웬일이십니까?
범주	내 뒤통수치려고 1년 동안 꽤 바빴겠어.
재한	(피식 웃는) 감사관실까지 정보통이 있었나 보죠? 그 동안 여기저기 많이도 헤쳐 드셨더라고요. 그래서 감사관실에 좀 찔러 줬습니다. 이번엔... 저 위에 계신 분도 어쩔 수 없을 거예요.
범주	(열 받은) 이재한!
재한	과장님 뒤통수 뿐만이 아닙니다.
범주	(보는)
재한	인주시멘트 사장 아들... 장영철 의원 조카, 장태진... 잘 아시죠?
범주	(태진의 이름이 거론되자, 차갑게 굳는)
재한	그리고... 인주 사건... 최초 가해자였죠.
범주	그 사건 주범은 박선우였어.
재한	맞습니다. 다들 그렇게 증언했어요. 과장님 말대로 그 지역 사람들은 끝까지 입을 다물었습니다. 그러니까... 진실을 말해줄 사람은... 단 한 명 뿐이에요. 바로... 김범주 당신이지.
범주	(보는)
재한	본인 입으로 그동안 저질렀던 더러운 짓거리들을 다 자백하게 만들 거

야. 물론 인주 사건까지 포함해서.

범주　　　(싸늘한 분노로 보다가) 그래 누가 먼저 죽어나갈지 두고 보지.

재한을 바라보는 범주의 차가운 눈빛, 재한 역시 범주를 싸늘하게 쳐다본다.

씬/2　　　**D, 과거, 형기대 사무실**

굳은 얼굴로 사무실로 들어서는 재한, 자리에 가서 앉으려는데, 어디선
가 툭 튀어나온 수현이 다짜고짜 재한의 앞을 가로막는다.

수현　　　하루 종일 어딜 다녀오십니까?
재한　　　일이 좀 있었어.
수현　　　무슨 일인데요?

재한, 말없이 자기 자리로 향하려는데, 그 앞을 다시 가로막는 수현.

수현　　　어딜 앉으시려구요. 바로 나가셔야 합니다. 반장님이 연우동 발바리 사
　　　　　　　건, 잠복 나가랍니다.
재한　　　연우동 발바리, 내 담당 아니잖아.

그때, 재한과 수현에게 다가오는 형사 1

형사 1　　　다 같은 형기대에서 니일 내일이 어딨어? 연우동 발바리 1년 동안 20
　　　　　　　건이나 해 먹은 놈이야. 잡아야 될 거 아냐.
수현　　　그럼요. 나갑시다.

수현, 먼저 보무도 당당하게 나가고, 재한 의아한 듯 형사 1과 수현 번갈
아 보다가 그 뒤를 따른다. 그런 두 사람 보는 형사 1에게 다가오는 형사 2

형사 2　　　그 사건 다른 팀도 잠복 나갔잖아?

형사 1	차수현이 걱정이 많더라.
형사 2	재한이 저거 때문에?
형사 1	인주 갔다 와서 쟤 좀 이상해졌잖아. 잘 웃지도 않고 말수도 적고 저럴 땐 아무 생각 안 들게 현장에서 막 굴리는 게 최고거든.

씬/3 　　　N, 과거, 주택가 일각

한적한 주택가 구석에 세워져 있는 기동차량.

씬/4 　　　N, 과거, 기동차량 안

운전석에 앉아있는 수현, 커피를 마시면서 눈을 비비면서 전방을 주시하고 있다. 수현, 보면 어느새 잠들어 있는 재한이다.

수현	(걱정스런) 도대체 어디서 무슨 일을 하고 다니시는 거야... 얼굴도 좀 야윈 것 같고...

그때, 자세가 불편한지 몸을 뒤척이는 재한, 수현, 자기 겉옷 벗어서 그런 재한 덮어주려는데.. 얼굴이 너무 가깝다. 수현, 헉, 뒤로 물러서려다가... 자기도 모르게 재한의 얼굴을 빤히 쳐다보는데.. 그때 어디선가 치치칙 무전기 잡음이 들려온다. 퍼뜩 정신 차린 수현, 무슨 소리지 하며 주위를 둘러본다.

씬/5 　　　N, 현재, 해영의 옥탑방

13부, 71씬에 이어지는... 손에 쥐고 있는 무전기를 바라보는 해영. 시계를 보면, 11시 21분이다. 해영, 다시 무전기를 뚫어져라 바라본다.

해영	(간절한) 형사님 제발... 제발...

씬/6   N, 현재, 해영의 옥탑방 계단

옥탑방 건물 계단을 올라가고 있는 수현, 건물을 미심쩍은 표정으로 올려다본다.

– 인서트

해영   ...아직 기회가 있어요. 지금은 몰라도 과거라면... 뭔가 방법이 있을 거예요. 그때 진범을 잡는다면, 우리 형도... 이재한 형사님도 살릴 수 있을 수도 있어요.

– 돌아오면, 수현, 건물을 올려다보는

씬/7   N, 현재, 해영의 옥탑방

방 안에 퍼지는 치치칙 잡음 소리. 시계는 11시 23분을 가리키고 있다. 해영, 손에 들린 무전기에서도 치치칙 잡음이 들려오기 시작한다.

씬/8   N, 과거, 기동차량 안

수현, 무전기 잡음에 주머니에서 자신의 무전기를 꺼내보지만 잠잠하다. 차 안을 둘러보던 수현, 뒤를 돌아보면 뒷좌석에 재한이 벗어놓은 외투가 놓여있고, 그 주머니에서 삐죽이 노란 스마일 스티커 무전기가 튀어나와있다.

씬/9   N, 현재, 해영의 옥탑방

해영, 무전기에 대고 다급하게 말을 걸고 있다.

해영   이재한 형사님!! 형사님!!!

N, 현재, 해영의 옥탑방 밖

옥탑방에 노크를 하려는 수현인데 그때 안쪽에서 해영의 목소리가 들린다.

해영(소리)   이재한 형사님!! 형사님!!

수현, 멈칫하는...

수현   이재한...?

씬/11   **N, 과거, 기동차량 안**

수현, 몸을 뒤로 돌려 스마일 스티커가 붙은 무전기를 보는데, 무전기 울리면서 흘러나오는 해영의 목소리.

해영(소리)   이재한 형사님...

놀라서 그런 무전기를 바라보는 과거의 수현. 그 순간, 들려오는 재한의 목소리.

재한(소리)   저거 뭐야!

그와 동시에 차를 튀어나가는 재한, 저 앞쪽으로 집 담을 넘은 수상한 그림자가 도주하고 있다. 수현, 역시 재한의 뒤를 쫓아 튀어나간다. 차 안 비추면, 뒷좌석에서 계속 울리고 있는 무전기. 해영, '이재한 형사님!' 부르고 있다.

씬/12   **N, 현재, 해영의 옥탑방**

대답이 없자, 더욱 초조한 얼굴로 한 번 더 재한을 부르려는데, 꺼지는 무전기. 해영, 답답한 얼굴로 꺼진 무전기를 내려다본다.

씬/13   N, 과거, 주택가 일각

골목길에서 뛰어나오는 재한. 주위를 두리번대고 있으면 이어서 맞은
편 길에서 수현이 뛰어나온다. 재한이 수현 보면, 수현 고개 절레절레
흔든다. 재한과 수현, 주변을 둘러보지만 아무도 보이지 않는다.

재한	(짜증 팍) 나 잔다고 너까지 정신을 놓냐!
수현	죄송합니다... 무전소리가 들린 거 같아서 찾아보다가...
재한	(멈칫)... 무전?
수현	선배님 부적이요. 그 무전기에서 분명히 소리가 들렸는데
재한	...그 고물에서 무슨 소리가 나겠냐. 헛소리 그만하고 발바리나 더 찾아.

씬/14   N, 현재, 해영의 옥탑방

꺼진 무전기를 답답한 얼굴로 바라보던 해영. 도저히 무전만을 기다리
고 있을 수 없는 듯, 대충 겉옷을 들고 밖으로 나간다.

씬/15   N, 현재, 해영의 옥탑방 밖

벌컥 문이 열리고 해영이 빠르게 계단을 내려간다. 해영의 발소리가 멀
어지자 옥탑 뒤쪽에서 천천히 걸어 나오는 누군가의 발, 틸업하면 수현
이다. 해영이 사라진 곳을 바라보던 수현, 멀어지는 해영의 발자국 소
리를 확인하고는 옥탑방 문을 열고 안으로 들어간다.

씬/16   N, 해영의 옥탑방

조심스럽게 방 안으로 들어오는 수현. 주변을 둘러보다가 무언가를 발
견한다. 책상 위에 어지럽게 흩어져 있는 인주 사건 자료들 사이, 덩그
러니 놓여있는 낡은 무전기. 수현이 무전기를 집어 들고 살펴보다가 멈
칫하는데, 무전기 밑바닥에 붙어있는 헤진 노란 스마일 스티커다.

수현	...이게 왜...

씬/17   N, 도로 일각

밤길을 달리고 있는 해영의 차, 초조한 얼굴로 운전하는 해영이다. 차가 향하는 방향에 보이는 '인주'라고 적힌 교통 표지판. 해영, 악셀을 밟아 속도를 올린다.

씬/18   N, 인주시 PC방

게임을 하는 남자 손님들이 사이 인터넷 고스톱을 치고 있는 30대의 일진 1이다. 그때 벌컥 PC방 문이 열리고 해영이 들이닥친다. 해영을 알아본 일진 1, 멈칫한다.

씬/19   N, 건물 외곽

쾅! 해영에게 한 대 맞은 듯, 나뒹구는 일진 1.

일진 1	(확 열 받은 얼굴로) 이게 진짜...
해영	99년 사건, 장태진이 주범이었던 거 처음부터 알고 있었지?
일진 1	(멈칫)
해영	우리 형이 누명 쓰고 죽어 가는걸 알면서도 다들 손 놓고 보기만 했던 거잖아!!
일진 1	그래서 뭐? 16년이나 지난 일을 이제 와서 뭘 어쩌겠다고 난리들인데?
해영	난리들? 나 말고 또 누가 찾아왔어?
일진 1	그 아저씨, 늙다리 형사.
해영	(멈칫하는)... 형사... 그 형사 이름이... 안치수였어?
일진 1	하. 경찰바닥도 못지않게 좁나보네.
해영	뭐라고 했는데?
일진 1	...
해영	(멱살 잡고 흔드는) 얘기해!

| 일진 1 | 선우가 목도리를 갖고 있었다는 걸 증언해 달라더라. |
| 해영 | 뭐? |

– 인서트
인주 거리 일각 마주 보고 얘기 중인 치수와 일진 1.

치수	네가 박선우한테 얘기해 줬다면서 그 빨간 목도리... 장태진이 인주 사건의 진범이라는 걸 입증할 증거.
일진 1	...갑자기 그 얘긴 왜요?
치수	박선우한테 그 목도리를 전해준 것도 너고...
일진 1	그래서 뭐요. 그걸 박선우가 갖고 있었건 아니건, 어차피 인주 사건 공소시효 다 끝났잖아요. 그런데 뭘 더 수사하려고...
치수	...그 사건을 수사겠다는 게 아냐.
일진 1	예?
치수	내가 밝히려는 건 인주 사건이 아니라고...

– 다시 현재 건물 뒤편으로 돌아오면 일진 1의 얘기에 혼란스럽기만 하다.

| 해영 | 인주... 사건이 아니라.. 다른 사건을 캐고 있었다고? |
| 일진 1 | (멱살을 잡은 해영의 손을 떼내며) 그게 다야. 그것만 묻고 가버렸어. |

해영, 모든 게 혼란스럽다. 도대체 치수가 뭘 하려고 한 거지?

| 해영 | ...그 다음에 안치수 계장님, 어디로 갔는지 알아? |

일진 1, 해영을 바라보는...

씬/20   N, 인주시 거리 일각

혼란스러운 얼굴로 차에 올라타는 해영. 조수석에 놓인 핸드폰 연신 올

려댄다. 031-700-8990(경기도의 공중전화번호) 뜨지만, 해영, 알아채
지 못하고 차를 출발시킨다.

씬/21　　　　　**N, 인주서 건물 외경**

씬/22　　　　　**N, 인주서 수사지원팀**

'수시 지원팀'이라는 팻말에서 빠지면, 해영이 서 있다. 곧 해영에게 다
가온 직원이 수사자료를 넘겨준다.

직원　　　며칠 전, 안치수 형사님께서 요청하셨던 자룝니다.

해영, 자료를 보는데, 뭔가 이상하다. 건네받은 수사 자료를 보면, 표지
에 '박선우 변사사건'라고 적혀있다. 해영, 혼란스러운 얼굴로 보다가
돌아서려는 직원을 붙잡는

해영　　　인주 성폭행 사건이 아니라, 이 사건 자료를 요청하신 게 확실합니까?
직원　　　예.

씬/23　　　　　**N, 경찰청, 수사국장실**

자리에 앉아서 문 형사에게 보고를 받고 있는 범주.

문 형사　　안치수 계장님이 죽기 전, 인주서에서 그 사건 수사 자료를 요청하셨답
니다. 15년 전 박해영의 형이 자살한 사건이었습니다.

복사본 수사자료 표지는 '박선우 변사사건'이다. 수사 자료를 바라보는
범주의 눈빛, 차갑다.

씬/24　　　　　**N, 현재, 장기미제 전담팀 사무실**

텅 빈 사무실 책상에 앉아있는 수현, 손에는 무전기가 들려있다. 혼란스러운 표정으로 무전기를 바라본다.

- 인서트
- 7부 32씬

경찰 신분증 뒤에 붙어있던 작은 스마일 스티커를 떼어서 재한의 무전기 바닥에 붙여놓는 수현. 뿌듯하게 보는...

- 7부 28씬

치수 이재한 형사가 부적처럼 가지고 다니던 무전기 기억나지?
수현 (멈칫 보는)
치수 노란색 스마일 스티커... 니가 붙인 거 맞지?

- 12부 12씬

수현 안치수 계장님 유품에서 혹시 무전기 안 나왔어? 노란색 스마일 스티커가 붙은 무전기야.

- 돌아와서, 수현, 무전기 아래쪽을 보면 낡고 헤진 노란색 스마일 스티커가 붙어있다.

수현 분명히 선배님 무전기야...

무전기를 바라보는 수현, 무전기 아래쪽의 노란색 스마일스티커 보인다.

씬/25 **D, 과거, 형기대 사무실**

전 씬에 보여졌던 헤진 스마일 스티커가 조금 덜 낡은 스티커로 오버랩되고, 화면 빠지면 재한의 책상 위에 놓여있는 무전기다. 그리고 그 무

277

전기를 들어 올리는 손, 수현이다. 가만히 무전기를 바라보는 수현.

수현   분명히 소리가 들렸는데...

수현, 무전기를 이리저리 살펴보고 흔들어보는데, 그때 불쑥 무전기를 뺏어드는 손, 수현이 놀라서 보면 재한이다.

재한   누가 내 물건에 함부로 손대랬어?
수현   그거 진짜 고장 난 거 맞아요?
재한   하 정말.. (무전기 들이대며 이것저것 눌러 보이는) 봐라 봐봐. 어디 불이라도 하나 들어오냐?

수현, 이상하다 싶은데... 그러다가 문득

수현   ...근데 그런 걸 왜 가지고 다니세요?
재한   뭐?
수현   선배님 부적이라면서요. 왜 그게 부적인데요?
재한   (순간 당황) 그걸 네가 알아서 뭐 하려고. 그만 좀 귀찮게 해라.

재한, 홱 뒤돌아 가면, 수현은 여전히 찜찜한 얼굴로 그런 재한을 본다.

씬/26   **D, 과거, 관할서 복도** (경찰서 느낌 나는 복도면 될 것 같습니다)

복도를 걸어오는 관할형사 1. 수현, 저 앞에서 관할형사 1을 기다리고 있던 듯 다가오며

수현   (신분증 보여주며) 형기대 차수현입니다. 이틀 전 발생한 강연동 강간 미수 사건 담당 형사님이시죠?

– 시간 경과되면

278

복도 한편에서 서서 얘기 중인 관할형사 1과 수현.

관할형사 1   수사해 보니까, 그거 남자친구가 범인이었어. 연우동 발바리하곤 상관
           없는 사건이야.
수현   (실망한) 아... 예. 알겠습니다.
관할형사 1   그런데, 형기대 강력 1팀이면 이재한하곤 잘 알겠네?
수현   (반색) 이재한 선배님을 아세요?
관할형사 1   그럼. 영산서에서 몇 년 같이 근무했지.

수현, 눈 똥그래져서 바라본다.

씬/27   D, 과거, 관할서 휴게실

휴게실에 앉아있는 관할형사 1의 앞에 캔커피에 물 부은 컵라면을 대
령하는 수현.

관할형사 1   아 뭐 안 이래도 되는데...
수현   아뇨. 수사에 도움도 주셨는데 이 정도는 해드려야죠. (하다) 그런데...
           영산서에 계셨으면... 이재한 선배님에 대해 잘 아시겠네요?
관할형사 1   뭐... 그런 편이지.
수현   그럼, 혹시 그 무전기에 대해서 아세요?
관할형사 1   무전기 (생각하다가) 아... 재한이가 계속 끼고 다니던 그거?
수현   (호기심 어린 눈으로 보며) 그건 왜 그렇게 계속 갖고 다니시는 거래요?
관할형사 1   그거, 재한이 첫사랑이랑 관련 있는 물건이라 그러던데...

'헉' 얼음이 돼버리는 수현. 그럴 리가...

수현   처... 첫사랑...이요?
관할형사 1   그 첫사랑이 죽었다는데, 그것 때문에 계속 갖고 다닌다 그러더라고.
           덩치는 산만한 게 완전 순정파야, 순정파.

수현   (띵하다...)
관할형사 1 걔, 요즘도 영화관 안 가지? 그 여자가 남긴 유품이 영화표였대.

띵한 수현의 얼굴에서

– 인서트
9부 7씬.

수현   선배님, 크리스마스 때 뭐 하십니까? (영화표 두 장 내밀며) 공짜 영화
        표가 생겨서 말입니다. 친구 분하고 같이 보러 가시라고...
재한   (얼굴 보일 듯 말 듯 굳어서 멈춰 선다) 나 영화 안 봐.
수현   예?
재한   안 본다고.

씬/28   D, 과거, 몽타주

– 형기대 사무실에 멍하니 수사자료를 보고 있는 수현.
– 형기대 사무실 테이블에서 배달된 짜장면을 먹고 있는 재한과 수현
을 비롯한 형사들. 다들, 게걸스럽게 랩 뜯어서 흡입하는데... 재한과
형사들, 문득 어딘가를 이상하게 본다. 간짜장을 시킨 수현, 짜장면 그
릇 랩도 뜯지 않고 멍하니 그 위에 간짜장 소스 붓고 있다.

형사 1 저거 왜 저래? 야...

수현, 그제서야 눈치 채고 난감한 듯 내려다보는

– 남자 화장실, 재한과 형사 1 정도 볼일을 보고 있는데, 생각에 잠긴
시무룩한 수현, 바닥만 보면서 걸어 들어온다. 히익!! 놀라서 보는데,
수현, 뭐가 잘못됐는지도 모르고, 변기칸으로 들어가 버리고... 재한과
형사 1, 기가막힌 얼굴로 보는

형사 1	뭐야, 여자 화장실 막혔어?

재한은 수현, 들어간 쪽 보는 눈빛. 맘에 걸리는...

씬/29   N, 과거, 형기대 사무실

다들, 퇴근 혹은 외근 중인 듯, 한산한 사무실. 재한, 책상에 앉아서 서류작업 중인데... 어디선가 들려오는 '쿵!!!' 하는 소리. 보면, 정수기 물통을 갈다가 정수기 물통을 발에 정통으로 떨어뜨린 듯 발을 부여잡고 있는 수현이다.

재한	(일어나서 다급히 다가가며) 야!!
수현	(아... 아픔이 몰려오지만, 일어나서 정수기통 다시 잡는) 죄송합니다. 다시 갈겠습니다.

재한, 답답한 얼굴로 그런 수현 보다가 어깨 잡아서 일으켜 세워 옆에 있는 의자에 앉힌 뒤, 발을 살펴본다.

재한	괜찮냐? 부은 거 같은데...
수현	괜찮습니다.
재한	(발 살펴보다가 수현 보는) 너 요즘 왜 그래? 그렇게 정신머리 놓고 다니면서 현장은 어떻게 나갈래? 현장 나가서 큰일 치르고 싶어?

수현, 자기를 향해 타박하는 재한을 가만히 바라보다가

수현	아직도 그분 못 잊으셨어요?
재한	뭐?
수현	선배님 첫 사랑이요... 돌아가셨다는 그 분...
재한	(멈칫하며 보다가) 헛소리 나불대는 거 보니까, 많이 다치진 않았나 보네. 혹시 모르니까, 냉찜질 꼭 해라.

돌아서서 사무실을 나가버리는 재한. 수현, 마음이 찡해온다. 얼굴 어두워지는

씬/30 　　　 D, 현재, 인주시 일각, 주택 앞

이른 아침, 평범한 단독주택 앞에 서 있는 초조해 보이는 해영. 그때, 출근하는 듯 집문을 열고 나오는 선우 자살 사건의 담당 형사 (40대 중반, 남). 해영, 그런 형사의 앞을 막으며

해영　　　(변사사건 수사 자료를 보여주며) 이 사건 담당하셨죠? 2000년, 박선우가 자살한 사건이요.
형사　　　당신 누군데, 갑자기...
해영　　　전 그때 죽은 박선우 동생입니다. 갑자기 찾아와서 이러는 거 이상하게 보이겠지만, 제게 중요한 일이라서 그래요.
형사　　　(보는)
해영　　　그때, 무슨 일이 있었는지... 제발 얘기해 주세요. 절박해 보이는 해영을 바라보는 형사.

씬/31 　　　 N, 현재, 편의점

편의점 안에 비치된 간이 테이블에 캔커피 정도 놓고 마주 앉아 있는 형사와 해영. 형사, 해영이 건네준 선우 사건의 수사 자료를 살펴보고 있다.

해영　　　그때, 사건을 수사하실 때, 뭐 이상한 점은 없었나요? 조금이라도 미심쩍은 부분이라도...
형사　　　여기 있는 그대로야.
해영　　　(보는)
형사　　　변사자 동생이었다면, 그때... 같이 있었으니까, 기억날 거 아냐.

해영의 시선, 선우 사건 수사자료 중 첨부된 선우의 자살 현장 사진을 바라본다. 바닥에 검붉게 말라붙어있는 핏자국들. 그 옆에 떨어져 있는 커터 칼에서...

씬/32   과거, 몽타주

- 낮, 2000년 인주 해영 母의 집. 하얗게 질린 얼굴로 굳은 채 어딘가를 보고 있는 어린 해영. 카메라 돌면, 방 안 핏물 속에 쓰러져있는 선우다.

- 낮, 인주 병원 응급실
이동 침대에 실려서 다급히 응급실로 들어오는 정신을 잃은 선우. 그런 선우에게 달려와서 응급처치를 시작하는 의료진들 중, 링거에서 채혈을 시작하는 간호사. 그 뒤에서 겁먹은 얼굴로 뒤따라오는 어린 해영.

- 낮, 동장소
응급실로 뛰어 들어오는 해영 母, 지나가던 간호사를 붙잡고 물어본다.

해영 母   (떨리는 목소리) 여기 박선우라고... 119에 실려 온 남자앤데요...

하는데, 멈칫 보면 저 앞에 어느 침대 옆에 해영이 앉아있다.

해영 母   해영아...

해영, 돌아보면, 온통 눈물범벅이다.

해영   엄마...
해영 母   네가 왜 여기...
해영   (울먹이며) 형이...

그제야 해영 옆의 침대에 눈이 가는데, 침대 위에 하얀 천을 덮어쓰고 있는 사람의 형상이 보인다. 해영 母, 뚝뚝 눈물을 흘리는 해영과 침대 위의 시신을 번갈아 바라보다가, 선우가 죽은 것을 직감하고 다리에 힘이 풀려 그 자리에 주저앉아 버린다.

- 응급실 다른 일각. 담당형사가 구급대원과 이야기하고 있다.

구급대원   방 안이 어질러진 것도 아니었고 몸싸움 흔적도 없었어요.

담당 형사가 흘깃 보면, 선우의 시신을 끌어안고 서럽게 울고 있는 해영 母가 보인다. 그 옆에 멍하니 있는 해영.

- 밤, 영안실 앞 복도
초췌한 모습으로 당시 30대 초반이었던 담당 형사의 얘기를 듣고 있는 해영 母. 해영은 해영 母의 옷자락을 꼭 붙든 채 옆에 붙어있다.

형사   아드님이 우울증이 있었더군요. 소년원 수감생들의 증언이 일치했습니다. 자살이 확실한 걸로 보이는데 그래도 혹시 부검을 원하시면...

해영 母   ...(눈물 가득한) 아니요... 선우 몸에 더는 칼을 대고 싶지 않아요...

그때 영안실 복도로 뛰어 들어오는 해영 父.

해영 父   박해영!
해영   (뒤로 주춤)... 아빠...

저벅저벅 해영에게 다가온 해영 父, 해영 母와는 눈도 마주치지 않고 해영의 손을 우왁스럽게 잡고 끌고간다.

해영 父   엄마든 형이든 두 번 다시 볼 생각 말랬지!
해영   (해영 父 손에 이끌려가며) 그치만 형이...

아빠에게 끌려가는 해영, 뒤돌아서 엄마를 바라본다.

해영   엄마...

해영, 해영 母와 시선 마주치지만, 해영 母는 그 자리에 우두커니 서서 멀어지는 해영을 바라만 볼뿐이다.

씬/33   **D, 현재, 해영의 차 안**

운전석에 앉아 수사 자료를 바라보고 있는 해영의 모습에서

– 인서트
– 8씬, 일진 1을 찾아온 치수

치수   내가 진실을 밝히겠다는 건 인주 사건이 아니라고...

– 10씬, 해영에게 박선우 변사사건 수사 자료를 건네는 직원.

직원   며칠 전, 안치수 형사님께서 요청하셨던 자룝니다.

– 11부, 91씬. 해영에게 전화를 건 치수

치수   진실을 알고도 감당할 수 있다면... 내려와. 인주로...

– 다시 차 안으로 돌아오면 모든 게 혼란스러운 해영.

해영   계장님은 대체 뭘 밝히려고 했던 거지?...

해영이 보고 있는, 수사 자료에 적혀있는 사망일 2000년 2월 18일이라는 글씨가 클로즈업된다.

씬/34   D, 과거, 소년원 앞

* 자막 - 2000년 2월 17일

철컹하고 문이 열리면 안쪽에서 네 다섯 명의 십 대 아이들이 나온다.
그리고 무리의 제일 마지막으로 나오는 선우다. 눈부신 햇빛에 살짝 한
번 찡그린 선우. 다시 앞을 보는데 멈칫한다. 선우 앞에 서 있는 해영
母. 선우를 향해 저벅저벅 다가온 해영 母가 덥석 선우의 손목을 잡아
끌며 빠른 걸음으로 걷기 시작한다.

선우   ...엄마...
해영 母   조용히... 그냥 가자.

선우는 해영 母가 이끄는 대로 묵묵히 걷는다.

씬/35   D, 과거, 인주 해영 母의 집

해영 母를 따라 집 안으로 들어온 선우, 1년 만에 들어온 집이 어쩐지 낯설다.

- 시간 경과되면
식탁 위에 차려져있는 따뜻한 밥상. 간단히 찌개와 밑반찬 따위지만 정
성이 느껴진다. 엄마가 차려준 밥상을 내려다보고 있는 선우.

해영 母   다 먹은 그릇은 싱크대에 넣어놔. 엄마 식당 나가봐야 돼.

해영 母 , 선우를 스쳐 지나가는데,

선우   해영이는?
해영 母   (멈칫)
선우   해영이는 어딨어?

286

| 해영 母 | (역시 해영이 그립다. 슬픈)... 이제 해영이 볼 생각하지 마라. |

해영 母, 그대로 밖으로 나가버린다. 어두워지는 선우의 표정.
텅 빈 집안을 둘러보는 선우의 얼굴에 슬픔이 묻어있다.

씬/36　　　D, 과거, 선우의 방

드르륵, 책상 서랍을 여는 선우. 서랍 안에는 볼펜, 포스트잇, 스테이플
러 등 사무용품 따위가 정리돼 있다. 그 가운데 놓여있는 8씬 수사자료
현장 사진에서 떨어져 있던 커터 칼. 선우, 가라앉은 눈빛으로 서랍 안
을 바라보다가, 천천히 서랍을 닫는다.

씬/37　　　D, 과거, 버드나무 집

버드나무집 앞으로 어두운 얼굴로 걸어오는 동진. 그때, 집 앞에 서 있
는 누군가를 보고 겁먹은 얼굴로 멈칫한다. 집 앞에서 동진을 기다리던
사람, 바로 선우다. 동진, 무서운 거라도 본 듯, 뒤돌아 도망가려는데

| 선우 | 이동진! |

동진, 멈칫 멈춰 서고... 천천히 뒤돌아보는 선우, 그런 동진에게 담담
한 얼굴로 터벅터벅 다가온다.

선우	너한테 따지려고 찾아온 거 아냐.
동진	...(떨리는 눈빛으로 보는)
선우	소년원에서... 다 들었어... 누가 진짜 범인인지...
동진	(놀라서 굳은 눈빛으로 보는)
선우	넌 가만있어. 내가 알아서 할 테니까... 그게 어딨는지만 얘기해줘.
동진	(보는) 뭐...뭘...
선우	빨간 목도리... 어딨니?

동진을 바라보는 맑은 선우의 눈빛에서

씬/38   **D, 과거, 시계방**

딸랑 소리와 함께 시계방 문 열리면 출근 복장으로 들어서는 재한. 출근인사만 하고 나가려고 했던 듯, 몸만 내밀며

재한   저 갔다 올께요.

하는데, 멈칫한다. 시계방 안을 보면, 재한 父와 마주앉아 있는 사람... 바로 범주다. 차갑게 굳는 재한의 눈빛.

재한   여긴 왜 온 겁니까?
재한 父   (놀라서) 아는 분이시냐? 시계 고치러 오셨다는데...
범주   (재한 보며) 여기가 이재한 형사 가게였어? (재한 父에게) 몰라 봬서 죄송합니다. 이재한 형사랑 같은 형기대에서 근무했던 김범줍니다.
재한 父   아이고... 저도 그것도 모르고... 제가 커피라도 한 잔 대접하겠습니다. 잠시만...
재한   (말 자르며) 나오시죠.
범주   (미소 지으면서) 왜 이래. 아버님 정성을 무시하는 것도 결례지.
재한   (차갑게) 나오시라고.

씬/39   **D, 과거, 시계방 인근 거리 일각**

화난 얼굴로 걸어오는 재한, 그 뒤를 따라오는 범주. 재한, 시계방이 보이지 않을 정도까지 오자 돌아서서 범주를 본다.

재한   뭡니까? 바쁘신 서울청 형사과장님이 여기까지 시계를 고치러 왔으면 하실 말씀이 있으실 거 아니에요.
범주   ...하나뿐인 아들이 돼서 집에 신경 좀 쓰지.

재한	(보면)
범주	아버님 시계방이 요즘 어렵던데... 까딱하다가는 가게까지 넘어가겠어. 평생을 바친 가겐데... 아버님, 맘도 헤아려 드려야지.
재한	...조사 많이 하셨네. 언제나 이런 식인가 봅니다. 사람 약점 잡아내서 후벼 파는 거...
범주	(보는)
재한	그런데 되게 급하신가 보네 여기까지 오신 거 보면... 왜요? 그 대단하신 장영철 의원이 이번엔 내사 들어간 걸 안 막아 주신답니까?
범주	(눈빛 굳어서 보다가) 혼자 고상한 척 하지 마. 정의니 사명감이니 나라고 그런 걸 모를 것 같아? 그런 거 지킨다고 달라지는 건 아무것도 없어. 세상은 똑같이 돌아간다고. 차라리 기회가 왔을 때 잡아. 그게 너나 니 아버지를 위한 길이야.
재한	(그런 범주를 빤히 보다가) 처음, 그 한 번... 그게 시작인 거예요. 그렇게 야금야금 돈맛을 알아가다 보면 당신처럼 돼 있겠죠. 쓰다 버린 사냥개. 늙고 병들면 가차 없이 버려지는 소모품.
범주	(눈빛 차가워지는)
재한	그렇게 될 바엔, 좀 어렵고 힘들더라도 이렇게 사는 게 난 좋습니다.

재한, 뒤돌아 멀어지고, 범주는 차가운 눈빛으로 재한을 바라본다.

씬/40   D, 과거, 거리 일각, 차 안

거리에 세워진 차 안에서 범주, 핸드폰으로 보좌관과 통화 중이다.

범주	의원님께 꼭 드려야 할 얘기가 있습니다.
보좌관(소리)	의원님 지금 당사에 들어가셔서 전화통화 어려우십니다.
범주	그러면...
보좌관(소리)	(말 끊으며) 이만 전화 끊겠습니다.

뚝 끊기는 통화. 범주, 열 받은 얼굴로 핸드폰을 보다가 확 집어던져 버린다.

씬/40- 1 　　　D, 과거, 일식집 룸

11부, 76-1씬의 일식집 룸. (11부와 조금 인테리어가 달라지면 어떨까 싶습니다. 데코된 꽃이라던가...) 정갈하게 차려진 테이블에 앉아서 식사를 하고 있는 영철. 달궈진 돌 위에 굽혀지는 소고기를 먹고 있는데 밖에서 들려오는 소음. '미쳤어?' '잠시면 됩니다!' 신경이 거슬리는 듯 살짝 움찔하는 미간. 그때, 쾅 문 열리면서 들어서는 범주. 영철, 시선도 주지 않는다. 보좌관 끌고 나가려고 하는데 범주 저항한다.

범주　　　의원님!

영철, 시선 한번 주지 않고, 보좌관들, 범주를 끌어내려는데... 버티면서 영철에게 애원하는 범주.

범주　　　예전에도 앞으로도 의원님을 위해 살겠습니다! 이번 내사만 막아주십시오.

영철, 여전히 시선 한번 주지 않고 태연하게 식사를 하는데

범주　　　진양 신도시 비리 사건도 제가 막았어요! 제가 의원님 금배지를 지켜 드린 겁니다!

순간, 멈칫하는 영철. 천천히 고개를 들어 범주와 보좌관을 바라보고... 보좌관에게 눈짓하자, 그제야 뒤로 물러나는 보좌관. 범주, 일말의 기대를 가지고 영철을 바라보는데... 영철, 다시 테이블 위의 뜨겁게 달궈진 돌 위에 연한 소고기를 굽기 시작한다.

영철　　　...역시... 고기는 일본산이 좋아...
범주　　　...
영철　　　왜 이 고기 맛이 좋은지 아나? 송아지 때부터 엄격하게 혈통을 관리하거든. 먹이부터 잡소하곤 다르지. 스트레스 받을까 봐 음악도 틀어주고

정기적으로 마사지까지 받아... 소 주제에 아주 호강이야. 소한테 이렇게까지 하는 이유가 뭘까...

범주   ...

영철   ...맛있게... 잡아먹으려는 거야. 그건... 사냥개도 마찬가지지.

범주, 영철의 눈빛 변하자, 서서히 눈빛 굳어온다.

영철   그런데 사냥개가 미쳐서 쓸모가 없어졌다... 그럼 어떻게 해야 할까?

범주   ...(눈빛 떨려오는)

영철   버리거나... 아니면 때려죽이거나... 둘 중에 하나지...

범주   ...

영철   내가 어떤 선택을 내릴지.. 자네한테 달렸어. 더 이상 미쳐 날뛰지 말란 얘기야.

영철, 미소로 범주를 바라보다가 아무 일 없었다는 듯 다시 식사를 시작한다. 범주, 그런 영철의 모습에 겁에 질려 그저 대답도 못하고 떨리는 눈빛으로 영철을 그저 바라만 본다.

씬/41   D, 과거, 형기대 사무실

재한, 출근하는 듯 사무실로 들어서는데, 역시 출근하는 듯 사무실로 들어서는 수현. 티 내지 않으려 애쓰지만, 그때 다친 발을 살짝 절룩거리고 있다. 저거 저거... 재한, 뭐라고 하려는데, 울리는 핸드폰.

재한   예. 이재한입니다.

선우(소리)   형사님... 저 선우예요

재한   선우... 박선우?

씬/42   D, 과거, 인주 해영 母의 집

거실에서 전화통화를 하고 있는 선우.

선우　　　　예... 저 오늘 출소했어요.

씬/43　　　D, 과거, 형기대 복도

사무실을 나와 구석진 복도 쪽으로 가서 전화를 받는 재한.

재한　　　　몸은 어때? 건강은 괜찮고? 안 그래도 인주에 한번 내려가보려고 했어.
선우(소리)　저도 형사님께 꼭 드리고 싶은 얘기가 있어요.
재한　　　　얘기? 무슨 얘긴데?

씬/44　　　D, 과거, 인주 해영 母의 집

선우　　　　...혜승이 사건의 증거를 찾았어요.

씬/45　　　D, 과거, 형기대 복도

선우의 얘기를 듣고 놀라서 멈칫하는 재한.

재한　　　　확실해? 어떤 증건데?
선우(소리)　혜승이가 사건 당시에 하고 있던 빨간 목도리에요.
재한　　　　목도리?
선우(소리)　다른 사람은 못 믿겠어요. 형사님께 직접 전해드리고 싶은데...
재한　　　　알았어. 내가 금방 갈 테니까, 집에서 꼼짝 말고 기다려.

씬/46　　　D, 과거, 형기대 사무실

재한, 다급히 들어와서 지갑 등을 챙기면서 지나가는 형사 1에게

재한	나 지방 내려간다. 네가 대신 휴가계 좀 올려줘.
형사 1	뭐?

순간, 쾅, 문 열리면서 사무실로 들어서는 형사 2.

| 형사 2 | 연우동 발바리 떴다! 초원 여관! |

형기대 사무실 안에 있던 연우동 발바리 담당팀 형사들 쾅쾅 일어서면서 다급히 출동하는데, 가장 앞서서 나서는 수현. 뛰어가다가 순간 삐끗하는 수현, 곧 다시 아무렇지 않게 뛰어나가는데, 뒤쪽에서 그런 수현을 바라보던 재한은 어쩐지 불안하다. 뒤늦게 그런 형사들에게 합류하는 형사 1에게

| 재한 | 야, 차수현 저거 좀 이상하니까, 현장 가서 좀 챙겨라. |

형사 1, 끄덕하고는 정신없이 뛰쳐나가고... 재한, 다시 수갑 등을 챙기다가 마음에 걸리는 듯 형사들이 뛰어나간 문 쪽을 바라본다.

씬/47   D, 과거, 기동차량 안

탕, 문 열리면서 신속하게 탑승하는 수현을 비롯한 형사들. 막 문을 닫으려는데, 덥석 문을 잡는 누군가의 손. 재한이 차량 안으로 마지막으로 뛰어 올라온다.

| 재한 | 뭐해? 출발 안 하고 |

수현, 그런 재한을 의외인 얼굴로 바라본다.

씬/48   D, 과거, 여관

여관 복도로 막 들어서는 형사들, 수현이 제일 앞 쪽에 있는데, 그때 어느 방 문을 열고 튀어나온 남자와 순간 눈이 마주친다. 남자, 순간적으로 반대쪽으로 뛰어가면 수현, 범인임을 직감하고 남자의 뒤를 쫓는다.

씬/49   D, 과거, 여관 옥상

쾅! 옥상문이 열리고 수현이 옥상으로 뛰어 들어오는데 주위를 둘러봐도 고요하기만 할 뿐 아무런 인기척이 없다. 수현, 천천히 구조물 뒤편으로 걸어가는데, 긴장을 하고 구조물 뒤를 보면, 아무도 없다. 수현, 순간 안심하는데 그때 다른 쪽 구석에 숨어있던 발바리가 잭나이프를 들고 수현을 향해 달려든다. 몇 번 몸싸움이 붙으며 코너에 몰리는 수현. 이 과정에서 수현, 팔이 부딪치면서 손목시계가 깨진다. 순간, 발바리가 든 잭나이프에 수현, 찔릴 듯 위기에 처한다. 피하기엔 너무 늦었다. 수현 눈을 질끈 감는데... 통증이 없다. 바닥에 똑똑똑 떨어지는 피. 수현이 눈을 떠보면, 수현의 앞을 가로막은 채 서 있는 재한이고, 그런 재한의 배에 발바리의 잭나이프가 꽂혀있다! 발바리가 당황하는 사이, 재빨리 발바리에게 한방 크게 먹여버리는 재한. 그대로 바닥에 쓰러진 발바리는 기절한다. 휘청이는 재한을 부축하는 수현, 재한의 옷을 붉게 물들이는 핏물들 점점 번져가고 그 모습을 보는 수현은 어쩔 줄 몰라 한다. 기절해 있던 발바리가 정신을 차리려고 하는데, 그때 옥상에 도착한 형사들이 발바리를 체포해서 연행한다. 형사들, 바닥에 쓰러져있는 재한을 놀라서 보면, 재한은 별거 아니라는 손짓을 날린다. 하지만 옆에 앉아있는 수현은 눈물이 그렁그렁하다.

씬/50   D, 과거, 구급차 안

침대 위에 누워있는 재한, 구급대원이 간단한 응급처치를 하고 있다. 그 옆에 앉은 수현은 눈물이 그렁그렁한 채 어쩔 줄 몰라 하며 재한을 보고 있다. 그런 수현 때문에 아픈 티도 제대로 못 내겠는 재한.

수현	많이 아프세요?
재한	그럼 간지럽겠냐?

수현, 눈물만 뚝뚝 흘리는데

재한	나 안 죽어 인마. 고만 울어.
수현	죽을지 안 죽을지 어떻게 알아요.
재한	너 이거 삼십 년은 놀림감이다. 나중에 나 퇴원하고 나서...
수현	좋아해요.
재한	(뭔 소린가)... 뭐?
수현	제가 선배 좋아한다구요.
재한	(당황해서 눈만 껌뻑이는)
수현	다른 여자 좋아해도 돼요. 평생 첫사랑 못 잊어도 되니까 다치지 말구 죽지도 마세요.

수현, 거의 대성통곡하는 수준이다. 그런 수현을 보는 재한, 당황해서 어찌할 바를 모르겠다.

씬/51   D, 현재, 장기미제 전담팀

핸드폰으로 해영에게 전화를 걸고 있는 수현. 이미 여러 번 전화를 건 듯, 통화목록에 박해영이 여러 번 떠있지만, 계속해서 전화를 받지 않는 듯 답답한 표정으로 전화를 끊는 수현. 그때, 수현의 책상을 똑똑 조용히 노크하는 헌기. 수현, 보면 나가서 얘기하자는 듯 눈짓하는 헌기와 계철이다.

씬/52   D, 현재, 회의실

회의실에 모여 앉은 수현, 계철, 헌기.

헌기	당시에 발견됐던 정액과 타액 증거물들이 몇 개 있었는데 모두 검출 불가 판정을 받았어요. 그 외에는 전부 용의자와 목격자들의 진술 뿐이었구요.
계철	관련자들 진술은 정확하게 일치했어. 근데 누락된 진술이 하나 있더라고.
수현	(보면)
계철	빨간 목도리.
수현	빨간 목도리?
계철	친한 형님이 당시에 인주서 수사 팀원이어서 물어봤는데 피해자 초반 진술 때 빨간 목도리 얘기가 나왔나 봐. 피해자가 1차 범행을 당할 때, 착용하고 있던 건데, 범행 장소에 놔두고 나왔대.
수현	그 증거물에 대한 수사는?
계철	근데... 그쪽 수사는 전혀 진행되지 않았어.
수현	그게 무슨 소리야?
계철	아예, 누락돼 버렸다고. 빨간 목도리에 대한 진술이.
수현	...1차 진술 때 나왔던 제일 중요한 증거물을 수사도 안 하고 누락해 버렸다고?
계철	박해영 말이 아무래도 맞는 것 같아. 이 사건... 아무래도 뭔가 있어.
수현	(생각에 잠기다가) 계장님이 박해영을 부른 게 인주병원이라고 했지?

씬/53   N, 인주병원 앞

인주병원 맞은편 거리에서 병원을 바라보고 있는 해영. 병원 앞에는 광수대 형사 두어 명이 보이고... 기동차량이 세워져 있다. 그런 병원 건물을 바라보고 있는 해영의 모습 위로

해영(소리)	계장님은 내게 뭔가를 알리려고 하면서 인주병원으로 오라고 했어...

- 인서트
- 14부, 32씬, 인서트
- 과거, 낮, 인주 병원 응급실. 이동 침대에 실려서 다급히 응급실로 들어오는 정신을 잃은 선우. 그 뒤에서 겁먹은 얼굴로 뒤따라오는 어린 해영.

- 다시 돌아오면 건물을 바라보는 현재의 해영.

해영(소리)   형이... 마지막, 숨을 거둔 곳... 계장님이 진실을 알리려다 죽임을 당한 곳... 인주병원... 저곳에 계장님이 내게 알리려고 했던 비밀이 숨겨져 있을 가능성이 크다.

그때, 병원 건물에서 치수 관련된 수사를 끝내고 나오는 광수대 형사들, 대기하고 있던 기동차량에 올라탄 뒤, 출발한다. 해영, 그때만 기다린 듯, 조심스럽게 병원 건물로 다가가는...

씬/54   **N, 인주병원 로비**

로비로 들어서는 해영. 주변을 두리번거리면서

해영(소리)   계장님이 무슨 목적으로 어디를 방문했는지 알아내야 해.

'응급실' 푯말이 시선에 들어온다.

- 인서트
- 11부, 89씬~94씬, 치수와 통화하던 굳은 얼굴의 해영 수화기 너머에서 들려오는 치수의 목소리.

치수(소리)   ...네 형이 그 사건 때문에 목숨을 잃은 거... 안타깝게 생각한다. 하지만, 그 사건... 생각보다 훨씬 더 위험해. 니가 진실을 알게 된다면... 너도 네 형처럼 위험해질 거야. 두 시간 뒤... 인주병원 앞이다.

그런 치수의 목소리에서 치수의 움직임과 함께 들려오는 점점 가까워오던 구급차의 사이렌 소리와 다급히 이동 침대를 미는 소리와 구급대원들의 무전기 소리에 뒤이어 엘리베이터 '띵' 멈춰 서는 소리까지 들린 뒤, 치수 비상계단으로 들어간 듯, 탕 닫히는 철문, 그리고 울리는 목소리.

297

– 다시 현재로 돌아오면, 인주병원 로비에서 응급실 쪽으로 꺾어지는 해영의 모습위로

해영(소리)   점점 가까워지던 구급차 사이렌 소리, 이동 침대, 구급대원들이 사용하는 무전기... 응급실 주변이었을 거야.

응급실 쪽으로 꺾어드는 해영, 순간 멈칫한다. 보면, 아직 남아있던 광수대 팀이 있던 듯, 강 형사와 형사 1이 대화를 나누면서 걸어오고 있다.

강 형사   최대한 추가 증언 확보해. 블랙박스나 다른 영상들도 찾아보고
형사 1   예.
강 형사   박해영 수배는?
형사 1   지금 박해영 집으로 병력 출동했습니다.

그런 형사들 모습에 곧바로 최대한 자연스럽게 다른 복도로 꺾어지는 해영. 강 형사와 형사 1, 얘기하다가 반대쪽으로 멀어지는가 싶다가, 강 형사, 멈칫, 해영이 사라진 쪽을 보며 갸웃.

씬/55   N, 인주병원 응급실 인근 복도 일각

마음이 더욱 급해진 해영, 응급실 쪽을 지나 주변을 둘러본다.

해영(소리)   응급실, 이동 침대... 엘리베이터... 비상계단.

해영, 주변을 둘러보다가 엘리베이터를 발견한다. 그때, 해영의 저 뒤쪽에서 해영을 찾는 듯 이쪽으로 다가오고 있는 강 형사. 해영의 시선, 더욱 다급해지면서 비상계단을 찾는다. 엘리베이터 바로 인근에 있는 비상계단을 발견하는 해영, 다급히 비상계단 쪽으로 들어가고... 아슬아슬하게 강 형사가 그 앞을 지나간다.

씬/56	N, 인주병원 비상계단

비상계단으로 들어선 해영. 위층으로 올라가는 계단과 아래층으로 내려가는 계단을 번갈아 바라본다.

해영(소리)   여기까지 와서... 어디로 가신 거지?

그때, 층계참의 안내판이 눈에 들어온다. 해영의 시선으로 보이는 위쪽 계단 중간쯤에는 '2F 소아과, 치과, 안과'등이 적힌 안내판. 다시 아래층 바라보면 계단 중간쯤에 'B1F MRI실, 약국, 원무과, 채혈실'이라는 간판. 문득 멈칫하는 해영.

해영(소리)   채혈...

– 인서트
– 32씬, 몽타주 중
낮, 인주 병원 응급실 이동침대에 실려서 다급히 응급실로 들어오는 정신을 잃은 선우. 그런 선우에게 달려와서 응급처치를 시작하는 의료진들 중, 링거에서 채혈을 시작하는 간호사의 손. 주사기에 빨려 올라오는 선우의 피.

– 다시 현실로 돌아오면 떨려오는 해영의 눈빛.

해영(소리)   그때... 형의 피를 뽑았었어...

한 칸 두 칸 아래, 지하층을 향해 내려가는 해영.

해영(소리)   형은 손목을 긋고 자살했다... 어디에도 반항의 흔적이 없었어...
그런데... 설마... 설마...

씬/57	N, 인주병원, 지하층

쾅 문이 열리면서 한산한 지하층 복도로 나오는 해영. 각 문들마다 채혈실, 약국 등 명패가 달려있다. 그런 명패를 바라보는 해영의 흔들리는 시선.

해영(소리) 15년 전 응급실에서 채혈한 혈액 샘플이야, 당연히 없어졌겠지... 하지만... 혈액 샘플을 검사한 기록은 남아있을 수 있다. 15년 전... 과거의 기록... 기록을 저장하는 곳.

해영의 시선, 가장 마지막 '원무과'에 정지한다.

씬/58　　　**N, 인주병원, 원무과**

문을 열고 들어서는 해영. 당직인 듯한 직원이 해영을 보고 다가온다.

직원 무슨 일이시죠?
해영 (신분증 보여주며) 서울청에서 나왔습니다. (치수 사진 꺼내 보여주며) 며칠 전에 이분, 여기 찾아오지 않았나요?
직원 (갸웃하며) 아까 오신 형사 분들한테 다 말씀드렸는데...

해영, 멈칫... 광수대 형사들이다.

직원 며칠 전에 오셔서 혈액 샘플에 대해 물어보셨어요.
해영 (떨리는) 어떤... 혈액샘플이죠?
직원 (책상에 가서 메모를 찾는) 0035Z04.0샘플이요.
해영 그 샘플 환자분 이름은요?
직원 2000년, 응급실로 들어온 남자환자였어요. 이름은 박선우, 나이는 18살이었죠.

해영, 놀라서 눈빛 떨려온다.

해영	검사 결과는요?
직원	(컴퓨터 화면을 클릭하며) 당시 혈액 알코올 검사 및 약물검사결과, 혈액에서 신경안정제 성분이 검출됐어요.
해영	(놀라서 멈칫하는)... 신경... 안정제요?

씬/59   **N, 인주병원 지하층 복도**

부들부들 떨리는 눈빛으로 복도로 걸어 나오는 해영의 모습 위로

직원(소리)	신경안정제 성분이 000퍼밀리미터 검출됐습니다.

    – 인서트
떨리는 눈빛으로 직원에게 묻는 해영.

해영	그 정도 양이면, 사람이 의식을 잃을 수 있나요?
직원	글쎄요. 그전부터 신경안정제를 복용해 왔는지, 당시 질병이 있었는지, 등등 모두 다 따져봐야겠지만... 평범한 사람이었다면, 의식을 잃었을 가능성도 있습니다.

    – 복도로 돌아오면 마구 떨려오는 해영의 눈빛.

해영	형... 형...

그런 해영의 앞을 가로막는 누군가의 발. 해영, 떨리는 눈빛으로 고개 들어보면, 수현이다.

수현	너, 여기서 뭐 하는 거야? 함부로 돌아다니지 말랬지? 지금 네 상황 몰라? 경솔하게 움직이면 괜히 의심을 받을 수 있어.
해영	...자살이... 자살이... 아니었어요...
수현	뭐?

해영	우리 형... 자살이... 아니었다구요..
수현	(놀라서 멈칫해서 보는) 그게... 무슨 말이야.
해영	...15년 전... 우리 형 혈액에서 신경안정제 성분이 검출됐어요... 누군가... 형한테 신경안정제를 먹이고 자살로 위장한 겁니다. 계장님이 밝히려던 건, 인주사건이 아니라... 우리 형이 타살 당했다는 거였어요.
수현	...도대체... 누가... 왜?

씬/60   **D, 과거, 인주 해영 母의 집**

거실 테이블 위에 놓여있는 전화기로 전화를 걸고 있는 선우. 그러나 신호 연결음만 갈 뿐 상대방은 전화를 받지 않는다. 전화기 옆에 놓여있는 메모지에 '이재한 016-865-5736' 이라고 적혀있다.

씬/61   **D, 과거, 병실**

병실 한구석에 내팽개쳐져 있는 재한의 겉옷에서 진동으로 울리는 핸드폰. 재한, 창백한 얼굴로 침대에 누워있다.

씬/62   **D, 과거, 인주 해영 母의 집**

선우, 초조한 얼굴로 수화기를 내려놓는데, 화면 조금 빠지면 그런 선우 옆에 놓여있는 혜승이의 빨간 목도리다. 목도리를 바라보는 선우.

- 인서트
- 초인종이 울리는 선우 집. 선우, 문을 열면 일진 1이 서 있다.

일진 1	(들고 있던 빨간 목도리를 내밀며) 이동진이 전해달란다.
선우	(목도리 보다가 건네받는)
일진 1	동진이 유학간대 다신 돌아오지 않을 거래.
선우	(보는)

일진 1	미안하다고 전해달라더라.

- 다시, 해영 母의 집으로 돌아오면, 빨간 목도리를 바라보는 선우의
눈빛에서

해영(소리)	목도리... 목도리 때문이에요.

씬/63   N, 현재, 인주병원 복도

서로 마주 보고 있는 수현과 해영.

수현	(멈칫하며) 목도리...?
해영	계장님은 형이 강혜승의 목도리를 갖고 있었던 것도 입증하려고 하셨 어요. 누군가, 진범을 밝힐 수 있는 그 목도리를 노린 거예요.

- 인서트
- 13부, 69씬, 소년원에서 면회중인 선우와 혜승

선우	(미소 짓는) 괜찮아. 나도 다시 시작할 거야. 나, 내 인생 포기하지 않아.

- 13부, 70씬, 해영과 수현에게 혼란스러운 눈빛으로 얘기하던 혜승.

혜승	마지막으로 본 선우는... 절대 자살할 사람처럼 보이지 않았어요.

- 다시, 현재, 인주병원 복도로 오면 점점 분노로 더욱 이성을 잃어가
는 해영.

해영	형은 희망을 놓지 않았어요. 경찰, 친구들, 주변의 모든 어른들까지 모 두 포기했는데, 형만은 포기하지 않고, 자기 누명을 벗으려고 노력한 거예요. 그런 형을 지금까지 난 자살이라고 생각해왔어요.

수현	(진정시키려는) 박해영.
해영	...그런 형을... 또 다시 죽게 만들 순 없어요. 막아야 해요.

수현, 그런 해영을 보다가

수현	전에 했던... 그 얘기야?
해영	(떨리는 시선으로 보는)
수현	지금은 몰라도 과거라면... 그 얘기냐고?
해영	(말없이 보는)
수현	...너한테 물어볼 게 있어.

수현, 가방 안에서 무전기를 꺼내서 내보인다.

해영	(놀라서 보는)
수현	이걸 네가 왜 갖고 있어? 내가 누구보다 잘 아는데 이건 이재한 선배의 무전기야.
해영	(눈빛 흔들리는)
수현	그런데 이걸 왜 네가 갖고 있냐고?

수현, 다그치는데, 해영 순간 벽에 걸린 시계를 확인한다. 11시를 넘어서고 있는 시계바늘.

씬/64   D, 과거, 병실

잠에서 깨어나 천천히 눈을 뜨는 재한. 하얀 형광등 불빛에 눈이 부시다. 재한, 눈부심에 손을 들어 올려 눈을 가리려는데 팔이 들어 올려지지 않는다. 이게 뭐지 싶어서 아래를 내려다보면 재한이 누운 침대에 엎드려 잠이 들어있는 수현이 있다. 이불 아래 놓인 재한의 손을 짓누른 채 그 위에 엎드려 잠이 든 수현이다. 그런 수현의 손목에 채워진 깨진 손목시계, 재한의 시선에 들어오고... 재한 다른 쪽 팔을 뻗어서 수현을 깨우려는데

재한	야 쩜...

하다가 멈칫한다.

- 인서트
14부 50씬

수현	좋아해요.
재한	(뭔 소린가)... 뭐?
수현	제가 선배 좋아한다구요.
재한	(당황해서 눈만 껌뻑이는)
수현	다른 여자 좋아해도 돼요. 평생 첫사랑 못 잊어도 되니까 다치지 말고 죽지도 마세요.

- 병실로 돌아오면
재한, 괜히 멋쩍고 민망해서 잠든 수현을 괜히 힐끔 쳐다본다. 새근새근 잠든 수현의 숨소리가 고르다.

재한	누가 업어 가도 모르겠네. 야, 일어나 봐.

팔을 빼서 수현을 깨우려던 재한, 문득... 새삼 수현의 긴 속눈썹과 하얀 피부가 눈에 들어온다. 재한, 내가 왜 이렇게 덥지?

재한	(괜히 민망해서 시선 돌리는) 여기 뭐 이렇게 난방이 빵빵해.

하다가 재한의 뱃속에서 들려오는 꾸르륵 소리. 아... 아랫배가 아프다.

재한	(죽겠는)... 아... 배...

재한, 화장실 가고 싶은 얼굴로 잠깐 팔을 빼보려는데... 여전히 곤히 잠들어있는 수현이다. 참자... 참아보자... 애써보지만, 뱃속에선 더욱 장

렬한 소음들이 들려오고 도저히 참지 못하겠는 듯 재한, 슬슬 조금씩 옆쪽으로 몸을 빼기 시작한다. 마지막 수현이 배고 있던 팔을 조심스럽게 빼면서 수현의 머리가 충격을 받지 않게, 빼려다가 칼 맞은 옆구리가 아파온다. 아... 하다가, 또 아랫배가 아프다. 결국 해방(?)된 재한, 아픈 옆구리를 부여잡고 어기적어기적 필사적으로 병실을 빠져나간다.

씬/65   D, 과거, 병원 화장실 앞

개운한 얼굴로 화장실에서 나오는 재한. 한결 여유 있는 발걸음이다.

씬/66   D, 현재, 인주병원 복도

수현, 여전히 해영에게 질문을 던지고 있다.

수현   대답해봐. 왜 이게 너한테 있는 거냐고?
해영   (보다가) 예전에 내가 물었죠. 과거에서 무전이 온다면... 어떻게 할거냐고

수현, 이게 무슨 소리지? 멈칫해서 보는

해영   그때, 형사님은 소중한 사람을 지켜달라고 부탁한다고 했죠. 나도... 그래요. 모든 게 엉망이 되더라도... 형만은 살리고 싶습니다.
수현   도대체 그게 무슨 소리야?
해영   ...김윤정 유괴사건 때 서형준의 시신을 어떻게 발견했냐고 물었죠.
수현   (무슨 소린지 이해가 안 가는 시선)
해영   이재한 형사님이 얘기해 줬습니다. 선일정신병원 건물 뒤편 맨홀에 서형준 시신이 있다고...

– 인서트
– 1부 23씬
다시 한 번 치치칙 잡음 사이로 들려오는 재한의 목소리.

| 재한(소리) | 박해영 경위님, 거기 있습니까? |

어이없이 주변을 둘러보던 해영, 소리의 근원지를 쫓아간다. 탑차 안,
포대자루 쪽에서 흘러나오고 있다.

- 1부 25씬

해영, 탑차 안으로 올라서는데... 더욱 선명하게 들려오는 무전기 소리.

| 재한(소리) | 김윤정 유괴사건 용의자 서형준 시신입니다. |
| 해영 | 김윤정... 유괴사건... |

포대자루 안. 무전기의 초록 불빛이 새어 나오고 있다. 그 안에서 나오
는 증거물 봉투 안에 들어있는 낡디 낡은 무전기.

- 1부 33씬.
해영이 천천히 기듯이 맨홀로 다가가 떨리는 손으로 맨홀 뚜껑 철창 안
을 비추면, 철창 안, 가느다란 줄이 마치 교수대처럼 대롱대롱 매달려
있고, 그 아래 빛바랜 청바지, 너덜너덜해진 의복을 걸친 채 바닥에 떨
어져 있는 백골사체다.

- 현재, 인주병원 복도로 돌아와서,

| 해영 | ...과거의... 2000년의 이재한 형사님이 얘기해 준 거예요. 그 무전기를 통해서... |
| 수현 | (믿기지 않는.. 떨리는) 말도 안 돼... |
| 해영 | 그뿐만이 아닙니다. 경기남부, 대도, 그리고 홍원동 사건까지 모두 과
거가 변했고, 과거가 변하자, 현재도... 변했어요. |

- 인서트
- 2부 76씬.

307

재한... 덜덜덜 떨면서 그런 미선의 얼굴을 플래시로 비추는 순간, 죽은 줄 알았던 미선이 눈을 번쩍 뜬다. '억!!' 놀라 엉덩방아를 찧는 재한.

– 2부 77씬.

화이트보드에 적혀진 글씨들 서서히 흔들리다가 저절로 움직이며 새롭게 변하기 시작한다. 해영, 다시 한 번 사진을 확인하는데 깜짝 놀란다. 현풍역 사진들이 모두 오성동 놀이터 사진으로 변해있다.

– 2부 79씬.

믿기지 않는 눈빛으로 사진을 바라보는 해영.

해영   이게... 도대체... 왜...

사진 보다가 고개 드는 해영, 더욱 소스라치게 놀라는 그런 해영의 시선 쫓아가보면 화이트보드, 자기가 직접 적은 글씨들 클로즈업으로 잡으면 '현풍역 미수 사건' '생존자 이미선' 놀라서 벌떡 일어서는 해영

해영(소리)   무전 때문에 원래 죽었어야 할 사람이 되살아나기도 했고

– 3부 25씬.

화이트보드에 적힌 글씨들, 보이면 '용의자 체포 최영신, 지병인 간질발작으로 조사 도중 사망'

– 3부 32씬.

형사들 사이를 파고드는 재한. 믿을 수 없다는 듯, 바라본다. 바닥에 쓰러져 있는 영신. 창수 미친 듯이 영신의 가슴팍을 누르며 심폐 소생술을 해보고 있지만, 영신은 이미 숨이 멎은 상태다.

해영(소리)	전혀 상관없는 사람이 죽기도 했습니다.

- 6부 17씬.
경태가 더욱 필사적으로 수갑을 풀려고 한다. 그와 동시에 '펑'하는 소리와 함께 버스 뒤쪽에서 폭발이 일어난다. 반쯤 넋이 나가 다리 아래를 내려다보는 경태, 검은 연기가 솟아오르는 버스를 망연자실 바라만 본다.

경태	...은지야... 안돼... 안돼!!

- 7부 11씬.
동훈의 집 앞. 동훈 괴로워하며 배를 감싸쥔 채 무너지고. 피 묻은 칼을 손에 쥔 채 쓰러진 동훈을 바라보는 남자, 경태다.

- 7부 14씬.
제대로 봉분조차 갖춰놓지 않은 황량한 흙더미 위에 잡초들이 듬성듬성 자라 있고, 손바닥만 한 작고 낡은 나무 팻말 네 개 정도가 바닥에 꽂혀있다. 그 중 보이는 이름, '오경태 1958~2005'

해영(소리)	그리고 또 다른 누군가의 인생은 처참하게 망가져버렸죠.

- 현재로 돌아와서

해영	무전으로 뭔가를 바꾸면 그 대가를 치러야 했어요.

해영, 수현을 가만히 바라본다.

- 인서트
- 6부 48씬.
위령탑 앞, 탑차 안, 냉동 탑차 안에서 스위치를 누르는 수현. 그런데 탑차 안은 텅 비어 있다. 순간, '타탁' 불꽃이 튀는 소리. 순간, 수현이 있는 냉동 탑차 천장에 부착돼 있던 전구에서 작은 스파크가 튀는 동시에 탑차 안에서 폭발이 일어난다! 하얀 천으로 덮혀진 채, 이동 침대에 실려 나오는 수현의 시신. 하얀 천 옆으로 툭 떨어지는 수현의 검게 그을린 피투성이의 손. 앰뷸런스에 실리는 수현의 시신, 점차 멀어지는 앰뷸런스. 그 자리에 무너지는 해영.

– 다시 현재, 인주 병원 복도로 돌아오면

해영   ...모든 게 엉망이 돼버릴 수도 있거든요. 그래서... 이재한 형사님께... 죽는다고... 당신이 8월 3일, 선일 정신병원에 갔다가 죽는다고 얘기하지 못했어요.

수현   (놀라서 눈빛 굳는) 그게... 무슨 말이야.

해영   2000년, 이재한 형사님이 죽기 전에... 나한테 무전을 했습니다.

수현, 눈빛 급격하게 떨려온다.

– 인서트
– 2부, 37씬. 야산 일각
재한, 무전기를 바라보다가 눈빛 서서히 가라앉는다.

재한   박해영 경위님... 나는 이게 마지막 무전일 것 같습니다.

– 2부, 40씬. 해영의 옥탑방
무전기 너머에서 들려오는 재한의 목소리.

재한(소리) 절대 포기하지 마세요. 과거는 바뀔 수 있습니다.

무전기 너머에서 들려오는 '탕!!' 귀청을 울리는 총소리. 해영, 놀라서 무전기를 바라본다.

해영   ...형사님... 형사님? 거기 있습니까? 괜찮은 거예요?

– 다시 현재, 인주병원으로 돌아오면 떨리는 혼란스러운 눈빛으로 해영을 바라보는 수현.

수현   말도 안 되는 소리 하지 마... 그게 어떻게...

순간, 11시 23분에 도착하는 시계바늘. '치치칙' 울리기 시작하는 무전기의 잡음 소리. 이게 무슨 소리지? 무전기를 내려다보는 수현. 서서히 흔들리기 시작하는 주파수. 노란 불빛. 놀라서 작동하는 무전기를 바라보는 수현. 해영, 드디어 왔다, 떨리는 시선으로 무전기를 바라본다.

씬/67   **D, 과거, 병실**

재한이 조심스럽게 문을 열고 병실 안으로 들어오는데, 어디선가 희미한 '치치칙' 잡음 소리가 들려온다.

씬/68   **D, 과거, 병실 안**

재한, 잠든 수현의 눈치를 보다가 무전기를 들고 병실 밖으로 나간다.

씬/69   **N, 현재, 인주병원 복도**

치치칙 울리는 무전기를 바라보는 수현

수현   이게 어떻게...
재한(소리) 박해영 경위님.

소스라치게 놀라서 무전기를 바라보는 수현. 분명히 재한의 목소리다! 수현, 믿기지 않는 떨리는 눈빛으로 무전기를 내려다본다.

씬/70   **D, 과거, 병원 비상구**

비상구 계단으로 들어온 재한, 문 앞에서 무전기를 꺼내 무전을 한다.

재한   인주사건의 진범을 알아냈습니다. 박선우가 아니에요. 내가 다 밝히겠
        습니다. 걱정 마세요.

씬/71   **N, 현재, 인주병원, 복도**

수현, 믿기지 않는 얼굴로 무전기를 바라보고 있는데, 그때 수현의 손
에 들린 무전기를 낚아채는 해영.

해영   형사님! 접니다. 형을 살려주세요.

수현, 믿기지 않는 시선으로 해영을 바라보는...

씬/72   **D, 과거, 병원 비상구**

재한   예? 그게 무슨 소립니까?

씬/73   **N, 현재, 인주병원 복도**

해영   형사님 말씀처럼 우리 형은 누명을 쓴 거예요. 그리고 2000년 2월 18
        일 죽습니다. 살해당해요!

씬/74   **D, 과거, 병원 비상구**

재한, 해영의 목소리를 듣고는 놀라서 굳어버리는...

씬/75   **N, 현재, 인주병원 복도**

해영   지금까지 자살인 줄 알았는데. 아니었어요. 누군가, 형을 자살로 위장

해서 죽인 겁니다!

순간, 무전기 너머에서 들려오는 굳은 재한의 목소리.

재한(소리)	2000년 2월 18일이 확실해요?
해영	맞아요. 그날이에요.

씬/76   D, 과거, 병원 비상구

굳은 얼굴로 들고 있던 무전기를 들고 비상구 밖 복도로 뛰기 시작하는 재한.

씬/77   N, 현재, 인주병원 복도

해영, 무전기에 대고 절박하게 얘기하는

해영   형사님. 형사님! 제 얘기 듣고 있는 겁니까?

하지만, 무전기 너머에선 대답이 없다

수현	(믿기지 않는 듯 보다가) 너... 지금 뭐하는 거야...
해영	(수현 얘기가 들리지 않는 듯 무전기에) 형사님!

하는데, 순간, 움직이던 계기판이 서서히 잦아들면서 불빛이 사라진다.

수현   (떨리는 시선으로 무전기를 보다가) 이거... 뭐야... 박해영... 대답해...
아까 그 사람... 누구야!

씬/78   과거, 병원 주차장

쾅! 건물 문을 열고 급하게 달려가는 재한. 아직 상처가 아물지 않은

313

듯, 옆구리 부분에서 피가 새어 나오지만 개의치 않는다.

- 인서트
14부 44씬.

선우   ...혜승이 사건의 증거를 찾았어요.

- 14부 45씬.

선우   다른 사람은 못 믿겠어요. 형사님께 직접 전해드리고 싶은데

- 돌아오면, 재한, 왜 더 신경 쓰지 못했을까 자책한다. 초조하고 다급
한 재한, 전속력으로 미친 듯이 달려서 병원을 빠져나가는 재한.

씬/79   N, 현재, 인주병원 복도

수현, 믿기지 않는 떨리는 눈빛으로 해영을 보며

수현   대답하라고! 아까 그 사람, 누구야!!
해영   (가라앉은 눈빛으로)... 아시잖아요. 누군지...
수현   ...말도 안 돼... 이재한 선배는... 선배님은... 죽었어...
해영   아직... 살아있습니다. 그 무전기 너머에는...

수현, 떨려오는 눈빛, 그런 수현을 바라보는 해영. 선우를 살리기 위해
서 뛰어나가는 과거의 재한 교차되면서...

14부 끝

시그널 The Signal

15부

씬/1   **N, 현재, 인주병원, 복도**

떨리는 시선으로 무전기를 들고 있는 해영을 바라보고 있는 수현

수현   도대체... 언제부터... 이게... 왜...

수현, 혼란스러워하는데... 갑자기 복도 끝 쪽에서 들려오는 시끄러운 발자국 소리들. 보면, 강 형사와 형사 1을 비롯한 광수대 형사들이다. 해영, 순간 손에 들고 있던 무전기를 보이지 않게 수현의 가방 안에 넣는다. 시선 마주치는 해영과 수현. 순식간에 다가와 해영과 수현을 에워싸는 형사들.

강 형사   (해영에게 다가와 수갑을 채우며) 박해영. 안치수 계장 살해 혐의로 긴급체포한다.

수현/해영   !!!

수현   무슨 소리야. 갑자기 체포라니

강 형사   이미 증거랑 목격자 진술 다 확보됐어.

해영   말도 안 돼...

강 형사   쓸데없이 힘 빼지 말고 순순히 가지?

수현   잠깐만...

강 형사   (수현 차갑게 보는) 차 형사도 왜 여기에 내려와 있었는지 조사에 응해줘야겠어.

거칠게 등을 미는 강 형사에게 밀려, 연행되기 시작하는 해영. 수현, 아직도 정리가 안됐다. 혼란스러운 얼굴로 그런 형사들을 만류하며

수현   잠깐만.. 잠깐만 박해영한테 확인할 얘기가 있어.

강 형사   (그런 수현을 막아서며) 자꾸 이러면 너도 공범으로 몰릴 수 있어.

수현을 막아서는 형사들. 강 형사에게 연행되는 해영.

316

| 해영 | (연행되며) 알았어요. 가겠습니다. 그런데 우리 형, 박선우 사건 수사 자료만 보게 해주세요. 급히 확인해야 할 게 있습니다. |

하지만, 대꾸도 없이 해영을 거칠게 연행하는 형사들. 그런 해영의 모습을 혼란스럽게 바라보는 수현의 모습에서...

씬/2　　　D, 과거, 도로 일각 + 재한의 차 안

초조한 표정으로 운전을 하고 있는 재한. 자동차 유리창 너머로 보이는 이정표에 '인주 20km'라고 적혀있다. 재한, 악셀을 밟아서 속력을 더욱 높인다. 도로 위를 빠르게 달려가는 재한의 차.

씬/3　　　D, 과거, 선우의 방

초조한 얼굴로 재한을 기다리고 있는 선우. 시계를 보면 벌써 3시가 넘어가고 있다. 선우, 답답하고 마음만 급한데, 그때, 띵동! 초인종 소리가 들린다. 선우 재빨리 일어나서 현관으로 뛰어나간다.

씬/4　　　D, 과거, 해영 母의 집 현관

현관으로 달려가는 선우.

| 선우 | 형사님이세요?! |

반가운 얼굴로 현관문을 여는 선우, 그런데 순간 얼굴이 멈칫 굳는다. 카메라 돌면, 현관문 밖에 서 있는 사람, 범주다.

| 범주 | (옅은 미소)... 네가 선우니? |

씬/5　　　D, 과거, 해영 母의 집

'서울지방경찰청 형사과장 김범주'라고 적힌 명함을 손에 들고 가만히 바라보고 있는 선우. 그 앞에는 범주가 앉아있다. 범주와 선우 앞에 각자 물컵이 놓여있다.

범주   이 형사가 나한테 직접 부탁했어. 꼭 너를 대신 만나달라고.

선우   ...이재한 형사님은 왜 못 오신 거예요?

범주   수사 중에 좀 다치는 바람에 지금 입원 중이야

선우   (걱정스런) 많이 다치셨어요?

범주   심각한 건 아닌데 그래도 금방 움직이기는 힘들지

선우   ...

범주   ...이 형사한테 꼭 할 말이 있었다고?

선우   (보면)

범주   소년원에서 어제 출소했다고 들었는데 이렇게 급하게 하고 싶었던 말이 뭐였니?

선우를 바라보는 범주의 눈빛에서

씬/6   D, 과거, 서울청 형사 과장실/범주의 회상

굳은 얼굴로 치수와 마주 앉아있는 범주.

범주   누구? 박선우?

치수   예. 인주 사건의 진범으로 몰렸던 아이 말입니다. 어제 출소하고 바로 인주서를 찾아왔답니다.

- 인서트
- 저녁, 인주서 로비.
관할형사 1, 로비 복도를 지나가다가 문득 뭔가를 보고 멈춰 서는데, 보면, 민원안내데스크 앞에 서 있는 선우다.

318

민원	누구요?
선우	이재한 형사님이요... 1년 전에 시울에서 오셨었는데...

그런 선우의 모습을 가만히 보는 관할형사 1. 천천히 핸드폰을 꺼낸다.

- 다시 형사 과장실로 돌아오면 눈빛 굳는 범주.

범주	박선우가... 이재한을 찾는다...

범주, 잠시 생각하다가 뭔가 떠오른 듯 눈빛이 빛난다.

범주	...그래... 꼭 죽으란 법은 없군...

씬/7   D, 과거, 해영 母의 집

전 씬의 비열한 표정과 달리 사람 좋은 미소로 선우를 바라보는 범주.

범주	아저씨 믿고 편하게 얘기해도 돼.
선우	(망설이는)
범주	이 형사가 안 가르쳐줬으면 내가 여기를 어떻게 찾아왔겠어.
선우	(잠시 생각하다가)... 혜승이를 그렇게 만든 진범을 알고 있어요.
범주	그게 누구지?
선우	인주시멘트회사 아들... 장태진이요.
범주	(멈칫지만 태연한 척)... 증거는 있고?

선우, 테이블 아래 두었던 빨간 목도리를 보여준다.

선우	혜승이 목도리예요.
범주	(목도리를 보다가) 이게 그 여자애 물건이라고 확신할 수 있어?
선우	이 목도리, 혜승이 엄마가 직접 짜 주신 거예요. 혜승이가 겨울 내 하고

다녀서 친구들도 다 알고 있고요.

범주, 목도리를 보다가 집어 든다.

범주	그래. 뭔가 검출되는 게 있는지 바로 알아보마.
선우	감사합니다.
범주	...그런데 참 생긴 거랑 다르네.
선우	(보면)
범주	겉모습만 봐서는 조용하고 얌전할 것 같은데 직접 증거도 찾고 형사도 만나고... 정말 누명을 벗고 싶은 거니?
선우	네... 그래야 되거든요...
범주	(보는)
선우	제가 누명을 벗어야 우리 가족이 다시 같이 살 수 있어요... 그래야 아버지랑 동생이... 다시 돌아올 수 있거든요.
범주	(보다가) 그럼 무슨 일이 있어도 포기하지 않겠구나.
선우	(고개 들어 범주 보는) 네. 절대 포기 안 해요.

단단하게 확신에 찬 선우의 눈빛을 바라보는 범주.

씬/8   D, 과거, 범주의 차 안/범주의 회상

운전석에 앉은 범주, 인주로 내려가면서 핸드폰으로 통화를 하고 있다.

범주	중요한 청문회를 앞두고 잡음이 생기면 안 되죠. 조카 분이 감옥에 가면 다들 꼬투리 잡겠다고 달려들 텐데요. ...이번 내사, 막아주시죠. 그럼 저도 목숨 걸고 조카 분을 지켜드리겠습니다...

씬/9   D, 과거, 해영 母의 집

선우에게 미소를 보이는 범주. 앞에 놓인 물을 끝까지 다 마셔버린다.

범주   (웃으며) 말을 많이 했더니, 목이 좀 타네. 물 좀 더 갖다 줄래?

선우, 범주의 물컵을 들고 주방으로 향한다. 범주, 주머니에서 작은 케이스를 하나 꺼내는데 열어보면 작은 캡슐이 들어있다. 캡슐 하나를 꺼내든 범주, 선우의 물컵을 바라본다.

씬/10   D, 과거, 도로 일각

급하게 달려가는 재한의 차. 차 유리창 너머로 보이는 저 앞의 이정표, '인주시에 오신 걸 환영합니다'라고 적혀있다. 재한의 마음 더 급해진다.

씬/11   D, 과거, 인주 해영 母의 집

자리로 돌아온 선우가 범주에게 물컵을 내민다. 범주, 물을 마시면서 보면, 선우 역시 자신의 물컵을 집어 든다. 그 모습을 보는 범주의 차가운 눈초리.

씬/12   N, 현재, 광수대 유치장

유치장 안으로 세게 떠밀려 들어가는 해영. 쾅! 철문이 닫히고 강 형사가 문을 잠근다. 철문을 부여잡고 강 형사에게 다시 부탁하는 해영.

해영   제발, 우리 형, 박선우 변사사건 수사 자료만 보게 해주세요. 지금 꼭 확인할 게 있습니다.
강 형사   입 닥치고 살인죄 형량이나 확인해 놔.

강 형사, 휙 돌아서 나가버린다. 해영은 답답해 미치겠다.

- 인서트
- 5부 26씬.

가방을 앞에 메고 해영을 뒤에 업고서 달동네를 오르고 있는 선우의 모습.

- 12부 28씬.
앉은뱅이책상에서 해영이 푼 참고서를 채점하고 있는 선우. 선우, 그런 해영이 귀여운 듯, 마지막 문제가 마치 틀린 듯, 장난을 치다가 맞았다는 듯 동그라미를 치고 점수를 매기는... 백 점이다. 해영, '앗싸!' 신나하고...

- 다시 현재의 유치장에서 초조하고 절박한 얼굴의 해영으로 돌아오면

해영   형...

씬/13   **D, 과거, 해영 母의 집 근처**

타박타박 걸어오는 어린 해영. 골목길 모퉁이를 지나서 돌아가는데 모퉁이에서 나오는 어떤 남자와 짧게 스치듯 지나간다. 남자의 얼굴은 바래되지 않고, 한 손에 든 작은 쇼핑백이 어렴풋이 보인다.

씬/14   **N, 현재, 광수대 유치장**

유치장 안에서 머리를 부여잡고 있는 해영.

해영   제발... 제발...

씬/15   **D, 과거, 해영 母의 집 밖**

어린 해영이 해영 母의 집 앞에 서서 초인종을 누르지만 아무도 나오지 않는다.

해영   (머뭇거리며) 엄마!... 형!...

하지만, 집안에선 인기척이 없고...

씬/16   **D, 과거, 해영 母의 집 근처**

끼이익 급하게 차를 정차시킨 재한, 다급하게 내려서 어딘가로 뛰어간다.
다급한 얼굴의 재한

씬/17   **D, 과거, 해영 母의 집 앞**

어린 해영이 해영 母의 집 앞에 서서 초인종을 누르지만 아무도 나오지
않는다. '형... 엄마' 부르던 해영. 삐꺽 문을 열고 들어간다.

씬/18   **N, 현재, 광수대 유치장**

유치장에 갇힌 채 절박한 눈빛으로 앉아있는 해영.

- 인서트
- 13부 27씬.
법원 앞에서 슬픈 얼굴로 버스에 올라타던 선우.

- 다시 유치장으로 돌아오면

해영   막을 수 있어... 제발...

씬/19   **D, 과거, 해영 母의 집 안**

삐꺽 문을 열고 어두컴컴하고 초라한 단칸방으로 들어서는 어린 해영,
순간 멈칫한다.

씬/20   **D, 과거, 해영 母의 집 밖**

다급하게 뛰어오던 재한, 순간 멈칫하고 선다.

씬/21   D, 과거, 해영 母의 집 인근 도로 일각

13씬, 어린 해영을 스치듯 지나가던 남자의 손에 들린 쇼핑백을 비추는 화면. 쇼핑백 안에는 빨간 목도리가 담겨 있다. 그런 쇼핑백에서 틸업하면 범주다. 도로에 세워진 차에 올라타는 범주의 차가운 눈빛.

씬/22   D, 과거, 해영 母의 집 밖

재한이 멈춰 서서 보면, 해영 母의 집 밖에 노란 폴리스라인이 쳐져 있고, 그 밖을 지키는 순경의 모습. 재한의 눈빛 급격하게 떨려온다.

씬/23   D, 과거, 병원 응급실

선우의 시신을 끌어안고 서럽게 울고 있는 해영 母가 보인다. 그 옆에 역시 울음을 터뜨리고 있는 어린 해영. 화면 빠지면 응급실 입구에서 그 모습을 바라보던 재한이 있다. 재한, 자괴감과 자책감에 눈을 질끈 감는다. 그때 재한의 옆을 지나가던 사람들 멈칫하며 재한을 바라본다. 보면, 재한의 옆구리에 크게 번져있는 붉은 핏자국. 그러나 재한은 아픔 따위 느껴지지 않는 듯 우두커니 자리에 서서 하얀 천이 덮여있는 선우의 시신을 바라보고만 있다. 그런 재한의 모습에서 서서히 암전.

씬/24   D, 현재, 광수대 조사실

서서히 화면 밝아지면 핏기 하나 없는 창백한 얼굴로 수갑이 채워진 채 앉아있는 해영. 테이블 위에 펼쳐진 '박선우 변사사건' 수사자료 중 검붉은 피가 흩어진 현장사진. 박선우, '사망일 2000년 2월 18일'이란 글귀. 변하지 않았다. 선우는 죽었다. 넋이 나간 듯 멍한 시선의 해영의 모습에서 빠지면, 옆에서 차가운 표정으로 그런 해영을 바라보고 있는 강 형사다.

강 형사   (수사자료 뺏으며) 그렇게 보고 싶어 하던 네 형 수사 자료야. 이제 보
　　　　　여줬으니, 묻는 말에 순순히 대답해.

강 형사, 책상 위에 탁! 뭔가를 내려놓는데, 보면, 투명한 증거물 봉투
에 들어있는 피 묻은 칼이다.

강 형사   이게 뭔지... 네가 더 잘 알겠지.
해영   (그저 멍하니 보는)
강 형사   네가 계장님을 잔인하게 살해하고, 유기한 흉기니까...

씬/25　　　　**몽타주**

– 낮, 인주병원 응급실 인근 남자 화장실 앞. 겁에 질려 긴장한 듯한 화
장실 청소하는 아줌마와 얘기 중인 강 형사.

아줌마   비닐봉지에 싸여있어서, 누가 쓰레기를 버리고 갔나 했죠. 열어봤다가
　　　　　아주 깜짝 놀랐어요.

– 낮, 남자 화장실 안
화장실 제일 끝칸 청소 도구함을 모아놓은 칸 안에서 카메라 플래시를
터뜨리고 있는 감식요원. 그 뒤쪽으로 다가와 바라보는 강 형사. 청소
도구들 사이 바닥에 떨어져 있는 검은 비닐봉지 사이로 보이는 혈흔이
말라붙어 있는 칼이다.

씬/26　　　　**D, 현재, 조사실**

해영에게 다그치고 있는 강 형사.

강 형사	발뺌할 생각하지 마. 이 칼에서 계장님 혈흔이 발견됐고, 네 지문도 발견됐어.
해영	...난... 아닙니다.
강 형사	아니... 계장님을 죽인 건... 너야.

씬/27   D, 현재, 수사국장실

범주에게 보고 중인 문 형사.

문 형사	계장님이 실려간 인주병원 응급실 인근 남자 화장실에서 계장님을 살해한 걸로 추정되는 흉기가 발견됐습니다. 감식 결과 안치수 계장님의 혈흔과 DNA, 그리고 박해영의 지문이 검출됐습니다.
범주	...또 다른 증거는?
문 형사	화장실 앞 복도에 CCTV가 설치돼 있지 않아서 영상은 발견되지 않았지만, 당시 상황을 목격한 증인들이 나왔습니다.
범주	(보는)...
문 형사	모두들, 하나같이 박해영을 지목했습니다.

씬/28   몽타주

- 인주병원 일각.
25씬의 청소하는 아줌마와 얘기 중인 강 형사.

아줌마	수상한 사람을 보긴 봤어요.

- 밤, 아줌마의 회상.
피곤한 듯 화장실 쪽으로 다가오는 아줌마. 그때 저 앞쪽에서 불안한 얼굴로 화장실 쪽으로 향하는 해영. 손에는 검은 비닐봉지가 들려져 있는데, 피가 한 방울 떨어져 있다.

\- 밤, 남자화장실로 들어서는 남자 직원.

피투성이인 해영이 검은 비닐봉지를 들고 청소 도구함 쪽으로 들어가는 모습.

\- 낮, 인주병원 일각.

남자 직원에게 해영의 사진을 보여주고 있는 강 형사.

남직원   예, 맞아요. 이 사람이었어요.

씬/29   D, 현재, 조사실

지친 얼굴의 해영을 다그치고 있는 강 형사.

강 형사   널 본 목격자들이 있어.

해영   ...난... 아닙니다.

강 형사   그때, 인주병원에는 왜 다시 간 거야?

해영   ...병원 직원한테 물어보세요. 원무과에 안치수 계장님이 뭘 조사했는지 알아보러 간 거예요.

강 형사   거짓말하지 마. 네가 병원에 간 진짜 이유는 증거를 인멸하려고 한 거 아냐!!

해영   (답답하고... 형에 대한 생각으로 복잡하다 고개 떨구는)

강 형사   경찰이 되고 난 뒤에 계속 인주 사건을 조사했지?

해영   ...

강 형사   그리고 계장님이 그 사건을 담당했던 것도 알게 됐고...

해영   ...

강 형사   네 형이 진범으로 몰렸던 게 억울하고 분했겠지. 하지만 그렇다고 사람을... 그것도 니 상관을 죽여?!

해영   ...(더 이상 뭐라고 할 힘도 여력도 없다. 멍하고 힘든) 아닙니다... 난... 아니에요.

| 씬/30 | D, 현재, 수사국장실 |

문 형사 나가고 홀로 남은 범주, 엷은 미소를 띠고 있다.

| 범주(소리) | ...조작된 증거... 돈을 받고 위증을 한 증인들... 포기하지 않으면... 그렇게 되는 거야... 니 형처럼... |

| 씬/31 | N, 수현의 차 안 |

길 위에 세워져 있는 수현의 차. 운전석에 앉아있는 수현, 가만히 손안에 무전기를 바라보고 있다.

- 인서트
- 3부 41씬.

해영	만약에요.
수현	(보는)
해영	만약에... 과거에서 무전이 온다면... 어떨 것 같아요?

- 3부 68씬.

| 해영 | 우리 때문에... 아니... 나 때문에 죽은 거예요. 그 무전만 아니었으면... 돌려놓을 겁니다! 아직... 기회가 있다면... |

- 9부 12씬.

| 수현 | ...김윤정 사건... 경기남부 사건, 한세규 사건. 네가 관심을 보이는 사건들은 왜 하나같이 이재한 선배님과 관련 있는 사건들이지? |

해영, 순간 말문 막히고, 수현은 그런 해영을 꿰뚫듯 바라본다.

| 해영 | (당황한 기색을 감추며) 그랬...어요? 난 몰랐는데... |

- 11부 54씬.

| 수현 | 너야말로 여기 왜 온 거야? 이재한 선배한테 왜 그렇게 관심이 많은 거냐구? |
| 해영 | (보는) 진짜 이유를 대면 믿으실 겁니까? 나도 믿기 힘든 얘기를 형사님이 믿어줄 수 있겠어요? |

- 14부, 69씬.
인주병원 복도, 치치칙 울리는 무전기를 바라보는 수현의 귓가에 들려오는 재한의 목소리.

| 재한(소리) | 박해영 경위님 |

- 현재, 차 안으로 돌아오면, 도대체 뭐가 뭔지 모르겠다. 혼란스러운 시선으로 무전기를 바라보는 수현.

씬/32   N, 과거, 서울청 형사과장실

범주, 손가락이 베인 듯, 따가운 듯한 얼굴. 밴드를 떼어서 손가락에 붙이고 있다. 책상 위엔 '휴게소 약국'이란 상표가 찍힌 약국 봉투. 그때, 쾅! 하고 열리는 문. 보면, 출입문 앞에 재한이 서 있다. 창백한 얼굴에 떨리는 눈빛. 인주에서 바로 올라온 듯, 옆구리 쪽에는 여전히 피가 묻어있다.

| 재한 | (천천히 다가오며) 선우는... 자살할 애가 아닙니다. 자살이 아니에요. 나한테 분명히 그렇게 말했어요. 인주 사건의 진범을 잡을 증거를 찾았다고... |

낮, 해영 母의 집. 조심스럽게 현관 안으로 들어온 재한, 천천히 집 안을 둘러보다가 선우의 방 앞에 서는데 멈칫한다. 보면, 바닥에 까맣게 말라붙어있는 핏자국이다. 재한, 잠시 울컥 치미는 감정을 추스르고 조심스럽게 방 안으로 들어가 주변을 살핀다. 옷장, 서랍장, 책상 안쪽 등 좁은 방안 곳곳을 빠짐없이 뒤져보지만 어디에도 붉은색 목도리는 보이지 않는다.

- 다시 형사 과장실로 돌아오면

재한   그런데 죽은 선우 집을 아무리 찾아봐도 선우가 말한 빨간 목도리는 나오지 않았어요. 누군가... 선우를 자살로 위장하고... 그 증거를 가져간 겁니다. 그 증거가 있으면 절대로 안 되는 사람이...

범주   무슨 얘긴지 모르겠지만, 그만하고 나가지. 보고할 사항이 있으면 절차 밟아서 정식으로 보고해.

재한   인주서에서 이상한 얘기를 들었습니다.

- 인서트
- 인주서 강력계 사무실. 순경을 붙잡고 묻고 있는 재한.

재한   박선우 변사사건 담당 형사님 어딨습니까?

순경   지금, 자리에 안 계신데...

그때 사무실로 들어오던 관할형사 1과 무심코 눈이 마주친다. 그런데 관할형사 1, 뜻밖에 재한을 만나자 멈칫하며 어색하게 시선을 피한다. 재한, 뭔가 이상함을 느끼고 관할형사 1을 보면, 관할형사 1, 못 본 척 재한을 지나쳐 가려는데, 재한이 재빨리 관할형사 1의 앞을 막아선다. 관할형사 1이 마지못해 재한 보면,

- 인주서 건물 복도 일각

관할형사 1, 거의 벽에 내몰리듯 서 있고, 그 앞에는 무섭게 굳은 표정의 재한이 서 있다.

관할형사 1   나는 그냥 박선우가 이 형사를 찾고 있다 그 말 밖에 안 했어요. 개가 자살한 건 나랑 상관없다니까요.

재한   누구한테 말했는데요.

관할형사 1   (잠시 망설이는)

재한   누구한테요!

관할형사 1   ...치수 형님한테요.

– 다시 형사과장실로 돌아오면 날카로운 눈빛으로 범주를 바라보고 있는 재한.

재한   ...안치수 형사가 알았다면, 바로 당신한테 보고했겠지.

범주   (차가워지는) 너 지금 제정신이야? 여기가 어딘지 알고, 함부로 입을 나불대.

재한   ...과장님 내사가 종결된다면서요? 정황증거도 확실하고 증인도 있는데 무혐의로 종결이라.. 저기 까마득하게 높으신 데서 이번에도 막아주셨나 봅니다. 누군가를 죽여 가면서까지 충성한 사냥개를 다시 거둬주기로 한 모양이죠?

범주   ..그만해. 봐주는 건 여기까지야

재한   나도 여기까지야!

범주   이재한!!

재한   당신 절대 가만 안 둬. 내가 꼭 잡아 처넣어 버릴 거야. 어떻게... 그 어린애를... 그 어린애한테 그런 짓을 할 수 있어!

범주, 인터폰을 누르고

범주   누구 없나? 여기 이 새끼 끌고 나가

재한   벌써 형까지 살고 나온 애가 왜 그렇게 절박하게 무죄를 밝히려고 했는지 알아? 자기가 억울해서가 아냐! 부모님, 동생... 사랑하는 가족들이 자기 때문에 뿔뿔이 흩어졌으니까! 무죄를 밝혀야만 다시 같이 모여 살 수 있으니까!

그때, 문 열리면서 들어서는 형사들. 범주가 눈짓하자, 재한을 끌고 나가기 시작한다.

재한   걘 믿은 거야! 잘못된 걸 바로잡고 가족이 다시 모여 살 수 있을 거라고!! 그렇게 도와줄 수 있는 어른이 있을 거라고!!! 그런 애를 어떻게 그럴 수 있어!!

분노에 휩싸인 채 끌려 나가는 재한. 그런 재한을 일말의 감정도 없이 차갑게 바라보는 범주.

씬/33   N, 과거, 재한의 방

연신 울리고 있는 핸드폰. 수현에게서 오는 전화지만 받지 않자 끊긴다. 그런 어두운 방 한구석에 우두커니 앉은 재한. 두 눈은 붉게 충혈돼 있다.

- 인서트
- 14부 45씬.

선우(소리)   다른 사람은 못 믿겠어요. 형사님께 직접 전해드리고 싶은데...
재한   알았어. 내가 금방 갈 테니까, 집에서 꼼짝 말고 기다려.

- 14부 71씬~73씬.

해영   형사님! 접니다. 형을 살려주세요. 형사님 말씀처럼 우리 형은 누명을 쓴 거예요. 그리고 2000년 2월 18일 죽습니다. 살해당해요!

- 15부 22씬.
재한이 멈춰 서서 보면, 해영 母의 집 밖에 노란 폴리스라인이 쳐 져 있고 재한, 설마설마하는 불안한 얼굴이다.

- 15부 23씬.
선우의 시신을 끌어안고 서럽게 울고 있는 해영 母

- 다시 재한의 방으로 돌아오면 죄책감과 자괴감에 빠진 재한, 고개를 떨구는데... 순간, '치치칙' 울리기 시작하는 무전기. 재한, 고개 들어 책상 위에 놓인 무전기를 바라본다. 주파수가 흔들리고 있고 노란색 불빛이 들어와 있다. 재한, 어떻게 무슨 말을 꺼내야 할지 막막하다... 죄책감에 가득한 목소리로 천천히 입을 뗀다.

재한   ...경위님... 미안합니다... 막지 못했어요... 내가 잘못한 거예요. 바로 내려갔어야 했는데... 전화를 받고 바로 갔으면 경위님 형을 살릴 수 있었을 텐데... 내가 바보처럼... 딴 데 정신이 팔려있었어요...

재한, 말하기 힘든 듯, 잠시 멈추다가

재한   경위님... 듣고 있습니까?

그때, 무전기 너머에서 들려오는 목소리...

수현(소리)   선배님...

재한 놀라서 눈빛 굳으며 무전기를 보다가 자기도 모르게

씬/34   N, 현재, 수현의 차 안

미미하게 떨리는 수현의 손에 들린 무전기. 수현, 믿기지 않는 듯, 떨리

는 눈빛으로 무전기를 들고 있다.

수현   ...정말... 선배님이에요?

씬/35   **N, 과거, 재한의 방**

재한, 무전기 너머에서 들려오는 수현의 목소리를 믿기지 않는 듯

재한   어떻게... 네가... 네가 왜...

씬/36   **N, 현재, 수현의 차 안**

믿기지 않지만... 재한에 대한 그리움이 밀려오는 듯 눈가가 붉어지는
수현.

수현   선배님... 정말 선배님 맞아요? 대답해 봐요. 진짜... 선배님이에요?

씬/37   **N, 과거, 재한의 방**

울먹이는 수현의 목소리를 듣는 재한. 뭐라고 해야 하는 건지, 머리가
새하얀 듯, 그저 무전기를 바라보는데... 다시 들려오는 수현의 목소리.

수현(소리)   15년이나... 기다렸어요.

씬/38   **N, 현재, 수현의 차 안**

수현   그랬는데 결국.. 죽어서 돌아왔어요... 15년을 기다렸는데... 선배님...
죽는다고요.

씬/39   **N, 과거, 재한의 방**

재한, 수현의 얘기에 멈칫하는...

씬/40   **N, 현재, 수현의 차 안**

수현   (감정이 북받치는) 뭐라고 얘기 좀 해봐요. 나한테 할 말이 있다고 했
잖아요. 나한테 기다리라고 그랬잖아요. 그래서... 얼마나 기다렸는데...
그러니까, 뭐라도... 무슨 얘기라도... 해봐요.

씬/41   **N, 과거, 재한의 방**

무전기 너머에서 들려오는 수현의 목소리를 혼란스러운 눈빛으로 듣던
재한. 최대한 감정을 추스르며

재한   ...박해영 경위님은? 경위님한테 무슨 일이라도 생긴 거야?

씬/42   **N, 현재, 수현의 차 안**

수현   그게 중요한 게 아니잖아요. 선배님. 8월 3일 선일정신병원이에요. 거
기 가면 안 돼요. 내 말 듣고 있는 거죠? 거기에 가면...

하는데, 툭 끊어지는 무전. 보면 무전기가 꺼져 있다. 수현, 떨리는 눈
빛으로 무전기의 송신 버튼을 마구 누르며

수현   선배님... 선배님!

하지만, 꺼진 무전기는 잠잠할 뿐이다. 수현... 혼란스러운 시선으로 어
찌할 바를 모르다가... 결심이 선 듯, 차를 출발시킨다.

씬/43   **N, 과거, 재한의 방**

재한, 역시 혼란스러운 시선으로 무전기를 바라본다.

수현(소리) ...그랬는데 결국.. 죽어서 돌아왔어요... 15년을 기다렸는데... 선배님... 죽는다구요.

재한, 자신이 죽는다는 소리에 눈빛이 떨려오는 그러다가 수첩을 펴서 메모를 하기 시작한다. '8월 3일, 선일정신병원'이라고 적는다.

씬/44   **D, 과거, 수현의 방**

출근 준비를 하는 듯 씻고 온 듯, 수건을 두르고 재한에게 전화를 걸고 있는 수현. 하지만, 여전히 전화를 받지 않는다. 답답한 얼굴로 전화기 내려놓는 수현.

수현 ...도대체 어딜 가신 거야...

그때, 샌드위치 담긴 쟁반 들고 들어서는 수민.

수민 이것 좀 먹고 가.
수현 됐어. 바빠.

수현, 대충 머리 털고 윗옷 입으려고 하면, 화장대에 앉히는 수민.

수민 (샌드위치 한 입 넣어주며) 그다음엔 어떻게 됐어?
수현 뭐가...
수민 고백했다면서?
수현 (무안하고)... 무슨...
수민 얘기 좀 해봐.
수현 내가 뭐 연애하러 다니니? 범인 잡기도 바빠 죽겠는데...

수민, 그런 수현 보다가

수민   아이고... 우리 언니 얼굴 봐봐라. 딱 봐도 차일 얼굴이네. 언니, 로션은 발러?

수현   이게 빠져가지구, 야, 강력계 형사가 무슨 로션이야.

수민   강력계 형사는 숨 안 쉬어? 심장은 안 뛰고? 범인한테는 몰라도 그 사람한테는 이뻐 보이고 싶을 거 아냐.

수현   (수민 밀쳐내며) 됐으니까 나가라고!

수민을 방 밖으로 내보낸 수현, 겉옷 들고 나가려다가 화장대에 비친 자기 얼굴을 문득 확인한다. 정말 자기가 그렇게 여성성이 떨어졌나... 화장대에 앉아 잠시 화장품들을 보다가 로션을 꺼내 한 번 얼굴에 발라보다가... 한숨.

수현   이런다고... 좋아해 줄 사람이 아닌데... 내가... 미쳤나보다...

씬/45   D, 과거, 형기대 사무실

형사들, 모여서 재한 얘기를 하는 듯, 쑥덕거리고 있는데 출근하는 수현.

수현   좋은 아침입니다.

수현을 바라보는 형사들. 수현, 눈치 못 채고 자기 책상으로 가는데.. 책상 위에 포장지로 감싸인 상자가 놓여 있다. 뭐지? 보다가 뜯어보는데, 케이스가 나오고... 케이스 열어보면 시계. 수현, 설마... 하는 얼굴로 고개 들어 재한 쪽 책상 보는데 책상이 깨끗하게 비워져 있다.

수현   (놀라서) 뭐예요... 재한 선배님... 어디 갔어요?

형사들, 난감한 얼굴로 있다가

형사 1	...너한테도 얘기 안 했냐? 하여간 정내미 떨어지는 놈.
수현	(보는)
형사 1	이재한 전근 간단다. 일선서로 자원했대.

잠시 멍하던 수현, 한 손에 케이스 들고 파다닥 뛰쳐나간다.

씬/46 　　　D, 과거, 형기대 건물 주차장

케이스 들고 뛰어나오는 수현, 서운한 마음에 붉어진 눈가로 주변을 두 리번거리는데 저 앞쪽에 짐이 든 박스를 들고 차로 걸어가고 있는 재한 을 발견하고

수현	선배님!

재한, 멈춰 서는... 그런 재한에게 화난 얼굴로 다가와 앞에 서는 수현.

수현	(시계 케이스 들어 보여주며) 이거, 선배님이 놓고 가신 거죠?
재한	...
수현	(자기 맘을 몰라주는 재한이 원망스러운 시선)누가.. 이런 거 달라 그랬 어요? 누가... 이런 거 달라 그랬냐고요...
재한	(보다가) 필요 없으면 버리던가.

수현, 눈빛 더욱 떨려온다. 재한 돌아서서 다시 걸어가고... 수현, 감정 이 북받치는 듯, 멀어지는 재한을 향해 시계 케이스를 던져버린다. 그 소리에 멈춰 서는 재한. 수현, 그런 재한을 원망스럽게 보다가 돌아서 서 건물을 향해 걷는다. 재한, 돌아서서 바닥에 떨어진 시계 케이스를 보다가... 짐을 바닥에 놓고 케이스를 들어서 멀어지는 수현에게 다가 와 억지로 수현의 손에 시계 케이스를 쥐여주고, 눈물이 그렁그렁한 수 현의 눈을 보다가

재한	범인 눈앞에 있다고 앞뒤 안 가리고 덤비지 마. 칼 든 놈은 꼭 피해. 나중에 잡으면 돼. 다치지 말고... 아프지 말고...

재한, 가만히 수현을 보다가 다시 돌아서서 멀어지려는데, 그런 재한의 팔을 붙잡는 수현.

수현	선배님... 그때... 제가 한 말...

재한, 돌아서서 수현을 보다가 자기 팔을 잡고 끄는 수현의 손을 잡고 치우려는 듯 하다가 잠시 그 손을 잡는다. 수현, 멈칫해서 보는데... 잠시 수현의 손을 잡고 있다가 그 손을 놓는 재한

재한	형사는... 한 눈 팔면 안 되는 직업이다.

재한, 수현 한 번 보고는 다시 뒤돌아서 걸어가서 바닥에 놓은 짐 들고 다시 멀어진다. 그런 재한을 원망스러운 시선으로 보던 수현, 천천히 케이스를 바라본다.

씬/47   N, 현재, 광수대 건물 외경

씬/48   N, 광수대 유치장

밤, 불이 꺼진 어두운 유치장 벽면에 고개를 숙이고 기대어 앉아있는 해영. 형의 죽음에 대한 충격으로 여전히 눈빛은 어둡게 가라앉아 있다. 그때 다가오는 발자국 소리. 보면, 수현이다. 그 옆으로 난감한 얼굴로 안절부절 못하면서 따라오는 의경. 해영이 갇힌 유치장 철문 앞에 멈춰서는 수현.

수현	열어.
의경	담당 형사님 허락이 있으셔야...

수현	잠시면 돼. 단 둘이 할 얘기가 있어.

의경, 굳은 수현의 얼굴 보다가 어쩔 수 없다는 듯 철창문을 열고 뚜벅
뚜벅 안으로 걸어 들어가는 수현. 그런 두 사람의 모습을 보다가

의경	너무 오래는 곤란합니다.

하고는 멀어지는 의경. 인기척에도 멍하니 앉아있을 뿐인 해영을 바라
보던 수현.

수현	(혼란스러운 감정을 추스르며) 단도직입적으로 묻자... 살릴 수 있어?

해영, 말없이 혼란스러운 눈빛으로 앉아있는... 수현, 그런 해영을 보다
가 뚜벅뚜벅 다가가, 앞에 앉아 해영의 어깨를 잡아 자신을 보게 만든다.

수현	박해영 날 봐.
해영	......
수현	난 아직도 믿기지 않아. 그 무전도 네가 한 얘기도 다 믿기지 않지만... 그 목소리는... 분명히 이재한 선배님이었어.
해영	......
수현	그때 그랬지. 죽었던 사람을 살렸다고...
해영	......
수현	그러니까... 선배님도... 살릴 수 있어? 대답해.
해영	...얘기했잖아요. 무전으로 누군가를 살리는 건... 위험해요.
수현	모든 걸 되돌릴 수 있다면... 살릴 수 있다면... 단 1퍼센트의 가능성이라도 있다면... 모든 게 엉망이 되더라도 난 그렇게 할 거야. 그러니까 대답해줘. 도대체 어떻게 하면 선배님을 살릴 수 있어?
해영	...난... 이제... 아무것도 모르겠어요. ...내가 원한 건... 진실을 밝히는 거였어요. 그런데... 아무것도 제대로 된 게 없어요. 이재한 형사님도... 안치수 계장님도 죽었습니다... 형이 죽는 것도 막지 못했고 나도... 살

인범이라는 누명을 쓰고 여기 갇혀 있어요.

수현 (보는)

해영 무전으로 살린 사람들... 바뀌어진 사건들도... 모두 잘한 건지 모르겠어요. 그런데 또다시 무전으로 과거를 바꾸면 어떤 일이 벌어질지 몰라요.

수현 아니... 벌써 과거는 바뀌었을 수 있어. 선배님한테 얘기했어. 8월 3일 선일정신병원에 가지 말라고...

해영 (멈칫해서 보다가) 아뇨... 형사님은 알면서도 거길 갔어요. 그 장소에 단서가 있을 거라고 생각하고 거길 간 거예요.

– 인서트
– 1부, 24씬. 무전을 하고 있는 재한.

재한 (무전기에 대고) 당신이 얘기한 한정동 선일정신병원입니다. 건물 뒤편 맨홀에 목을 맨 시신이 있어요.

– 1부, 26씬.
재한의 뒤쪽으로 어두운 그림자 하나가 슥 지나가고... 재한 뒤를 휙 돌아보지만, 아무도 보이지 않는다.

재한 왜... 나한테 여길 오지 말라고 한 거죠? 여기서 무슨 일이 벌어지는 겁니까?

– 다시 유치장으로 돌아오면
혼란스러운 시선으로 해영을 바라보는 수현.

수현 장소가 아니라면... 왜 어떻게 죽게 됐는지 알아내야 해.

해영 (보면)

수현 김성범이야.

해영 (보는)

수현 김성범 별장에 선배님 시신이 묻혀있었어. 김성범은 선배님이 어떻게 왜 죽었는지 알고 있겠지. 계장님 사건도 마찬가지고... 김성범을 찾으면 니 누명도 벗기고... 선배님을 살릴 수 있는 방법도 알 수 있을 거야. 난... 선배님도... 너도 포기 안 해.

씬/49　　　　　**D, 장기미제 전담팀**

쾅! 쾅! 해영의 책상 서랍과 캐비닛이 거칠게 열리고 그 안을 막무가내로 뒤지고 있는 광수대 형사들. 압수당하는 컴퓨터 본체 실려 나가고 책상 위와 바닥에는 온갖 서류와 파일철들이 어지럽게 흩어져 있다. 수현, 계철, 헌기는 한 쪽에 비켜서서 그 모습을 지켜보고 있는데, 해영의 옆 수현의 책상까지 손대려는 형사 1.

계철　　　　어허... 여기는 아니지. 차수현 형사 거까지 영장 받아오던지...

좋지 않은 눈빛으로 계철 바라보는 형사 1. 그런 형사 1의 뒤에서 그만하라는 듯 어깨 치는 문 형사.

계철　　　　이제 그만하지. 뒤질 만큼 뒤졌잖아.

문 형사, 그런 계철은 무시하고 수현에게 저벅저벅 다가가서

문 형사　　　그때, 인주병원은 왜 간 거야? 박해영하고 같이 내려간 거야?
계철　　　　문 형사 너 한글 못 읽냐?

문 형사, 계철을 보면, 계철이 천장에 매달린 '장기미제사건 전담팀' 팻말을 가리키고 있다.

계철　　　　장기미제 사건 전담팀. 여기 미제 사건 수사하는 팀이야. 그래서 우리 팀이 인주 사건 재수사하던 거라고
문 형사　　　인주사건은 미제 사건이 아닐텐데...

헌기	범인이 잡혔지만, 진범이 따로 있을 수 있다는 의혹이 있으면 그것도 미제 사건 아닙니까? 문 형사님 보기보다 생각의 영역이 좁으시네.

문 형사, 못마땅하게 바라보면 계철과 헌기도 전혀 물러서지 않고 본다. 문 형사, 그런 형사들 보다가 수현을 보다가 뒤돌아서 나가고... 광수대 형사들, 그 뒤를 따라 나간다.

계철	(분한) 아우. 저 씨...

씬/50   D, 카페

테이블에 둘러앉아 대화 중인 수현, 계철, 헌기.

계철	이거 아무래도 냄새가 이상해. 지금 박해영이 체포된 상황이 2000년 인주 때랑 너무 비슷하지 않아?
수현/헌기	(보는)
계철	직접 증거는 없고 죄다 목격 진술뿐인데 하나 같이 너무 딱딱 들어맞아. 필요한 시점에 필요한 목격자가 우르르 나타났잖아. 꼭 다 짜 놓은 판 같다니까.
헌기	살해 수법도 박 경위랑 안 맞아요. 박 경위가 일격에 사람을 죽일 만큼 칼을 잘 쓰는 사람도 아니고.
계철	그리고 그 중요한 흉기를 현장 근처에 방치했다는 게 말이 돼? 솔직히 박해영이 그 정도로 하수는 아니지.
수현	범인으로 의심 가는 사람이 한 명 더 있어.
계철	누군데?
수현	김성범.
헌기	김성범이면... 예전에 박경위가 계장님 뒷조사한다고 진술했던 사람 아닙니까?
수현	맞아. 그 김성범이 계장님이 돌아가시던 날 인주에 있었어.

- 인서트
- 11부. 102씬.

늦은 밤, 인주고등학교를 향해 달리던 해영의 차. 반대 차선에서 스치 듯 지나가던 하얀색 자동차의 룸미러에 달린 동물 털로 만들어진 액세 서리.

- 12부. 51씬.

성범이 탄 차를 보는 해영. 순간 멈칫한다. 성범의 차 앞 룸미러에 달려 진 하얀 동물 털로 만들어진 액세서리.

- 현재, 카페로 돌아와서

계철	진짜야?
수현	박해영이 직접 목격한 거야.
헌기	그럼 광수대에 얘기해야죠.
수현	광수대는 박해영을 가장 유력한 용의자로 생각하고 있어. 그런데, 박해 영 증언을 들어주겠어?
계철	아, 진짜... 그놈의 새끼들. 앞뒤로 꽉꽉 막혀가지구...
헌기	그뿐만이 아냐. 김성범 소유의 별장에서... 15년 전에 실종됐던 형사의 백골사체가 발견됐어.
계철	형사? 형사까지 죽였다고?
수현	사체로 발견된 형사 이름은... 이재한. 99년도에 계장님과 함께 인주사 건을 수사했었어.

계철, 헌기, 뭔가 감이 온다는 듯 서로 마주 보는

헌기	이거 봐요. 인주 사건 이거 분명히 뭐가 더 있는 겁니다.
수현	그 사건 이후 김성범은 잠수를 탔어. 김성범은 범죄에 익숙한 인물이

344

야. 밀항을 시도할 수도 있어. 그전에 김성범을 찾아내야 해. 직장인 나이트클럽과 집 주변 CCTV, 통화내역, 신용카드, 계좌 내역, 전과 기록 찾을 수 있는 건 다 찾아봐.

씬/51　　　　D, 유치장 접견실

여전히 표정이 혼란스러운 해영과 마주 앉아 있는 수현. 테이블 위에 주소들이 적힌 리스트가 놓여 있다.

수현　　김계철 선배가 밝혀낸 김성범이 있을만한 후보지역들이야. 모텔이나 여인숙은 CCTV 때문에 발각 위험이 높으니 배제했고, 김성범 지인들이 소유한 오피스텔 위주로 뽑았어.

해영　　...너무 방대합니다. 김성범 프로파일링을 한다고 해도, 도주를 하는 과정에서는 입맛에 맞는 주거지를 선택하기 힘들어요. 이번엔 내가 도움이 되기 힘들 거예요.

수현　　박해영. 정신 차려. 김성범 빨리 찾아야 해.

해영　　(보면)

수현　　우리 말고, 김성범을 찾아다니는 사람들이 있어.

해영, 멈칫해서 보면

– 인서트
차 안, 수현에게 지인들의 오피스텔 주소 리스트를 건네주는 계철. 수현, 리스트를 살펴보는데...

계철　　그런데 차 형사. 이상한 점이 있어.

수현　　(보면)

계철　　김성범 지인들한테 얘기를 들어보니까, 나 말고 먼저 김성범을 찾아다닌 사람들이 있더라고.

수현　　(멈칫) 광수대 형사들 아냐?

계철	인상착의를 물어봤는데 경찰 쪽은 아니었어. 게다가 그 사람들 우리보다 한발 먼저 움직이고 있어.

– 다시 유치장 접견실로 돌아오면

수현	김범주 국장이야.
해영	(보는) 김범주 국장이요? 김성범을 빼돌린 게 김범주 국장일 텐데... 왜...
수현	김성범을 빼돌린 건 김범국 국장이었겠지만, 김성범은 곧바로 잠적했을 거야. 지금 김성범한테 제일 위험한 사람은 김범주 국장 이니까... 이재한 선배님의 시신이 발견된 건 두 사람의 계획에 없었던 일이야. 경찰 시신이 발견됐는데 희생양이 필요하겠지. 게다가 김성범은 김범주 국장의 비리를 가장 잘 알고 있는 증인이야. 경찰한테 잡히기 전에 제거하려고 들 거야.

씬/52   D, 수사국장실

핸드폰으로 통화 중인 범주.

범주	어떻게 됐어?

씬/53   D, 거리 일각

오피스텔 건물을 빠져나오면서 통화 중인 남자. (8부, 남자 간호사 정도로 생각했습니다)

남자	숨어 있을 만한 곳들을 계속 수색 중인데, 아직 발견하지 못 했습니다.
범주(소리)	...경찰들이 찾기 전에, 먼저 찾아야 해.
남자	알겠습니다.

씬/54   D, 또 다른 거리 일각

차들이 지나다니는 거리 한편에 설치된 공중전화 손잡이를 드는 손. 빠지면 모자를 푹 눌러쓴 불안한 얼굴의 성범이다. 어디론가 전화를 걸지만, '고객 전화기의 전원이 꺼져 있사오니...' 더욱 초조한 눈빛이 되는 성범. 전화기를 내려놓고 멀어지는 성범. 화면, 성범이 사용하던 공중전화기의 고유번호를 비춘다. '031-700-8990'

씬/55   D, 유치장 접견실

51씬에 이어지는 수현과 해영.

수현   김범주 국장이 우리보다 먼저 김성범을 찾으면... 선배님이 왜 죽었는지, 계장님을 누가 죽였는지 알고 있는 유일한 증인이 사라지는 거야. 김범주 국장보다 우리가 먼저 찾아야 해. 시간이 없어...

해영, 수현의 얘기에 최대한 집중하자... 주소 리스트를 보다가

해영   그나마 확률이 높은 지역은 없나요?
수현   김성범이 어렸을 때부터 살았던 00구, 어머니집이 있었던 경기도 00시가 가장 유력하긴 한데...
해영   (멈칫하는) 경기도 00시...
수현   왜?

멈칫하는 해영의 뇌리를 스치는 전화번호.

- 인서트
- 13부, 56씬, 울리는 해영의 핸드폰. 번호는 031-700-8990.
- 14부, 20씬, 역시 똑같은 번호로 울리던 해영의 핸드폰.

– 다시 유치장 접견실로 돌아오면 서서히 눈빛에 침착함이 돌아오는 해영.

해영 현재 김성범은 경찰에게도 쫓기고 김범주 국장에게도 쫓기고 있어요. 사면초가죠. 밀항 루트도 다 막혔을 겁니다. 그런 상황에서 어떻게 행동할까요?

수현 가장 믿을 만한 사람을 찾아가겠지.

해영 맞아요. 경찰 중에서도 김범주 국장과 절대 손잡지 않을 만한 경찰. 김범주 국장의 비리를 밝히려고 했던 경찰에게 연락하려고 하겠죠. 바로... 나같은...

수현, 해영을 보는...

씬/56　　　N, 유치장 보관실

작은 창고 같은 공간. 벽면에 사물함 몇 칸이 설치돼 있고, 그 앞에서 난감한 얼굴로 머뭇거리고 있는 의경과 그 옆에서 고압적인 얼굴로 바라보고 있는 수현.

의경 접견이야 어쩔 수 없지만, 핸드폰 사용은 정말 곤란합니다.

수현 통화를 하겠다는 게 아냐. 잠시만 확인할 게 있어서 그래.

의경 그래도...

수현 계장님 진범을 잡을 수 있는 중요한 단서가 저 안에 있어. 지금 꼭 확인해 봐야 해.

수현의 눈빛을 보던 의경. 어쩔 수 없다는 듯 사물함을 연다. 열린 사물함 안, 박선우 수사 자료와 핸드폰, 차 키 등 압수된 해영의 물건들 중 핸드폰을 바라보는 수현.

씬/57　　　N, 유치장 접견실

수현이 갖고 온 핸드폰 전원을 켜는 해영. 전원이 들어오고 밝아지는 액정화면 비추면, 부재중 전화가 세 통이나 와 있다. 통화목록 터치하면 부재중 전화 모두 '031-700-8990' 번호다. 시선 마주치는 해영과 수현. 그리고 다시 초기화면으로 돌아오는데, 해영, 멈칫하는데 음성 메시지가 들어와 있다. 다급히 음성 메시지를 듣는 해영.

성범(소리)   나 김성범이야.

음성 메시지를 듣고 눈빛 멈칫하는 해영, 수현과 시선 마주친다.

씬/58   **D, 광수대 건물 외경**

씬/59   **D, 유치장**

아침. 유치장에 가만히 앉아있는 해영. 그때, 유치장 철창문 열리면서 들어서는 강 형사.

강 형사   나와. 영장실질심사하러 법원으로 이동한다.

일어나는 해영. 그런 해영의 손목에 수갑을 채우는 강 형사.

씬/60   **D, 광수대 건물 앞**

수갑을 찬 양손을 수건으로 가린 해영. 강 형사, 형사 1과 함께 건물을 나서서 대기하고 있던 기동차량에 올라탄다.

씬/61   **D, 거리 일각/ 차 안**

거리를 달리는 기동차량. 뒷좌석에 형사 1, 중간에 수갑을 찬 해영, 그 옆에 강 형사가 앉아있다. 흔들리는 차 안, 전면을 바라보는 해영의 얼

굴 위로

- 인서트.
- 57씬에 이어지는... 핸드폰 스피커로 성범의 음성 메시지를 확인하고 있는 수현과 해영.

성범(소리)   김범주를 한방에 보낼 증거를 알고 있어. 다른 경찰은 믿을 수 없어. 박해영, 너 혼자 나와. 시간은 0월 0일. 시간은 밤 열한시. 00쇼핑몰 지하주차장이다.

수현, 일어서며

수현   전담팀하고 내가 가서 김성범을 체포할게.
해영   김성범은 범죄에 빠삭한 인간입니다. 내가 나오는지, 아닌지 어디선가 지켜보고 있을 거예요. 만약 내가 아니라 다른 사람이 나온다면... 이제 나한테도 연락을 끊어버릴 수도 있어요.
수현   (답답한 얼굴이 되는데...)
해영   방법은... 하나뿐입니다.

그런 해영을 바라보는 수현.

- 다시 이동 중인 기동차량으로 돌아오면 해영의 우측에 앉은 형사 1, 꾸벅꾸벅 졸기 시작하고... 강 형사는 핸드폰으로 통화 중이다. 그 사이에 앉은 해영의 수건으로 덮여진 손을 비추는 화면. 주머니 안에 숨기고 있던 수갑 열쇠로 은밀하게 수갑을 따기 시작한다. 우측으로 커브를 틀기 시작하는 기동차량. 속도가 떨어지기 시작하는데... 해영, 순간 형사 1을 밀어젖히고 차문을 연다. 놀라서 해영을 바라보는 강 형사. 그러나 만류할 새도 없이 달리는 차에서 뛰어내리는 해영.

씬/62   **D, 거리 일각**

뛰어내려 나뒹구는 해영. 아픔이 몰려오지만, 참고 몸을 추스르는데 바로 앞에서 끼이익 급정거를 하는 기동차량에서 뛰어내리는 강 형사와 형사 1. 해영, 아픔을 참고 절룩거리며 사잇길로 도주하기 시작한다. 그런 해영의 뒤를 쫓기 시작하는 강 형사. 다급한 얼굴로 도주하는 해영의 얼굴에서

- 인서트
- 접견실. 해영에게 수갑 열쇠를 내미는 수현.

수현   너 혼자는 안 돼.
해영   아뇨. 형사님까지 이 일에 끼어들 일 순 없어요.
수현   김성범만 체포하면, 니 혐의를 벗길 수 있어.
해영   안됩니다.

- 다시 거리로 돌아오면
사잇길을 지나 코너를 도는 해영. 마치 약속이 돼 있던 듯, 세워져 있는 자동차. 조수석문이 열려져 있다. 그런 조수석 문으로 빠르게 올라타는 해영. 올라타자마자 빠르게 출발하는 자동차. 뒤늦게 쫓아온 강 형사와 형사 1, 그런 차량 뒷모습을 바라보다가 다급히 핸드폰으로 연락한다.

강 형사   박해영 도주했어. 차량번호 00오에 0000. 빨리 위치 추적해!

씬/63   **D, 수현의 차 안**

운전을 하는 수현, 여기저기 생채기가 난 해영에게

수현   걸을 수 있겠어? 이 차론 오래 못 가. 조금만 가다 택시로 갈아타야 해.
해영   괜찮습니다. (하다 수현 보는) 차 형사님이야말로 괜찮겠어요? 광수대가 발칵 뒤집어졌을 겁니다.
수현   상관없어.

더욱 악셀을 밟는 수현.

수현 빨리 김성범을 만나야 해. 만나서 선배님이 어떻게 왜 죽었는지... 뭘 바꿔야 선배님이 살 수 있는지... 알아내야 해.

초조한 수현의 눈빛에서

(소리) 진양서 강력 1팀, 이재한 형사님!

씬/64 D, 과거, 진양서 강력계 사무실

보면, 우체국 직원이 서류봉투를 들고 오가는 형사들 사이로 재한을 찾고 있다.

직원 이재한 형사님 안 계십니까?

그때, 책상에 앉아서 서류 정리 중인 듯 보이는 'KOREA' 글씨가 박혀진 반팔 티셔츠를 입은 재한, 뒤돌아서 손들고 일어나서 다가오며

재한 나에요.

직원 다가와서 서류봉투를 건넨다.

직원 등기 왔습니다. 본인 맞으시죠?

재한, 서류봉투를 가만히 바라본다. 겉면에 적혀진 영어. 미국 법의학 사무소에서 재한 앞으로 보낸 서류다. 그런 재한의 모습에서 벽면에 붙은 달력 비추면 2000년 7월 29일이다.

씬/65 D, 과거, 진양서 건물 복도

비가 쏟아지고 있는 창밖을 바라보면서 한 손에는 서류봉투를 들고 통화 중인 재한.

재한   오재선 검사님. 이재한입니다. 증거... 확보됐습니다. 예. 서울청 김범주 형사과장이 저지른 살인사건을 입증할 증겁니다. (사이) 알겠습니다. 한 시간 후에 사무실로 가겠습니다.

핸드폰을 끊는 재한. 서류봉투를 내려보다가 안의 내용물을 꺼내본다. 빨간 목도리가 찍힌 사진. 빨간 목도리에서 검출된 혈액성분들과 DNA 검사 결과지. 보다가... 다시 우편물을 봉투 안에 넣고 사무실로 향한다.

씬/66   **D, 과거, 진양서 강력계 사무실**

사무실로 들어서는 재한. 자기 자리로 다가와서 겉옷과 차 키 챙기면서 옆 책상의 형사 1에게

재한   나 좀 나갔다 올게. 무슨 일 생기면 불러라.

하고 나가려는데, '쾅!' 소리와 함께 사색이 돼서 뛰어드는 형사 2. 사무실의 형사들, 뭔 일인가 싶어 바라보는데...

형사 2   애가 사라졌어!

재한을 비롯한 형사들, 불길한 얼굴로 형사 2를 바라본다.

형사 2   유괴사건이야! 진양초등학교에서 김윤정이란 여자애가 납치됐대!

재한, 얼굴 굳고... 자리에 앉아있던 형사 1, 쾅 일어서며

형사 1	(다른 형사들에게) 뭐 해? 반장님한테 연락하고, 진양초등학교 연락해
	봐. (형사 2에게) 신고 전화 내용 다시 한 번 확인해서, 언제 어디서 납
	치됐는지 알아봐.

굳은 얼굴로 일어서서 부산하게 움직이기 시작하는 형사들. 쾅, 문 열 리면서 뛰어나가는 형사. 전화기 붙잡고 반장에게 연락하는 형사. 진양 초등학교에 연락하는 형사 등, 긴장감이 흐르기 시작하는 사무실. 재 한, 겉옷과 우편물 봉투를 들고 갈등되는 듯 서 있다가 서류봉투 서랍 안에 쾅 집어넣고 겉옷 집어던진 뒤, 동료에게 다가가서

재한	가서 신고전화 확인해. 초등학교 쪽은 내가 맡을게.

긴장된 얼굴로 전화기를 붙잡는 재한과 다급히 오가는 형사들의 긴장 된 모습에서

씬/67   N, 현재, 지하주차장

손목시계를 확인하는 해영. 정각 11시다. 인적도 거의 없는 지하주차 장 안으로 걸어 들어오는 해영. 주변을 두리번거리면서 성범을 찾는다. 하지만, 주변은 조용하기만 하다. 긴장된 시선으로 주변을 훑어보는 해 영. 그때, 어디선가 들려오는 '땅'하는 뭔가 떨어지는 소리. 그쪽을 휙 쳐다보는 해영. 비상구 쪽 문이 서서히 닫히고 있다. 해영, 빠른 걸음으 로 비상구 쪽으로 향하는데... 비상구 옆쪽에 세워진 트럭에서 빠르게 튀어나오는 성범의 그림자. 해영의 어깨를 잡아챈 뒤, 트럭 안쪽으로 끌고 간다. 긴장한 눈빛의 성범. 해영을 보며

성범	혼자 온 거 맞아?
해영	증거는요? 김범주 국장의 범죄를 밝힐 수 있는 증거가 뭡니까?
성범	혼자 온 거 맞냐고!
해영	증거가 뭔지 먼저 얘기해요!

| 성범 | 무슨 증거겠어. 뇌물, 횡령, 배임... 모두 공소시효가 지났어. |
| 해영 | ...(눈빛 굳으며) 공소시효가 풀린 죄목... 살인... 살인사건이야? |

그때, 트럭 옆쪽에서 들려오는 목소리.

| 수현(소리) | 손들어. |

보면, 트럭 옆쪽에서 권총을 조준하며 다가오고 있는 수현이다. 성범, 낯빛 변하면서 도주를 시작하고... 도주를 막으려는 해영과 몸싸움이 붙기 시작하다가 결국 뿌리치고 도주하는 성범. 주차장 차량들 사이에서 잡을 듯 잡을 듯 도주하던 성범을 결국 붙잡아 제압하고는 수갑을 채우는 해영.

성범	혼자 오라고 했잖아! 미쳤어!
해영	걱정 말아요. 저 형사는 믿을 수 있어요.
성범	믿고 안 믿고가 문제가 아냐. 김범주가 어떤 인간인지 넌 몰라! 분명히 꼬리가 붙었을 거야.

수현, 성범의 얘기는 들리지도 않는지, 다가와서 제압당한 성범의 어깨를 잡고 눈을 마주치며

수현	이재한 형사. 기억하지?
성범	(멈칫하지만) 난 그런 사람 몰라.
수현	2000년! 선일정신병원!
성범	모른다고!
수현	(다그치는) 당신이 소유한 별장에 그 형사 시체가 묻혀 있었어! 왜! 도대체 왜 죽인 거야!
성범	지가 죽을려고 발악한 거야! 가만히 있었다면 아무 일 없었을 텐데 지가 깝치다가 개죽음 당한 거라구.

씬/68   D, 과거, 진양서 강력계 사무실

긴장된 얼굴로 모여 있는 재한을 비롯한 강력계 형사들. 그 앞쪽으로
천천히 들어서는 발. 범주와 치수를 비롯한 서울청 형사 서너 명이다.
범주를 소개하는 반장.

반장   김윤정 유괴사건을 지원하러 서울청에서 김범주 형사과장님이 직접
             내려오셨다. 이제부터 이 수사 지휘는 과장님이 하실거다.

             서로 시선 마주치는 재한과 범주. 서로를 바라보는데... 울리는 전화.
             바로 전화를 받는 형사 1.

형사 1   협박편지가 왔대요. 화은동 카페 피렌체로 돈 오천을 가지고 오라고 했
             답니다.
범주   (시선, 재한을 보면서) 관할서 강력팀은 현장 출동해서 수상한 사람은
             없는지, 지켜보고 서울청 팀은 손님으로 잠입한다. 다들 출동해.

             출동 준비를 하는 형사들. 재한, 그런 형사들 사이, 차가운 눈빛으로 범
             주를 보다가 사무실을 뛰어나간다.

씬/69   D, 과거, 카페

             1부 9씬, 몽타주. 카페로 출동해서 주인과 손님들을 조사하고 있는 치
             수, 재한. 과학 감식팀 인원들, 카페 안을 샅샅이 뒤지는... 감식팀들, 문
             고리, 카페 테이블 등에서 지문을 채취하고 있고...

씬/70   D, 과거, 진양서 강력계 사무실

             다들 출동해서 아무도 없는 사무실. 재한의 책상으로 천천히 다가가는
             그림자. 범주다. 책상 위를 한번 훑어보다가 서랍들을 하나씩 열어보다

356

가 서랍 안에서 예의 우편물 봉투를 발견하고 멈칫한다. 범주, 눈빛 차가워진다.

씬/71 N, 현재, 지하주차장

성범을 떨리는 눈빛으로 바라보는 해영.

해영 ...박선우 변사사건... 그 사건입니까?

성범 ...맞아. 자기랑 아무 상관도 없는 애였는데... 가만히 모른 척만 했으면 됐는데, 그걸 밝히겠다고 미친놈처럼 수사를 했어.

씬/72 N, 과거, 몽타주(성범의 회상 느낌으로 거칠게 보여지는)

- 폐창고. 이마에서 피를 흘리고 있는 재한. 그 앞에 서 있는 성범, 치수. 그리고 천천히 재한의 앞으로 걸어 나오는 범주.

범주 이 사실을 오재선 검사 말고 다른 사람도 알고 있나?

재한 (떨리는 눈빛으로 보는)

범주 오검사가 알고 있는 걸 내가 어떻게 알고 있냐고? (피식 웃는) 어차피 세상이 그래. 다들 한통속인 걸 아직도 몰랐어?

재한 (분노로 떨려오는)

범주 지금이라도 늦지 않았어. 포기해. 모든 걸 포기한다고 약속하면 여기서 그만두지. 나도 현직 경찰을 죽이고 싶진 않아.

재한, 분노에 찬 괴성을 지르면서 범주에게 달려들다가 성범과 몸싸움. 그러다 보면, 가슴에 칼을 맞은 듯, 피를 흘리기 시작한다.

- 야산 일각
2부 35씬의 야산과 이어지는... 몸싸움을 벌이고 도주한 듯, 야산을 달리다가 구르는 재한. 거친 숨을 몰아쉬는데.. 울리는 무전기.

– 야산 일각

재한, 무전기를 바라보다가 눈빛 서서히 가라앉는다.

재한   박해영 경위님... 나는 이게 마지막 무전일 것 같습니다. 절대 포기하지
            마세요. 과거는 바뀔 수 있습니다.

그때, 재한 뒤쪽에서 들려오는 발자국 소리를 듣는다. 무전기를 아래로
내리고 천천히 뒤를 돌아보는데, 치수가 떨리는 시선으로 재한을 바라
보고 있다. 재한을 바라보다가 '탕!' 방아쇠를 당기는 치수. 멀리서 그
모습을 지켜보는 성범. 피식 웃다가 몸싸움 중에 손에 묻은 피를 손수건
을 꺼내서 닦는데, 시계에도 피가 묻었다. 피를 닦다가 보이는 손목시계
의 시계바늘. 11시 23분이다. 피를 흘리면서 죽어가는 재한의 눈빛.

재한   ...포기하지... 말아요...

씬/73   N, 현재, 지하주차장

성범을 바라보는 해영의 눈빛 떨려온다.

성범   ...분명히 살 기회가 있었어. 그런데 그걸 지 발로 차버린 거야.

그런 성범을 바라보다가 뒷걸음질을 치는 해영.

해영   나... 때문에... 나 때문에...

– 인서트
– 11부, 31씬 차안에서 재한이와 무전을 하던 해영.

해영   미제 사건은 누군가가 포기하기 때문에 만들어지는 겁니다... 그러니
            까... 형사님이 포기하지 말아주세요...

- 11부, 67씬.

해영　형사님한테... 부탁이 있습니다. 그때 1999년 인주에서 무슨 일이 벌어
졌는지... 제게 그 사건의 진실을 말씀해 주세요. 제게... 정말... 중요한
일입니다.

- 14부, 71~75씬.
재한과 무전하던 해영.

해영　형사님! 접니다. 형을 살려주세요. 형사님 말씀처럼 우리 형은 누명을
쓴 거예요. 그리고 2000년 2월 18일 죽습니다. 살해당해요!

- 다시 현재, 지하주차장으로 돌아오면
충격으로 떨리는 해영의 눈빛. 뒤로 비틀 물러선다.

해영　다들... 외면했다고 생각했는데... 혼자... 끝까지 포기하지 않았던 거에
요... 그러다... 나 때문에... 형사님이 나 때문에 죽었어요.
수현　(충격을 받은 해영을 보는) 박해영, 정신 차려.

순간, 그 틈을 놓치지 않고 벌떡 일어나서 도주하기 시작하는 성범. 놀
라서 그 뒤를 쫓기 시작하는 수현. 해영, 역시 정신을 차리고 그 뒤를
쫓는데, '부앙' 굉음과 함께 갑자기 나타난 차량 하나가 도주하던 성범
을 치어버린다. 쾅, 바닥에 떨어지는 성범. 놀라서 그 모습을 지켜보는
해영. 성범을 친 차량, 뒤로 백을 한 뒤, 도주하려는 듯 다시 악셀을 밟
는데, 수현, 그런 차를 향해 달리면서 권총을 쏘기 시작한다. '탕' '탕'
'탕' 순간, 타이어가 맞은 듯, 한쪽으로 쏠리면서 멈추는 자동차. 운전
석에서 내려서 도주하려는 남자. 수현, 그런 남자에게 총구를 들이대는
데, 그런 총을 쳐 버리고 몸싸움이 시작된다. 해영, 뒤늦게 정신을 차리
고 그런 수현 쪽을 향해 뛰기 시작한다. 수현의 발 차기에 뒤로 넘어지
는 남자. 그런데, 그런 남자 옆쪽에 떨어져 있는 수현의 권총. 그 권총

을 잡아드는 남자. 수현도, 해영도 눈빛 다급해진다.

해영 안돼!!

그런 해영의 외침과 함께 들려오는 '탕!' 총소리. 지하주차장에 퍼져나가는 총소리의 반향. 뭔가를 바라보던 남자. 손에 들린 권총을 들고 도주하기 시작한다. 그런 남자가 바라보는 쪽을 비추는 화면. 수현을 감싸 안 듯, 안고 있는 해영.

수현 ...박해영... 괜찮아?

순간, 바닥으로 쓰러지는 해영. 권총을 맞은 듯, 바닥에 피가 점차 번지기 시작한다.

수현 (떨리는) 박해영! 박해영, 정신차려!

그러나 점차 흐려지는 해영의 눈빛.

해영 ...무전...
수현 조금만 참아. 구급차를 부를게.

수현, 핸드폰을 꺼내는데, 그 손을 피묻은 손으로 붙잡는 해영.

해영 ...무전요... 무전을 해야 해요... 형사님을... 살려야 합니다.

피를 흘리면서 죽어가는 해영, 그리고 그런 해영을 바라보는 수현의 모습에서

15부 끝

시그널 The Signal

16부

씬/1   **N, 과거, 진양서 강력계 사무실**

조용한 가운데, 시간이 흐르는 째깍째깍 소리만이 깔리는 화면. 컴퓨
터 화면에 붙혀진 '8월 3일 선일정신병원'이란 메모를 클로즈업하는
화면. 그런 메모를 가만히 바라보는 시선. 재한이다. 재한, 메모를 보다
가... 천천히 고개를 들어 달력을 본다. 2000년 8월 3일이다.

* 자막 - 2000년 8월 3일

그런 재한의 모습에서 서서히 현장 오디오가 커지기 시작한다. '이재한
선배님!!' 부르는 형사 1의 음성. 재한, 돌아보면

형사 1   브리핑 준비하라십니다. 자료 출력 맡긴 거 제가 갖고 올까요?
재한   아니, 내가 갈게

사무실을 나가는 재한의 뒤로 분주하게 오가는 형사들. '서형준 지인들
다 연락해 봤어?' '가족들도 최근 연락한 적 없답니다' 등등, 김윤정 유
괴사건 수사로 바쁜 강력계 사무실

씬/2   **N, 과거, 진양서 건물 일각**

바쁘게 복도를 걸어오면서 서형준 관련 수사 자료들을 검토 중인 재한.
서류를 검토하면서 계단을 올라오는데, 윗층에서 내려오던 어린 해영
과 부딪치면서 서류 떨어뜨리고... 서류와 쪽지를 함께 들어 올리며 강
력계 사무실로 향한다.

씬/3   **N, 과거, 진양서 강력계 사무실**

브리핑이 끝나고, 형사들, 서영공원으로 출발한 뒤, 마주보고 얘기하고
있는 재한과 범주.

재한	협박편지와 범인이 접선 장소로 지목한 카페에서 서형준의 지문이 발견되긴 했지만 모두 우측 엄지 지문뿐이었어요.
범주	(보는)
재한	테이블을 만지거나 편지를 쓰거나 당연히 다른 손가락 지문도 발견돼야 하잖아요. 그런데 엄지뿐이었다는 게 이상합니다. 누군가 마치 일부러 찍은 것 같은 느낌이에요
범주	그래서?
재한	서형준의 숨겨진 여자친구... 좀 더 조사해봐야 합니다.
범주	조사해 너 혼자. 혼자 하는 거 좋아하잖아.
재한	(보는 시선)
범주	그런데 뒤통수는 조심하는 게 좋을 거야.

범주, 차갑게 재한 보고는 나가버리고... 그런 모습을 보던 치수와 단둘이 남는 재한.

치수	그만 좀 하지. 서형준 주변 여자들 다 조사해봤잖아.
재한	형님도 그만 좀 하시죠. 김범주 과장 옆에 붙어서 빌빌거리는 거.

재한, 답답한 듯 자기 책상 앞으로 가고, 그런 재한 보다가 나가는 치수.

씬/4   **N, 과거, 진양서 강력계 건물 복도**

인적이 없는 외진 복도에 서서 창밖을 바라보고 있는 범주. 그런 범주에게 다가오는 치수.

치수	서영공원 현장 다녀오겠습니다.
범주	아니, 넌 따로 할 일이 있어.
치수	예? 그게... 무슨
범주	내가 그깟 유괴범 하나 잡자고 널 데려왔을 것 같아?
치수	(의아한 시선으로 보는)

범주	이재한 뒤를 밟아.
치수	예?
범주	이재한이 인주 사건 진범을 눈치 챘어.
치수	...(당황하는) 장태진을요?... 하지만... 증거가 없을 겁니다.
범주	아니.. 증거가 남아있었어.
치수	...(생각하다가) 혹시, 그때 박선우가 이재한 형사를 찾았던 게 그것 때문입니까?
범주	맞아. 사건 현장에 남아있던 빨간 목도리... 그걸 이재한이 가지고 있어. 미국 쪽에 보내서 증거물 감식까지 끝낸 모양이야.
치수	...어떻게... 어떻게 해야 하죠?
범주	(치수 노려보며) 그러니까 이재한 뒤를 밟으라고
치수	...이재한을 미행한다고 해결책이 나오겠습니까? 차라리...
범주	이 새끼가! 차라리 뭐? 차라리 진범을 밝히자 이거야? 수사 조작한 게 드러나면, 그동안 먹은 거 다 토해내고 바로 옷 벗어야 돼. 그 나이에 너 같은 시골촌놈이 제대로 된 일자리나 구할 수 있을 것 같아? 네 딸 병원비는 뭘로 낼 건데?
치수	...(얼굴 어두워지는)
범주	그놈이 갖고 있어서는 안 되는 걸 가져와. 수단과 방법을 가리지 말고.

치수를 바라보는 범주의 차가운 눈빛. 그런 범주의 모습 위로 해영의 떨리는 소리.

해영(소리)	무전... 무전을 해야 해요.

씬/5   N, 현재, 지하주차장

거친 숨을 내뱉고 있는 해영. 피 묻은 손으로 수현을 붙잡고 있다.

해영	형사님을... 살려야 합니다.
수현	말하지 마. 가만있어. 구급차 부르게.

해영	(더욱 강하게 수현을 붙잡으며) 열한시 이십삼 분...
수현	(보면)
해영	언제나 열한시 이십삼 분에 무전이 왔어요.

수현, 시계를 보는데, 시간 11시 20분이다. 빠르게 흐르기 시작하는 시계바늘.

씬/6   N, 과거, 진양서 강력계 사무실

책상 위에서 서형준의 카드 명세서 챙기는 재한, 명세서 다 챙긴 뒤, 책상 한쪽에 꽂힌 메모지 '8월 3일, 선일정신병원' 보고 그 메모지도 챙기며 돌아서는데 입구에서 들어서는 수현과 마주친다.

재한	밥 먹었냐?
수현	(뒤돌아서서 머뭇머뭇) 예...
재한	날을 잡아도 참 잘 잡아. 이런 날 전입을 오고...
수현	...(보다가) 저기 선배님... 그때 내가 한 말...
재한	금방 해결될 것 같아.
수현	(보는) 예?
재한	다 끝나면, 그때 얘기하자.

재한, 나가면서 수현의 어깨를 치고 지나가고...

씬/7   N, 과거, 진양서 건물 주차장

진양서 주차장으로 통하는 뒷문 현관 앞. 어린 해영 아직도 가지고 못하고 서성이고 있다. 쪽지가 어딨지? 주머니부터 뒤져보고, 여기 떨어뜨렸나? 싶은데, 쪽지 없는... 그때, 뒷문 쪽에서 들려오는 발자국 소리에 놀라서 도망간다. 해영, 사라지자, 나오는 재한. 뒷문 옆쪽에 세워놓은 자신의 자동차에 올라탄다. 조수석에 가지고 온 지도 내려놓고 출발하려다가... 문득 생각난 듯, 주머니에 넣은 쪽지를 꺼내 펼쳐보는데... 꼬마 남자아이 글씨로 적힌 글씨 '범인은 남자가 아니라 여자예요' 재한, 이게 무슨 뜻이지... 보다가 다시 차에서 내려서서 주변을 한 번 둘러보는... 그러다가 쪽지 내려 보다가... 다시 차에 올라탄다. 시동 걸고 차를 출발시키는...

씬/8   N, 과거, 진양서 건물 정문

정문을 빠져나가는 재한의 차. 잠시 뒤, 헤드라이트도 켜지 않은 차 한 대가 재한의 차를 뒤따른다. 운전석에는 굳은 얼굴의 치수다.

씬/9   N, 과거, 도로 일각

편의점 앞에 멈추는 재한의 차. 사무실에서 가지고 나온 서형준의 카드 명세서 목록에 적힌 편의점 위치를 확인, 지도를 펼치고 체크를 한다. 지도에는 벌써 여러 곳에 체크가 돼 있는데, 그런 지도를 보다가 멈칫하는 재한. 지도에 동심원을 그리고 있는 체크된 표시. 그런 원 중앙에 위치한 산. 그리고 산에 표시된 병원 표시. '선일정신병원'이다. 재한, 보다가 수첩 사이에 끼워온 메모지를 본다. '8월 3일 선일정신병원' 가만히 바라보는...

씬/10   N, 과거, 병원 건물 앞

폐업한 듯, 불이 모두 꺼져 있는 3층 정도의 아담한 병원 건물 출입문에는 '폐업 예고 - 당 병원은 2000년 7월 29일 폐업할 예정이오니, 이후 더 이상 새로운 환자를 받지 않습니다. 2000년 7월 10일' 라는 종이가 붙어있다. 그런 문 앞에 서 있는 재한. 플래시를 켜고 건물 안으로 들어선다. 폐업한지 얼마 되지 않아 집기들만 빠져나간, 조용하고 으슥한 분위기. 플래시를 켜고 병원 안으로 들어가는 재한. 그런 재한의 모습 위로

씬/11   N, 현재, 지하주차장

23분을 향해 빠르게 움직이고 있는 피 묻은 해영의 손목시계의 시계바늘.
한 손에는 무전기를 들고 있다. 부들부들 떨리는 눈빛. 출혈이 엄청난
듯, 의식이 자꾸만 흐려진다. 그런 해영을 안정시키려는 듯, 자신의 옷
을 벗어 해영을 덮어주며 다급한 어조로 119와 통화 중인 수현.

수현   사람이 많이 다쳤어요. 00쇼핑몰 지하주차장이에요. 빨리 구급차 보내요!
             (전화 끊고는 해영을 보며) 박해영. 정신 차려. 이제 곧 구급차가 올 거야.
해영   형사님... 형사님을 살려야 해요...

시계바늘, 거의 23분에 거의 도착하고... 무전기 주파수를 바라보는 해
영과 수현의 시선.

씬/12   N, 과거, 선일병원 건물 외곽 뒤편

선일병원 뒤편으로 나와 플래시를 들고 여기저기를 수색하는 재한. 그
러다가 맨홀 안을 비추다가 놀라서 멈칫. 맨홀 안, 서형준의 시신이다.
떨리는 시선으로 시신을 바라보는 재한. 그때, 문득 들려오는 '치치칙'
'치치칙' 하는 무전기의 잡음. 무전기를 꺼내서 바라보다가 송신 버튼
을 누르고...

재한   ...박해영 경위님?

하지만, 무전기 너머에서는 대답이 없다. 다시 한 번 얘기하는 재한.

씬/13   N, 현재, 지하주차장

무전기를 바라보는 해영과 수현. 그러나 무전기는 노란 불빛도 들어오
지 않고, 주파수도 흔들리지 않고 잠잠할 뿐이다. 시간 11시 23분을 넘

어가고 있다.

해영   (안타까운) 안 돼...

그때, 다가오는 사이렌 소리.

씬/14   N, 과거, 선일정신병원 건물 외곽 뒤편

대답이 없는 무전기를 바라보는 재한,

재한   아니면... 쩜오... 너냐?

플래시로 맨홀 내부를 비추며.

재한   (무전기에 대고) 여기 니가 얘기한 선일정신병원이야. 건물 뒤편 맨홀에
               목을 맨 시신이 있어. 김윤정 유괴사건 용의자 서형준 시신이야. 그런데
               엄지손가락이 잘려있어. 누군가 서형준을 죽이고 자살로 위장한 거야.

그때, 무전기 너머에서 들려오는 목소리. 1부의 해영의 목소리다.

해영(소리)   당신 누굽니까? 그게 무슨 소리예요? 선일정신병원이요? 거기 어디에
               요?
재한   (멈칫하다가)... 박해영 경위님?

순간, '퍽' 재한의 뒤통수를 가격하는 둔기.
정신을 잃고 쓰러지는 재한. 그런 모습 위로 해영의 절박한 목소리

해영(소리)   안 돼...

씬/15   N, 현재, 지하주차장

368

떨리는 눈빛으로 무전기를 바라보는 해영.

해영   안 돼... 제발... 한 번만...

해영, 순간 쇼크가 오는 듯, 발작을 시작하고..

수현   (놀라서) 박해영! 정신 차려!

그때, 멀리서 다급히 다가오는 구급대원들.

씬/16   N, 과거, 야산 인근 폐창고

어두운 화면에서 들려오는 치수의 목소리

치수(소리)   이재한... 정신 차려. 이재한!

서서히 화면 밝아지면, 머리에 피를 흘리면서 천천히 눈을 뜨는 재한. 낡고 허름한 폐창고가 시야에 들어온다. 한쪽엔 쓰레기들을 태우고 있는 드럼통. 그런 창고 한구석에 손이 묶인 채, 쓰러져 있는 재한.그런 재한의 앞에는 치수.

치수   정신이 들어?
재한   (그저 보는)
치수   ...인주 사건 진범을 밝힐 증거... 빨간 목도리... 어딨어?
재한   (본다)
치수   그 증거 내놓고 이제 그만해. 이 형사가 아무리 그런다고 해도 달라지지 않아.
재한   ...김범주 과장이 그래요? 인주 사건을 밝힐 증거라고? 그 빨간 목도리는... 인주 사건뿐만 아니라 김범주 과장이 선우를 살해했다는 증거에요.

치수	(소스라치게 놀라서 굳는) 그게... 무슨 소리야? 박선우는... 분명히... 자살했는데...

그때, 발자국소리와 함께 폐창고로 들어서는 사람들. 범주, 그리고 성범이다.

범주	(치수에게) 뒤로 빠져.
치수	(믿기지 않는 얼굴로 범주 보는) 이게 무슨 소리죠? 선우가... 자살이 아닙니까?
범주	(차갑게 보는) 빠지라고

치수, 여전히 정신이 빠져 있는데, 성범이 치수를 뒤로 끌고 간다. 범주, 재한의 앞으로 천천히 다가와 앉으며 들고 온 미국에서 온 우편물이 든 서류봉투를 재한의 눈앞에 보여준다. 재한, 무표정한 시선으로 서류봉투를 바라보는...

범주	나를 잡아보겠다? 네까짓 게 감히 나를?

재한, 범주를 바라보는데, 그런 재한의 뒤편 비추면 뒤로 묶인 손으로 뒷주머니 안을 더듬으면, 나오는 주머니칼로 은밀하게 밧줄을 끊기 시작한다.

범주	그래도 노력은 가상하더군. 증거물은 어떻게 손에 넣은 거지?
재한	(보다가)... 세상이 항상 당신 편하게 돌아가진 않거든

씬/17 　　　 N, 회상, 재한의 방

15부, 43씬에 이어지는 수첩에 '8월 3일 선일정신병원'이란 메모를 혼란스러운 시선으로 내려다보는 재한의 모습 위로

수현(소리)   ...결국... 죽어서 돌아왔어요... 15년을 기다렸는데... 선배님... 죽는다구요.

재한, 자신의 미래를 알게 되자, 허탈해지는... 무전기를 놓고 정신을 가다듬는다. 생각에 잠기다가

재한   ...미래는... 바꿀 수 있다...

겉옷 들고 나간다.

씬/18   **N, 회상, 재한의 차 안**

어두운 고속도로를 달리고 있는 재한, 생각에 잠겨있다.

- 인서트
14부 32씬.

선우   ...혜승이 사건의 증거를 찾았어요.

14부 33씬.

선우(소리)   혜승이가 사건 당시에 하고 있던 빨간 목도리에요.

- 15부 32씬. 낮, 해영 母의 집. 재한, 선우 방 옷장, 서랍장, 책상 안 쪽 등 좁은 방안 곳곳을 빠짐없이 뒤져보지만 어디에도 붉은색 목도리는 보이지 않는다.

- 차 안으로 돌아오면

재한   ...목도리...

- 인서트
15부 21씬. 쇼핑백 안에는 빨간 목도리가 담겨 있다. 그런 쇼핑백에서 틸업하면 범주다.

재한(소리)   분명히 김범주가 가지고 간 거야...

도로에 세워진 차에 올라타는 범주의 차가운 눈빛. 범주, 조수석에 목도리가 들어있는 쇼핑백을 올려두고 시동을 걸어 출발한다.

재한(소리)   치밀한 김범주 성격상 아무 데나 버리거나 태웠을 리 없다. 사람들 눈에 띌 가능성이 있으니까. 선우를 죽인 범죄현장에서 한시라도 빨리 벗어나야 했으니, 인주에선 처리하기 힘들었을 거고 경찰청까지 갖고 오기엔 위험부담이 너무 크다... 또 뭐가 있습니까?... 박해영 경위... 내가 생각하지 못한 변수가...

- 차 안으로 돌아오면 저 앞쪽으로 보이기 시작하는 세인휴게소. 휴게소 불빛을 바라보는 재한의 눈빛에서

- 인서트
- 15부 32씬. 쾅! 하고 열리는 문. 범주에게 다가가는 재한인데, 밴드와 연고가 놓여있는 책상 위 한쪽에 놓여있는 '세인 약국'이라는 문구가 새겨진 비닐봉지가 클로즈업 돼서 보인다.
- 낮, 세인휴게소, 세인약국에서 밴드와 소독약을 사고 있는 범주. 한 손에는 쇼핑백에 들려진 목도리. 약국을 나서는 범주. 약국 앞 휴지통에 목도리가 보이지 않도록 쇼핑백을 반으로 접어서 휴지통에 넣는다.

- 다시 고속도로로 돌아오면, 눈빛 반짝하는 재한.

재한(소리)   익명의 사람들이 드나드는 곳... 그들이 버린 쓰레기에 섞여 한 번 실려 가버리면 찾을 수 없는 곳. 인주에서 서울까지 오는 곳에 위치한 휴게

소... 세인약국... 세인휴게소!

핸들을 틀어서 휴게소로 진입하는 재한.

씬/19   N, 회상, 휴게소

문 닫은 세인약국 앞 휴지통을 뒤지기 시작하는 재한. 하지만, 휴지통 안에는 이미 치운 듯, 목도리가 든 쇼핑백도 보이지 않고 휴지도 거의 들어있지 않다. 재한, 저만치 떨어져 있는 다른 휴지통을 또 다시 뒤지기 시작하는데... 그 휴지통도 텅텅 비어있다. 그때, 저 앞쪽으로 지나가는 청소하는 아줌마를 발견하고 다급히 다가가는 재한.

재한	여기 휴지통 언제 비웠습니까?
아줌마	그건 왜요?
재한	(다급히 신분증 꺼내서 보여주며)나 형사에요. 중요한 증거물을 찾고 있습니다. 휴지통 언제 비웠어요?
아줌마	...그게 아까 쓰레기차 와서 다 가져갔는데...
재한	...어디로 갔어요?
아줌마	...예?
재한	그 쓰레기차요. 어디로 갔냐고요?!

씬/20   N, 회상, 쓰레기 재활용센터

종량제 쓰레기봉투가 산처럼 쌓여있는 쓰레기 재활용센터다. 산처럼 쌓여있는 쓰레기봉투들을 하나씩 풀어서 눈에 불을 켜고 빨간 목도리를 찾고 있는 재한. 쓰레기 재활용센터 직원, 지나가다가 보고 다가와

직원	여기서 뭐 하시는 거예요?

재한, 그런 소리가 귀에 들리지도 않는 듯 말없이 계속 다른 쓰레기 봉

투를 열고 안을 뒤지는

직원   (다가와서 팔 잡아채며) 아, 뭐 하는 거냐구? 내 말 안 들려요?

재한, 팔 뿌리치며

재한   놔요. 꼭 찾을게 있어요.

직원   그렇다구 이 모양을 만들어 놓으면 어떡해요. 그리구 이 많은 쓰레기에
서 뭘 어떻게 찾겠다구...

재한   찾아낼 겁니다. 꼭 찾아야 하는 거니까 비켜요.

재한, 다시 쓰레기봉투를 열어보려고 하는데... 지나가다가 직원과 재
한의 실랑이를 뭐지? 보고 있는 할머니. 폐지를 모아서 가던 모양인
듯, 리어카에 폐지들이 실려 있고... 그런 할머니를 힐긋 보고 다시 쓰
레기봉투를 열어보려고 하던 재한, 멈칫한다. 할머니의 목에 걸려진 **빨
간 목도리**. 재한, 놀라서 다시 할머니를 바라보다가... 떨리는 눈빛으로
할머니에게 달려가서

재한   이... 목도리... 어디서 난 겁니까?

영문을 모르겠다는 듯 재한을 보는 할머니.

할머니   멀쩡한 걸 버렸길래 주운 건데...

할머니의 목에 둘러진 목도리를 떨리는 시선으로 바라보는 재한.

씬/21   **D, 과거, 국과수 복도**

투명한 증거물 비닐봉지에 들어있는 붉은색 목도리에서 빠지면 목도
리를 들고 복도를 걷고 있는 재한이다. 재한, 저 앞쪽 복도에서 서 있는

직원을 알아보고 아는 체를 하려는데, 직원과 이야기하고 있는 형사를 보고는 멈칫한다.

– 인서트
15부 32씬. 재한을 끌고 나가는 형사들을 비추는 화면.

– 국과수로 돌아오면
국과수 직원과 꽤 친밀한 듯 웃으며 이야기하는 형사, 범주의 사무실에서 재한을 끌고 나가던 바로 그 형사다. 재한, 두 사람을 잠시 보다가 조용히 뒤돌아 나간다.

씬/22   과거, 몽타주

– 낮. 진양서 강력계 사무실
재한, 컴퓨터 모니터를 보며 뭔가를 열심히 적고 있는데, 화면 보이면 미국의 한 법의학연구소 홈페이지다. 법의학연구소의 주소를 적고 있는 재한이다.

– 낮. 우체국
목도리를 넣은 소포를 등기로 보내고 있는 재한. 주소를 적는데, 미국 법의학 연구소의 주소다.

– 밤. 진양서 강력계
늦은 밤. 형사들이 퇴근한 텅 빈 사무실. 딸깍딸깍 마우스 누르는 소리만 들리는데 당직인 듯 홀로 사무실을 지키는 재한이 컴퓨터로 이메일을 확인하고 있다. 영어 제목으로 쓰여 있는 메일을 클릭해보면 영어로 쓰여 있는 메일 내용이다.

– 밤. 재한의 방
영어 메일을 출력한 종이에서 빠지면, 책상 앞에 앉아 영어사전을 옆에 두고 영어 메일을 하나하나 해석하고 있는 재한인데, 영 쉽지가 않은지 연신 벅벅 머리를 긁고 있다. 그래도 어찌어찌 해석을 한 재한, 빼곡하게 뜻풀이가 된 영어 메일을 소리 내 읽는데

재한   보내준 목도리에서 여성 두 명의 DNA 검출.

- 인서트
- 빨간 목도리를 하고 있던 혜승이.
- 빨간 목도리를 매고 있던 할머니.

- 다시 방으로 돌아오면

재한   후면에서 신원 미상 남자의 정액 검출.

- 인서트
- 혜승이를 바라보던 태진.

- 다시 방으로 돌아오면

재한   함께 동봉해 보낸 박선우의 혈액검출. (읽어 내려가는 눈빛, 점차 굳어 간다) 그리고... 박선우 외 또 다른 남자의 혈액 검출...

메일을 해석한 종이를 바라보며 굳은 눈빛으로 생각에 잠기는 재한

재한   또 다른 남자의 혈액...

- 인서트
15부 32씬. 쾅! 재한이 문을 열면, 손에 밴드를 붙이고 있던 범주가 바라본다. 범주 손의 밴드 클로즈업
- 재한의 방으로 돌아오면

| 재한 | ...손에 상처... |

하가다, 다시 메일을 번역한 종이를 바라보는 재한. '또 다른 남자의 신원확인을 원한다면 비교 샘플이 있어야 함'

씬/23　　　D, 과거, 서울청, 형사과장실

범주는 외출한 듯, 자리 비어있고 음료수 선물 박스를 들고 있는 재한과 그런 재한을 막아서고 있는 순경.

순경	과장님, 안 계시다니까 어딜 막 들어와요.
재한	제가 과장님한테 실수한 것도 있고, 고맙기도 해서 이것만 놓고 갈게요.
순경	그럼, 저 주시고 가시죠.
재한	그럼 메모라도 남기고 가면 안 될까요?

– 시간 경과되면

책상에서 메모를 남기고 있는 재한. 책상에 놓인 재떨이를 본다. 범주가 피는 담배꽁초들이 담겨 있다. 뒤쪽의 순경 한눈파는 사이 담배꽁초 증거물 봉투에 넣는... 메모에는 '과장님, 인사드리러 왔다가 안 계셔서 놓고 갑니다. – 최상묵' (일부러 다른 이름을 넣은 느낌으로)하고는 일어서서 순경에게 인사 한 뒤, 사무실을 나가는...

씬/24　　　N, 과거, 진양서 강력계 사무실

법의학 연구소에서 온 메일을 확인하고 있는 재한. 긴장된 시선으로 화면과 사전을 왔다 갔다 하며 종이에 번역을 하다가 멈칫한다. 재한이 적고 있던 종이를 보면 '보내준 담배꽁초에서 검출된 성분과 목도리에서 검출된 혈액 샘플이 일치함...'

| 재한 | ...김범주... 넌 이제... 죽었어. |

씬/25	D, 과거, 진양서 건물 복도(15부 65씬과 동일)

비가 쏟아지고 있는 창밖을 바라보면서 한 손에는 서류봉투를 들고 통화 중인 재한.

재한 오재선 검사님. 이재한입니다. 증거... 확보됐습니다. 예. 서울청 김범주 형사과장이 저지른 살인사건을 입증할 증겁니다. (사이) 알겠습니다. 한 시간 후에 사무실로 가겠습니다.

핸드폰을 끊는 재한. 서류봉투를 내려 보다가 안의 내용물을 꺼내본다. 빨간 목도리가 찍힌 사진. 빨간 목도리에서 검출된 혈액성분들과 DNA 검사 결과지.

씬/26	N, 과거, 폐창고

전씬의 검사지와 오버랩되는 범주가 들고 있는 검사지.

범주 그래... 그 목도리... 그때나 지금이나 그게 문제야.

– 인서트
– 낮. 선우의 방. 툭하고 바닥에 떨어지는 선우의 손목, 베인 상처에서 피가 새어 나오고 있다. 범주, 쥐고 있던 커터 칼을 내려보다가, 옷으로 자기 지문을 닦아낸 뒤, 수건이나 휴지를 찾는 듯 주변을 둘러보지만, 보이지 않자 발치에 놓인 목도리로 커터 칼 끝을 감싼 뒤, 조심스럽게 선우의 지문을 묻히려고 하는데.. 정신을 잃어가는 상황에서도 선우, 마지막 몸부림인 듯, 범주의 손을 친다. 그 바람에 자신의 손을 베이는 범주. 목도리에 묻는 범주의 피. 범주, 선우를 차갑게 보면 선우, 서서히 의식을 잃어간다. 범주, 그런 선우를 확인하고는 지문을 묻힌 뒤, 바닥에 커터 칼을 내려놓고, 목도리를 쇼핑백에 넣은 뒤, 방을 나선다.

- 폐창고로 돌아와서

범주	(검사지 흔들어 보이며) 이걸 또 누가 알고 있지?
재한	...(말없이 보는)
범주	다시 한 번 묻지. 이 사실을 오재선 검사 말고 다른 사람도 알고 있나?
재한	...(어두운 눈빛으로 바라보는)
범주	오검사가 알고 있는 걸 내가 어떻게 알고 있냐구? (피식 웃는) 어차피 세상이 그래. 다들 한 통속인 걸 아직도 몰랐어? 지금이라도 늦지 않았어. 포기해. 모든 걸 포기한다고 약속하면 여기서 그만두지. 나도 현직 경찰을 죽이고 싶진 않아.

순간 뒤쪽의 치수, 얼굴 굳는다.

재한	아니. 당신은 날 살려둘 생각이 없어.
범주	...네가 포기할 생각이 없는 거겠지...

범주, 검사지가 든 우편봉투를 타오르고 있는 드럼통 안에 던져버린 뒤 돌아서서 성범에게

범주	해치워.

재한, 눈빛 흔들리면서 밧줄을 더욱 다급히 끊기 시작한다.

치수	안됩니다. 증거만 없애면 되는 거 아닙니까.
범주	답답한 소리 그만해. 데이터는 미국 쪽에 있어. 검사 결과 다시 보내달라고 요청하면 끝이야.
치수	하지만, 아무리 그래도 이건 아닙니다. 어떻게 같은 동료를...
범주	동료? 쟤가 널 동료로 생각할 것 같아? 쟤를 살려두면 너도 나도 끝이야.

치수와 범주, 말다툼을 벌이는 사이, 계속해서 밧줄을 끊기 시작하는 재한. 거의 끊어져 가고 있다. 재한, 달려드는 성범을 일어서며 머리로

박치기를 한다. 범주, 성범에게 눈짓하면 손에 칼을 들고 재한에게 다가
오는데, 순간, 끈을 푼 재한. 성범에게 덤벼들고 예상치 못한 일격을
받은 성범 뒤로 넘어진다. 그러나 곧 다시 균형을 잡고 재한에게 덤비는
성범. 범주, 그 모습에 이쪽으로 오려고 하지만, 치수가 붙잡고 늘어진
다. 재한, 성범과 주먹다짐을 하다가 순간, 뭔가 이상한 듯, 비틀... 보면,
복부 쪽에 피가 흘러나오고 있다. 성범의 손에 들린 칼에는 피가 뚝뚝
떨어지고 있고... 고통이 밀려오지만, 이를 악물고 참는 재한. '으아악!'
성범을 밀치면서 그 힘을 이용해서 폐창고 문을 열고 도주를 시작한다.

범주　　뭐 해! 잡아!

성범 나가려고 하는데, 치수 그 앞을 가로막는

치수　　이러지 마세요.
범주　　(그런 치수에게 한방 먹여버리는) 정신 차려! 저 새끼를 여기까지 데려
　　　　온 건 너야. 만약 이재한이 여길 빠져나가면, 넌 납치죄에 뇌물 수수에
　　　　몇 년은 감방에서 썩겠지. 그럼, 니 딸은... 죽어.

치수, 크게 흔들리는 눈빛.

범주　　선택해. 이재한이야, 딸이야?

치수, 떨리는 눈빛으로 보다가... 몸을 돌려 재한의 뒤를 쫓기 시작한다.
성범도 그 뒤를 쫓으려는데

범주　　마지막은 안치수가 끝내게 해.

성범, 가볍게 고개 끄덕이고 창고를 빠져나간다.

씬/27　　　　**N, 과거, 야산 일각**

380

재한을 쫓기 시작하는 성범과 치수.

씬/28   **N, 과거, 또 다른 야산 일각**

거친 숨을 내쉬며 나무 뒤에 몸을 숨기고 있는 재한. 밀려오는 고통에 떨려오는 눈빛. 금방이라도 치수와 성범에게 잡힐 듯 보이는데...

씬/29   **N, 현재, 구급차 안**

도로를 달리고 있는 구급차. 구급차 침대에 누워있는 창백한 해영. 그런 해영을 걱정스럽게 내려다보고 있는 수현. 순간, 구급차 안으로 살랑 불어오는 바람. 수현의 머릿결을 스치고 가고, 해영, 그런 미세한 바람을 느끼면서... 순간 멈칫한다.

해영(소리)   바뀌었어...

씬/30   **N, 과거, 야산 일각**

잡힐 듯하던 재한, 이를 악물고 일어나서 다시 도주를 시작하는 모습에서

씬/31   **N, 현재, 구급차 안**

수현의 팔을 강하게 잡는 해영.

수현   박해영, 괜찮아?
해영   ...바꼈어요..
수현   금방 병원에 갈 거야. 조금만 버텨.
해영   (더욱 강하게 수현을 잡으며) 무전이... 바뀌었어요.
수현   (보면)
해영   예전에... 내 첫 무전 때... 형사님한테 선일정신병원에 가지 말라고 한

건 나였다고 했어요.

- 인서트
- 1부 24씬~26씬. 선일병원 건물 뒤편에서 무전중인 재한.

재한 당신이 얘기한 한정동 선일정신병원입니다. 건물 뒤편 맨홀에 목을 맨 시신이 있어요. 여길 나한테 말해준 사람은 경위님이에요.

- 다시 현재, 구급차로 돌아오면

해영 그런데... 이번에... 선일병원 얘길 한 건 내가 아니라 차 형사님이에요.
수현 그게... 무슨...
해영 무전 내용이 바뀌었으니까, 과거도 바뀌었을 수 있어요. 이재한 형사님 과 마지막으로 본 게 언제죠?
수현 8월 3일, 김윤정 유괴사건을 수사한다고 나가신 게 마지막이었어.
해영 예전하고 똑같아요? 뭐라도 바뀐 건 없어요?
수현 아니... 그런건...

해영, 아닌가... 안타까운 한숨을 내쉬는데... 순간, 멈칫하는 수현. 수 현, 눈빛 흔들리다가... 서서히 해영을 본다.

수현 네 말이 맞아...
해영 (보면)
수현 ...선배님 마지막... 기억이 바뀌었어.

- 인서트
- 6씬, 진양서 강력계 사무실에서 마주보며 얘기하던 재한과 수현.

수현 ...(보다가) 저기 선배님... 그때 내가 한 말...
재한 금방 해결될 것 같아.

수현	(보는) 예?
재한	다 끝나면, 그때 얘기하자.

재한, 나가면서 수현의 어깨를 치고 지나가고... 수현, 멈칫하는 듯 놀라는 시선. 재한, 수현의 어깨 치고 나가려다가... 멈춰 서서 수현을 돌아보며

재한	꼭 돌아온다.
수현	(의아한 시선으로 재한 보는)
재한	꼭 돌아올게...

- 다시 현재, 구급차 안으로 돌아오면 떨리는 눈빛으로 해영을 바라보는 수현.

수현	...기억이 변했어... 분명히 주말까지 기다리라고 했었는데... 금방 끝날 거라고... 꼭 돌아온다고 했어...

역시 떨리는 시선으로 수현을 바라보는 해영.

해영	...과거는... 이미... 바뀌었어요...

씬/32　　　N, 과거, 야산 일각

고통을 참으며 필사적으로 도주하는 재한의 모습 위로

재한(소리)	내가 죽으면... 모든 게 미제로 남게 된다. 인주사건도... 선우 사건도... 그리고... 차수현..

- 인서트
- 15부, 38씬. 재한에게 울먹이면서 무전을 하던 수현.

| 수현 | 나한테 할 말이 있다고 했잖아요. 나한테 기다리라고 그랬잖아요. 그래서... 얼마나 기다렸는데... 그러니까, 뭐라도... 무슨 얘기라도... 해봐요. |

                    – 다시 야산 일각으로 돌아오면, 재한, 힘이 빠지지만 더욱 힘을 낸다.

| 재한(소리) | 꼭... 돌아간다. |

씬/33　　　　　N, 현재, 병원 응급실 복도

이동 침대에 눕혀진 채, 이동 중인 해영. 그 옆에서 함께 이동 중인 수현, 그리고 천장에 규칙적으로 붙어있는 형광등 불빛을 바라보며

| 해영(소리) | 11시 23분... 형사님이 죽은 그 시간... 죽음에 대한 두려움보다.. 모든 사건이 미제로 남는 게... 힘들었던 거죠? 그 간절한 마음으로 내게 무전을 보낸 건가요? |

씬/34　　　　　D, 현재, 병원 응급실

응급처치실에서 심폐소생술을 받고 있는 해영. 제세동기로 해영의 멈춘 심장을 어떻게든 뛰게 만들려는 의료진. '200줄!' '300줄' 허공으로 튀어 오르는 해영의 몸. 그러나 해영의 맥박은 돌아오지 않는다.

| 해영(소리) | 형사님... 그러니까... 그 의지로 살아주세요... 무전이 아닌 형사님의 의지로... |

씬/35　　　　　N, 과거, 야산 일각

성범과 치수에게 쫓기는 재한. 나무에 기대어 앉아 거친 숨을 내뱉는다. 뒤쪽에서 들려오는 바스락거리며 다가오는 누군가의 발자국 소리. 재한, 무전기를 뒤쪽으로 내려서 보이지 않게 숨기고... 천천히 인기척이 들려오는 쪽으로 고개를 돌리면 가라앉은 눈빛의 치수가 서 있다.

천천히 재한에게 총구를 올리는 치수, 방아쇠에 걸린 손가락이 떨린다. 순간, '탕!!' 울려 퍼지는 총소리. 야산에 퍼져가는 총소리.

씬/36   N, 현재, 병원 응급실

계속해서 해영에게 심폐소생술을 실시하고 있는 의료진. 그러나 여전히 돌아오지 않는 해영의 맥박. 의료진들, 고개를 가로젓는다. '띠...' 일직선을 그리는 바이오 그래프. 침대 위, 꺼져가는 마지막 해영의 눈빛에서

해영(소리)   포기하지 말아요...

그런 해영의 모습에서 화이트아웃.

씬/37   몽타주

- 현재, 낮. 파도소리와 함께 화면 밝아지면, 시원하게 펼쳐진 푸른 바다. 그런 바닷가에 세워진 차 한 대. 차 안에서 바다를 바라보고 있는 수현. 슬픈 듯, 아닌 듯 감정이 느껴지지 않는 무표정한 시선으로 바다를 바라보다가 천천히 시선 아래를 내려다본다. 손에 들린 배트맨 액자다. 그런 액자를 가만히 보는 수현의 시선에서
- 현재, 낮. 커튼에 가려져 어둠에 휩싸인 해영의 옥탑방. (아직 장소가 어딘지는 바래되지 않고) 침대에 누워있는 누군가의 미동도 없는 손을 비추는 화면.
- 현재, 낮. 바닷가 차 안, 배트맨 액자를 바라보는 수현의 시선.

- 어두운 정현요양원 병실, 해영의 옥탑방 누워있는 해영의 모습과 거의 흡사한 손.
- 현재, 낮, 바닷가 배트맨 액자를 바라보는 수현과 침대에 누워있는 서로 다른 누군가의 손 교차되다가 그 위로 '탕!'하는 총소리.

- 과거, 밤. 총소리의 잔향이 울리고 있는 2000년 8월 3일, 야산 일각
야산에 퍼져가는 총소리. 재한을 향해 총구를 들고 있는 치수. 그런 치
수를 바라보는 재한. 재한이 곧 쓰러질 듯하고... 멀리서 그런 모습을
바라보다가 다 끝났구나... 라는 듯 피식 웃으면서 시계를 바라보는 성
범. 11시 23분. 돌아서서 걸어가려다가 멈칫. 툭 떨어지는 치수의 총.
보면 어깨에서 피를 흘리면서 서서히 쓰러지는 치수. 그 뒤에는 뒤늦게
달려온 듯한 형기대 형사들. 멈칫하던 성범 보면, 관자놀이에 차가운
총구가 느껴진다. 보면 형기대 형사 1이다.

- 현재, 낮, 옥탑방. 미동도 없는 손가락이 순간 꿈틀한다.

- 과거, 밤, 야산 일각
쓰러진 치수를 제압하고 수갑을 채우는 형기대 형사들. 형사 2는 피를
흘리고 있는 재한을 향해 달려가서 부축한다.

재한	왜 이렇게 늦었어!
형사 2	핸드폰 위치 추적이 정확히 나오냐? 우리도 한참 헤맸어.
재한	김범주 과장! 김범주 과장 잡아야 돼!

- 과거, 밤, 폐창고 안으로 뛰어드는 형기대 형사들. 그러나 범주는 이
미 도주한 듯, 창고 안은 이미 텅 비어 있다.

- 과거, 밤, 야산 일각
재한을 부축해서 일으키는 형사 2.

형사 2	좀만 참아. 금방 구급차 부를 테니까
재한	아니... 가야 될 데가 있어.

- 과거, 밤, 수현의 집 앞 골목.
수현, 전화를 받은 듯, 놀란 얼굴로 뛰어나오는데... 저 앞에 세워진 구급차에

서 형사의 부축을 받은 뒤 내리고 있는 재한. 수현, 놀라서 재한에게 뛰어가

수현   이게...

그런 수현을 안아버리는 재한. 수현, 놀라고.. 형사들 '아 참... 그것들...' 하면서 서로 '뒤돌아 뭘 봐' 시선, 피해주는... 수현, 안겼다가 자기 손에 묻은 피를 보고 놀라서 재한의 몸을 밀치고 피가 흐르는 재한을 보고

수현   미쳤어요? 나한테는 칼 든 범인 피하라면서 이게 뭐예요!

하는데, 아픔이 몰려오는 듯 아... 인상 쓰는 재한.

수현   괜찮아요?

재한, 자신을 걱정스럽게 바라보는 수현을 보다가 엷게 미소 지으며

재한   나 약속 지켰다.

수현 그런 재한을 떨리는 눈빛으로 바라본다. 그런 수현을 다시 한 번 꼭 안는 재한. 수현, 재한의 품에 안겨서 눈물이 핑 돌고... 그렇게 서로를 안고 있는 두 사람의 모습에서

– 현재, 낮, 바닷가 차 안. 배트맨 액자를 바라보고 있는 현재의 수현의 눈가에 슬픔이 차오르다가... 한줄기 눈물이 툭 떨어진다.

씬/38   D, 현재, 해영의 옥탑방

해영의 클로즈업된 얼굴에서 서서히 빠지는 화면에서 순간 눈을 뜨는 해영. 헉, 하면서 일어나는... 주변을 둘러본다. 예전과 똑같은 옥탑방. 해영, 총상을 입었던 자기 몸을 둘러보는데, 몸은 상처 하나 없다. 어떻

게 된 거지? 일어나서 주변을 둘러보다가 순간 멈칫. 테이블위에 누군가 밥상을 차려놓고 위에 식탁보를 덮어놨다. 천천히 다가가서 식탁보를 벗기면 단출하지만, 그래도 정성이 느껴지는 밥상. 그리고 그 옆에는 쪽지 '아프다길래 들렀다. 일어나는 거 보고 가고 싶었는데, 식당일 때문에 먼저 가. 밥 꼭 챙겨 먹어 - 엄마'

해영, 쪽지 보고 순간 눈빛 흔들린다... 뭐지...? 하면서 시선을 돌리던 해영, 멈칫한다. 과거와 비슷한 인테리어의 옥탑방 사이사이, 가족과 함께한 사진들이 섞여 있다. 고등학교 졸업을 함께 했던 엄마와 아빠. 경찰대를 졸업할 때 엄마와 아빠와 함께 찍은 사진. 예전과 다른 그래도 밝은 해영의 얼굴. 해영... 도대체 이게 뭐지? 하다가 기억이 조각들이 다시 맞춰지기 시작하는 듯, 과거의 기억들이 현재의 해영과 교차되기 시작한다.

씬/39   D, 과거, 거리 일각

하교하는 듯한 해영. 전파상 앞을 지나는데, 틀어져 있는 뉴스 화면을 바라본다.

앵커   지난달 발생했던 진양초등학교 김윤정 양 유괴사건의 진범이 체포됐습니다. 모 정신병원 간호사인 범인 윤 모 양은 신용카드 빚 오천만원이 필요해 김윤정 양을 납치한 것으로 알려졌으며, 사라진 서형준 마저 살해한 것으로 밝혀져, 충격을 주고 있습니다.

화면을 가만히 바라보는 해영.

씬/40   D, 과거, 해영 母의 집

해영 父, 해영 母, 그 옆에 어린 해영 앉아있고, 맞은편에는 재한이 무릎을 꿇고 앉아있다.

388

해영 母	그게... 무슨 소리에요? 선우가... 그런 게...아니라구요?

재한, 빨간목도리를 검사한 검사지를 앞에 내어놓는다.

재한	선우는, 인주 사건의 범인이 아니였습니다. 그리고... 인주 사건의 진범을 찾으려고 노력하다가 살해당했습니다.

해영 母, 눈물을 흘리기 시작하고... 해영 父, 그저 멍하니... 그런 재한의 얘기를 듣고 있다

재한	선우는 가족들이 함께 모여서 살기를 원했습니다. 그러다... 죽임을 당했어요.

어린 해영 역시 뭐가 뭔지 모두 이해가 가진 않지만, 눈물이 차오르는 듯 눈가를 닦는다. 그런 해영을 바라보는 재한.

재한	죄송합니다. 선우의 죽음도... 인주 사건의 진범도 미리 밝혀내지 못해서... 죄송합니다.

깊은 한숨을 내쉬는 해영 父, 눈물을 흘리는 해영 母. 그리고 어린 해영의 앞에 고개 숙여 사죄하는 재한.

씬/41   D, 과거, 해영 母의 집 밖

집을 나서는 재한, 어두운 얼굴로 걸어가는데... 뒤쪽에서 들려오는 '경찰 아저씨!' 하는 어린 해영의 목소리. 재한, 뒤를 바라보는데 여전히 눈가에 눈물이 그렁그렁 차 있는 해영.

해영	(꾸벅 숙여 인사하며) 감사합니다.

재한, 그런 해영을 보고는 엷은 미소를 짓는다.

씬/42   D, 현재, 해영의 옥탑방

다시 옥탑방으로 돌아오면 해영의 눈빛에 희망이 차오르기 시작한다.

해영   ...이재한 형사님... 형사님이... 살아났어...

씬/43   D, 현재, 시계방 앞

시계방으로 뛰어오는 해영. 두근두근 긴장되는 얼굴로 시계방 문을 연다.

씬/44   D, 현재, 시계방

마침, 외출에서 돌아오는 듯, 외투 차림의 재한 父, 문을 등지고 테이블에서 뭔가를 하고 있는데, 긴장된 얼굴로 들어서는 해영. 재한 父, 인기척에 돌아보고, 해영을 보자 테이블의 재떨이와 물건들 한쪽으로 치우며 처음 보는 사람에게 대하는 듯 '어서 오세요' 인사를 한다. 해영, 자기를 기억하지 못하는 재한 父를 떨리는 눈빛으로 본다.

재한 父   시계 고치러 왔어요?
해영   ...이재한 형사님...

재한의 이름을 듣자, 미미하게 떨리는 재한 父의 눈빛.

재한 父   우리... 아들을 알아요?
해영   예. 형사님, 지금... 어디 계시죠?

재한 父, 내색하지 않으려 하지만, 긴장이 느껴지는 굳은 말투로

재한 父   젊은 양반이 어떻게 우리 애를 아는지는 모르겠는데... 우리 애는 실종
              됐어요. 벌써... 15년이 넘었어요.

놀라서 떨리는 눈빛으로 재한 父를 바라보는 해영.

씬/45   **D, 현재, 광수대 사무실**

사무실 문 쾅 열리며 들어서는 해영. 지나가던 의경, 그런 해영을 의아한 듯 보는데 해영, 다급한 마음에 눈치 채지 못하고, 전담팀 사무실을 향해 걸어가고, 의경 그런 해영의 뒤를 쫓는데... 해영, 전담팀 사무실을 향해 다가가다가 멈칫한다. 전담팀이 있던 사무실, 장기미제 전담팀 푯말도 보이지 않고, 짐들만 쌓여있는 창고 같은 분위기다. 해영, 놀라서 그런 광경을 바라보는데... 뒤에서 다가온 의경.

의경   무슨 일로 오셨습니까?
해영   어떻게 된 거야? 여기 왜 이렇게...
의경   (말 놓는 해영 보며) 어느 서 누구십니까? 저... 아십니까?

해영, 자길 전혀 알아보지 못하는 의경을 떨리는 눈빛으로 보다가 지나치다 힐긋 이쪽을 보는 형사들을 본다. 형사들 역시 전혀 자기를 알아보지 못하는 눈치다. 해영, 그런 형사들 보다가 겉옷 주머니를 뒤진다. 신분증이 나오는데, 신분증을 확인하고는 멈칫... '북대문 지구대 소속 경위, 박해영'이다.

해영   이게... 도대체... 무슨...

씬/46   **D, 현재, 진양서 강력계 사무실**

계철과 헌기, 대화중인데, 헌기 한 손에 음료수를 들고 마시고 있다.

헌기   분명히 어제 넘겼다니까요.
계철   넘겼는데, 여기 왜 없냐고
헌기   선배님이 간수 잘못하신 거 아닙니까?

계철	이게 꼬박꼬박 말대꾸는...

그때, 문 열리면서 들어서는 해영. 헌기, 누구... 하는 눈빛으로 보는데, 계철 그 새 음료수 인터셉트해서 한 모금 마시면서

계철	누구예요? 여기 아무나 들어오는 데 아닌데...

해영, 자기를 전혀 알아보지 못하는 두 사람 보다가

해영	...차수현... 형사님... 계십니까?

그러던 해영의 시선, 계철 너머 수현의 책상에 가서 멈춘다. 산더미처럼 쌓여있는 수사자료. 그러나 배트맨 액자는 보이지 않고 그런 책상 한편에 놓여 있는 진양서 강력계 재한의 형사수첩 언뜻 보여지고...

계철	차 형사는 무슨 일로 찾는데?
해영	(신분증 보여주며) 북대문 지구대 박해영 경위입니다. 급한 업무가 있어서 그런데, 멀리 가셨나요?
계철	(신분증 확인하고는) 우리도 몰라. 갑자기 어디 갔는지 보이질 않아. 전화도 안 받고 집에도 없고... 도대체 어딜 간 거야. (헌기 보며) 암튼, 감식 결과 한 번 더 보내줘.
헌기	똥개 훈련도 한두 번이지. 맨날 잊어먹어요. 이번엔 안 됩니다.

옥신각신 하는 두 사람을 보다가 수현의 빈 책상을 답답한 얼굴로 바라보는 해영의 얼굴에서

씬/47   N, 현재, 북대문 지구대 외경

지구대 건물 밖에서 지구대를 보다가 천천히 걸어 들어가는 해영.

씬/48　　　　N, 북대문 지구대

지구대로 들어서는 해영과 시선 마주치는 경사.

경사　　　어... 쉬는 날에 왜 나오셨어요?

해영, 경사 보다가... 자기 자리로 향해 가서 서랍 안을 뒤지기 시작한다.

경사　　　왜요? 뭐 찾으시는 데요?
해영　　　그, 무전기요... 낡고 밧데리도 없는 무전기.. 기억 안 나요?
경사　　　무슨 말씀하시는지...
해영　　　그때, 내가 갖고 왔었잖아요.
경사　　　경위님이 무전기를 갖고 와요? 그런 적... 없었는데...

떨리는 해영의 눈빛.

씬/49　　　　N, 과거, 카페 일각

2000년, 당시 유행가가 흘러나오고 있는 카페. (9월 느낌입니다) 카페에 앉아서 재한을 기다리고 있는 수현. 첫 데이트라 나름 신경을 쓴 복장이지만, 그래도 강력계의 느낌이 남아있다. 수현, 너무 일찍 왔나? 어떻게 앉아있는 게 가장 자연스럽지? 다리를 꼬기도 해봤다가 그냥도 앉아 봤다가 어색하고 긴장한 기색이 역력한데, 문 열리는 소리에 문을 보는데, 들어서는 세련된 차림의 여자. 수현, 힐긋 그 여자 보고 시선 돌리려다가, 자기도 모르게 그 여자한테 시선이 간다. 그러다가 다시 시선 돌리는데... 카페 안에 앉아있는 여자들. 모두가 다 수현보다 세련되고 예뻐 보인다. 나만 너무 이러고 왔나? 싶은... 주눅이 들어 두리번거리다가 문득 가방을 바라보는 시선

- 인서트
수현의 집 앞. 수현 나오는데, 버선발로 쫓아 나와 가로막는 수민. 한

손에는 향수가 들려져 있다.

수민	그래도 명색이 첫 데이튼데 이러고 가겠다고?
수현	왜? 야, 데이트하다가 갑자기 호출 받을 수도 있는데, 하이힐 신구 뛰라구?
수민	아무리 그래도 그렇지. (향수 뿌리려고 하며) 그럼, 이거라도 뿌려. 남잔 이런 거 좋아한다고.
수현	됐어.

수민, '아, 진짜, 그러지 말구' 하다가 수현 강하게 걸어가는데, 가방 안에 억지로 집어넣으며 '화이팅!!' 하는

– 다시 카페로 돌아오면, 수현... 가방 안에서 향수 꺼내 보는... 주변 한번 휙휙 보다가... 칙칙 뿌리는데, 갑자기 뒤에서 들려오는 재한의 목소리.

| 재한 | 야. |

수현, 헉 놀라서 뒤돌아보는...

| 재한 | 나가자. |
| 수현 | 나...가요? 어디... |

씬/50　　　N, 과거, 껍데기집

껍데기집에 마주 앉아 있는 수현과 재한. 수현... 이게 뭔가 싶은 눈빛이고... 재한은 껍데기 구우면서

재한	왜, 껍데기 싫어?
수현	아... 아뇨...
재한	근데, 아까부터 무슨 냄새 안 나냐?

수현, 하... 내가 이 인간한테 뭘 기대하겠냐 싶은...

수현 여긴... 단골이세요?

재한 ...난 아니고... 잘 아는 애 단골집...

하는데, 다가오는 주인 아줌마. 테이블위에 반찬과 채소들 세팅하는데...

주인 아줌마 그 꼬마애 만나러 온 거에요?

수현 (꼬마? 의아한 얼굴로 보는)

주인 아줌마 걔, 이제 엄마 아빠랑 같이 살게 됐대요. 안 온지 꽤 됐어요.

재한 (엷은 미소)... 압니다.

씬/51   N, 현재, 껍데기집 인근 거리 일각

거리를 멍한 얼굴로 걷고 있는 해영. 그러다가 껍데기집 간판을 바라본다. 천천히 문을 열고 들어가는...

씬/52   N, 과거, 현재, 껍데기집

문을 열고 들어서는 해영. 자리에 앉는다. 그러다가 어딘가를 바라보는... 저 앞쪽에서 함께 소주잔을 부딪치고 있는 재한과 수현.

수현 누군데요? 꼬마애가?

재한 있어.

수현 (의심스러운) 설마...

재한 뭐?

수현 설마... 선배님... 아니죠?

재한 이게 빠져가지구... 닥치고 마셔.

해영, 마치, 두 사람이 보이는 듯 가만히 그쪽을 바라본다.

수현	근데... 아직도 김범주 과장, 찾아다니세요?
재한	...
수현	선배님... 하실 만큼 했어요. 이제, 김범주 과장... 다른 사람한테 맡겨도 돼요.
재한	...(보다가) 김범주 과장도 장기말에 불과해.
수현	무슨 말이에요?
재한	진짜 벌을 받아야 될 사람은 따로 있어. 뒤에서 모든 사건이 그렇게 되도록 만든 사람...
수현	(보는)
재한	진짜 잘못을 바로잡아야... 과거를 바꾸는 거고... 미래도 바꿀 수 있어.

그런 재한을 바라보는 듯한 해영, 그런 해영의 시선으로 서서히 화면 돌려지면... 해영의 맞은편에는 재한도 수현도 사라진 텅 빈 테이블이다. 그런 해영의 모습에서 소주병하고 소주잔을 가지고 와서 내려놓는 현재의 주인 아줌마.

주인 아줌마	하이고, 그때 그 꼬마가 벌써 소주를 마실 나이가 되구 참 세월두 빠르네.
해영	....그게 마지막이었나요?
주인 아줌마	응?
해영	그때, 그 형사님이요.
주인 아줌마	맞아. 여자 데리고 한 번 오고는 다신 안 왔어.

그때 들어서는 다른 손님. 아줌마 '어서 와요' 하면서 그쪽으로 사라지고... 혼자 남는 해영. 눈빛 더욱 어두워진다.

해영(소리)	형사님... 도대체... 무슨 일이 있었던 겁니까?

씬/53   D, 과거, 진양서 주차장

주차장으로 뛰어나오며 전화를 받고 있는 수현.

수현	예? 지금 어디라구요?
재한(소리)	경진동이야. 거기가 확실해. 형기대 애들한테도 얘기해서 빨리 와!

달칵 끊기는 전화.

| 수현 | 선배님! (하다가) 경진동 도대체 어디로 오라는 거야? |

씬/54   D, 과거, 거리 일각

전화 끊는 재한, 악셀을 밟는데 저 앞쪽으로 폐창고 건물이 보이기 시작한다. 재한의 시선에 긴장감이 감돌고...

씬/55   D, 과거, 폐창고

폐창고 안으로 긴장된 시선으로 권총을 들고 들어서는 재한. 낮임에도 불구하고 창문들이 닫힌 폐창고는 어둡고 음산하다. 여기저기 쌓인 짐들 사이로 들어서는 재한. 범주를 찾는 듯 두리번거리면서 조심스럽게 안으로 들어가는데, 갑자기 짐들 사이에서 튀어나와 재한을 덮치는 범주. 재한, 그 여파로 권총 떨어뜨리고 재한, 쓰러진 사이 범주, 도주하려는데 재한, 그런 범주의 다리를 잡아서 쓰러뜨린다. 도주하려는 범주와 그런 범주를 제지하려는 재한 사이에 치열한 몸싸움이 붙고... 그러다가 범주, 결국 피를 흘리면서 바닥에 쓰러진다. 역시 여기저기 생채기가 난 재한, 그런 범주의 멱살을 잡고

재한	...얘기했지... 절대 가만두지 않겠다고...
범주	그래서... 날... 잡으면 세상이 바뀔 것 같아? 차라리 개가 돼서 사는 게... 세상이 개 같다고 불평하면서 사는 것보다 나아...
재한	아니... 당신이 아니라, 다른 사람을 잡아야 세상이 바뀌겠지.
범주	(굳은 시선으로 보는)
재한	...인주 사건의 진범인 장태진의 큰아버지... 장영철 의원

범주	(눈빛 싸늘하게 굳는다)
재한	자기 조카가 어떤 개 같은 짓을 저질렀는지 뻔히 알면서 그걸 덮기 위해 힘없는 아이 한 명이 죽게 만든 사람... 그 사람 맞지?
범주	그게 어때서? 그렇게 살았으니까, 그만한 힘을 얻은 거야.
재한	그래.. 그게 문제야. 또다시 몇 번이고 몇 십번이고 똑같은... 더러운 범죄를 저지르겠지. 힘으로 덮어버리고, 돈으로 입을 막아버리고, 조작해버리면 그만이니까! 그래서... 여기서 막을 거야. 그 사람, 내 손으로 처벌을 받게 할 거라고.
범주	(피식 웃는) 니가? 경찰도... 검찰도... 심지어 청와대도 못 건드리는 사람이야. 한낱 강력계 형사가 어떻게 막겠다는 건데?
재한	진양 신도시 재개발 비리...
범주	(눈빛 굳는다)
재한	그때, 당신이 조작해서 검찰에 넘긴 그 디스켓... 원본은 없앴겠지만, 카피본이 있겠지.
범주	...(눈빛 흔들린다)
재한	없다고는 하지 마. 당신같이 교활하고 치밀한 사람이 그딴 대책을 만들지 않았을 리 없으니까...
범주	...
재한	어딨어? 그 디스켓!

그때, 밖에서 들려오는 끼익, 끼익 연속으로 차 멈춰 서는 소리. 범주, 위기를 감지한 듯, 본능적으로 한쪽 구석에 놓인 가방을 바라본다. 재한, 그런 범주의 시선 쫓아가서 가방을 보는데... 쾅, 폐창고 문이 열리면서 들어서는 검은 양복의 사내들. 범주와 재한을 향해 각목을 들고 몸을 날리기 시작한다. 재한, 범주 뒤로 밀리면서도 싸워보지만, 수적 열세를 어찌할 수 없다. 결국, 각목에 맞고 쓰러지는 범주. 재한 역시 처참하게 맞고 쓰러지는데...

씬/56　　　D, 현재, 북대문 지구대

컴퓨터 앞에 앉아서 화면을 바라보고 있는 해영. 화면에는 '경진동 폐창고 살인사건' 수사 자료가 떠 있다. 당시 여기저기 부서진 현장사진들 아래로 적힌 수사 자료들, 해영의 시선에 따라 보인다.

'2000년 11월 20일, 경진동 폐창고에서 전 서울청 형사과장 김범주 시신으로 발견' '전신에 다발성 손상으로 보아 격렬한 몸싸움을 하던 중 살해당한 것으로 추측' '살해 직전, 진양서 강력계 이재한 경사와 단둘이 접촉함' '현장에서 용의자 이재한의 혈액, DNA가 다량 발견됨' '2000년 11월 20일 이후 용의자 이재한 소재 불명' '13번 국도변에서 용의자 소유의 자동차가 버려진 채 발견' '시효만료로 수사 종결'

수사 자료를 읽어 내려가는 해영의 눈빛, 떨려온다.

해영(소리) 비리 혐의로 쫓기던 김범주 국장은 폐창고에서 시신으로 발견됐고 이재한 형사님은 유력한 용의자로 수배됐지만 실종됐다. 형사님이 중요한 증인이자 범인인 김범주 국장을 죽였을 리 없다... 누군가가 김범주 국장을 죽이고 형사님한테 뒤집어 씌운 거야... 도대체 누가...

씬/57 **D, 과거, 폐창고 건물 밖**

'쨍그랑' 유리창이 깨지면서 피투성이의 재한이 탈출한다. 한 손에는 범주가 바라봤던 그 가방이 들려져 있고... 차를 향해 다급히 뛰어가는 재한. 그때, 문 쾅 열리면서 그 뒤를 쫓기 시작하는 양복 男들. 재한, 아슬아슬하게 차에 올라타, 시동을 걸고 출발한다.

씬/58 **D, 과거, 국도 일각**

국도 한편에 세워진 차 안. 제대로 상처 치료도 못 받은 듯 초췌하기 그지없는 재한. 무전기를 바라보고 있다.

재한 박해영 경위님...

씬/59   D, 현재, 북대문 지구대

수사 자료를 바라보고 있는 해영. 답답하고 안타까운 눈빛.

해영(소리)   무전기만 있다면... 무전기만 있으면...

씬/60   D, 과거, 국도 일각

58씬에 이어지는... 무전기를 바라보고 있는 재한. 하지만, 끝까지 울리지 않는 무전기. 그때, 유리창 너머를 바라보는 재한의 눈빛 굳는다. 저 멀리에서 검은 양복의 사내들이 다가오고 있다. 재한, 안타까운 시선으로 무전기를 보다가 조수석에 놓인 수첩을 바라본다. 다급히 뭔가를 적기 시작하는데... 순간, 앞 유리를 내려치는 야구배트.

씬/61   D, 현재, 북대문 지구대

안타까운 눈빛의 해영, 답답해하는데... 순간 문득, 뇌리를 스치는 재한의 형사 수첩.

- 인서트
16부, 46씬. 진양서 강력계 사무실
수현의 책상위에 놓여 있던 재한의 형사 수첩.

- 다시 지구대로 돌아오면

해영   ...무전기가 없어도.. 방법이 있을 수도 있어...

씬/62   D, 현재, 진양서 강력계 사무실

강력계 사무실로 들어서는 해영. 보면, 책상에 앉아 졸고 있는 형사 한

명 정도... 은밀하게, 수현의 책상으로 다가가서 재한의 형사 수첩을 가지고 가는 손, 해영이다.

씬/63   몽타주

- 9부, 29씬. 옥탑방에서 재한과 무전 중이던 해영.

해영   그때 홍원동에서 무슨 사건이 벌어진다는 건 확실해요... 형사님 수첩에 그렇게 적혀 있었어요.

- 9부, 30씬. 과거, 골목길에서 무전을 하던 재한.

재한   내 수첩...에요? 뭐라고 적혀 있었는데요?
해영(소리)   형사님 수첩, 뒤쪽에 메모지가 꽂혀 있었습니다. 거기에 1989년 경기 남부 사건, 1995년 대도 사건 1997년 홍원동 사건... 그리고 1999년 인주 여고생 사건이 적혀 있었어요.

- 9부 31씬.
- 재한, 놀라서 멈칫하는...

재한   그렇게... 적혀 있다구요? 확실해요?

하지만, 대답이 없다. 무전기를 내려다보면, 어느새 꺼져 있는 무전기. 재한, 불안한 시선으로 무전기를 보다가.. 다른 주머니에서 자신의 형사 수첩을 꺼내든다. 진양서 수첩이 아닌, 형기대 수첩. 천천히 수첩의 마지막 표지 쪽을 펼친다. 마지막 표지 사이에 자신이 끼워놓은 메모지를 꺼내들고 펼쳐보는... '1989년 경기남부 사건' '1995년 대도 사건(진양 신도시 재개발 비리)'까지만 적혀 있다.

씬/64   D, 현재, 거리 일각/ 차 안

차 안에서 재한의 형사 수첩 가장 뒷장을 열어보는 해영. 뒷장에 빛바
랜 메모지가 꽂혀 있다.

해영(소리)   형사님은 이 메모지를 미래의 내가 본다는 걸 알고 있었어...

천천히 메모지를 꺼내 펼쳐보는데... 눈빛 떨려온다. 그전에 적혀있던
사건들 목록 아래, 숫자가 휘갈겨져서 적혀 있다. '32-6'

- 인서트
- 16부, 60씬. 양복남들이 다가올 때, 다급히 조수석의 수첩을 열어, 마
지막 장에 끼워져 있는 메모지에 다급히 '32-6'이란 숫자를 적는 재한.
다시 메모지를 접어서 끼워 넣는다. 순간, 앞 유리를 내려치는 야구배트.

- 다시 차 안으로 돌아오면

해영(소리)   형사님이 내게 남긴... 마지막... 메시지... 다른 사람은 모르지만... 나만
이 알아볼 수 있는 숫자...

떨려오는 해영의 눈빛에서...

씬/65   **D, 현재, 인주, 해영 母의 집 앞**

해영, 64씬의 재한이 남긴 메모를 내려다보다가 천천히 고개를 들어
앞을 바라보면 어린 시절 자기가 살던 집 앞의 주소가 보인다. 문 옆에
걸려진 주소 '연진동 32-6번지' 떨리는 눈빛으로 주소를 바라보다가
문을 열고 들어선다.

씬/66   **D, 현재, 해영 母의 집 일각**

집 안으로 들어서는 해영. 안에서 외투 걸치면서 나가려던 해영 母(50

대 후반). 해영을 보고 놀라서 보는

해영 母   해영아. 여긴 웬일이야. 아까 아침에 잠깐 보러 갔었는데...

해영   (그런 엄마의 모습이 낯설다... 그저 보는데)

해영 母   (해영 보며) 무슨 볼일 있어서 온 거야?

– 시간 경과되면
접시에 먹을 것과 따뜻한 음료를 내오는 해영 母.

해영 母   먹어봐.

해영, 그런 해영 母가 그리웠던 듯 가만히 바라보다가

해영   ...하나 여쭤볼 게 있는데요. 저 어렸을 때, 형 사건 해결해주신 형사님 있
잖아요. 이재한 형사님... 혹시 그분이 여기 뭘 맡긴 게 있진 않았어요?

해영 母, 의아하다는 듯한 눈빛으로 해영을 본다. 해영, 그런 해영 母를
가만히 보는데...

해영 母   그걸 네가 어떻게 알아?

해영 멈칫하는...

– 시간 경과되면
장롱 안에서 종이박스를 꺼내는 해영 母. 종이박스를 열면, 앨범, 해영
이 일기장, 선우 노트 등이 가지런히 쌓여져 있는데... 그 제일 아래에
있던 작은 정현요양원이란 로고가 박힌 서류봉투를 꺼내서 해영에게
내미는 해영 母.

해영 母   그 형사님한테 전화가 왔었어. 우편물을 보낼 텐데, 중요한 거니까 다

른 사람한테는 절대 얘기하지 말고 자기가 찾으러 갈 때까지 꼭 좀 맡아달라고... 우리한테 엄청 고마운 분이시잖아. 그래서 지금까지 안 버리고 놔둔 거야. 언젠가는 찾으러 오시겠지 하구...

해영 母가 건네는 서류봉투를 바라보는 해영

씬/67   D, 현재, 해영의 차 안

인근 거리에 주차된 차 안에서 서류봉투를 내려다보던 해영. 천천히 서류봉투를 열어보는데, 안에서 나오는 디스켓 하나. 그리고... 편지지. 멈칫해서 바라보는 해영. 천천히 떨리는 시선으로 편지를 열어보는데...

재한(소리)   이 편지를 경위님이 읽게 될지는 모르겠네요. 하지만 부디 그렇게 될 수 있기를 바랍니다. 이 편지가 경위님께 연락을 할 수 있는 마지막 방법이니까요. 그때, 내게 첫 무전을 얘기했던 거 기억합니까?

씬/68   과거, 몽타주

- 16부, 14씬. 선일정신병원 뒤에서 무전을 하던 재한.

재한   (무전기에 대고) 여기 네가 얘기한 선일정신병원이야. 건물 뒤편 맨홀에 목을 맨 시신이 있어. 김윤정 유괴사건 용의자 서형준 시신이야. 그런데 엄지손가락이 잘려있어. 누군가 서형준을 죽이고 자살로 위장한 거야. 그때, 무전기 너머에서 들려오는 목소리. 1부의 해영의 목소리다.

해영(소리)   당신 누굽니까? 그게 무슨 소리예요? 선일정신병원이요? 거기 어디예요?

그런 무전기를 가만히 보는 재한.

재한(소리)   그때, 나와 무전을 한 건, 나를 모르고 있던 첫 무전 때의 박해영 경위님이었습니다. 예정대로였다면, 난 그때 죽고, 또다시 1989년으로 돌아가 경위님과 무전을 이어갔겠죠. 결국 우리 사이 무전은 그렇게 돌고 돌았던 게 아닐까요.

- 낮, 살아난 재한. 병원에 입원했다가 눈을 뜬다.
- 재한, 병원 침대에 누운 채로 무전기를 바라보는데... 무전기는 울리지 않는다.

재한(소리) 하지만 내가 살아나고 난 뒤, 더 이상 무전은 오지 않았어요. 언젠가 다시 오지 않을까 기대해 봤지만... 죽었어야 할 내가 살아나서... 우리 인연도 끊어진 건지... 아직까지, 무전기는 울리지 않고 있습니다.

- 16부, 41씬. 해영의 집을 걸어 나오는 재한. 그때, 뒤쪽에서 들려오는 '경찰 아저씨!' 하는 어린 해영의 목소리. 재한, 뒤를 바라보는데 여전히 눈가에 눈물이 그렁그렁 차 있는 해영.

해영 (꾸벅 숙여 인사하며) 감사합니다.

재한, 그런 해영을 보고는 엷은 미소를 짓는다. 그런 재한의 눈빛.

- 진양서 강력계 사무실
책상에 앉아 생각에 잠겨있는 재한.

재한(소리) 그날... 그런 생각이 들었습니다. 정말 벌 받을 놈이 벌을 받지 않는다면, 또다시 이런 일이 벌어질 수 있겠다는 그런... 생각이요.

씬/69　　　　**D, 현재, 차 안**

차를 타고 어디론가 이동 중인 해영.

재한(소리)   동봉한 자료는, 1995년, 진양 신도시 재개발과 관련된 비리가 담겨있
는 디스켓입니다. 이걸 누구에게 어디에 보내야 할지 많이 고민했습니
다. 그런데.. 내가 사는 시대에는 그 누구도 생각나는 사람이 없었습니
다. 그 누구에게 보내도, 이것 때문에 그 사람이 위험해 지거나 아니면
증거가 또다시 사라져 버릴 것 같았거든요. 하지만... 경위님이 사는 그
세상은 다르겠죠.

차를 타고 이동하다가 신호대기를 받고 멈춰 서다가, 뭔가를 발견하고
바라본다. 사거리에 설치된 전광판에서 흘러나오는 뉴스다. 뉴스 화면,
지역구 사무실 건물을 빠져나오는 장영철 의원과 보좌관들. 그런 장영
철 의원에게 마이크를 내밀고 있는 기자들. 그러나 인자한 미소로 능숙
하게 기자들 사이를 빠져나가 차에 올라타는 모습 위로 '장영철 의원,
진양신도시 재개발 비리의혹 일파만파'라는 자막. 그 위로

앵커(소리)   인터넷에 유포된 진양 신도시 재개발 비리 문건으로 대한민국이 요동
치고 있습니다. 장영철 의원을 비롯해 굵직굵직한 정재계 인사들이 신
도시 재개발 과정에서 혈세 몇 십조 원을 착복했다고 주장한 이 문건
에는, 열한 명이 사망한 참사가 벌어진 한영대교 건설 과정의 비리까지
거론되어 있어 논란이 되고 있습니다.

씬/69- 1   D, 현재, 지역구 사무실 건물

건물을 빠져나와 대기하고 있는 차량으로 걸어가고 있는 장영철 의원.
그 옆으로 몰려들어 질문을 던지는 기자들.

기자 1   진양 신도시 재개발 비리에 연루된 게 사실입니까?
기자 2   인터넷에 공개된 문건에 의원님의 자필 사인이 확인됐습니다. 내부 문
건이라는 의견이 지배적인데요. 맞습니까?
기자 3   의원직을 내놔야 한다는 여론이 만만치 않습니다. 어떻게 생각하시죠?

기자 3의 질문에 차 안으로 들어가려던 영철, 순간 멈춰 선다. 뒤를 돌아보는데, 찰나 차가운 눈빛, 그러나 곧바로 노회한 정치인의 눈빛으로 돌아와

영철   진양 신도시 재개발 사업은 서민들의 주택난을 해결하고, 지역 경제를 발전시킨 혁신적이고 성공적인 도시개발 사업이었습니다. 그 사업을 비리로 매도하는 건, 그 사업을 주도한 대한민국 정부, 대한민국 국민에 대한 모욕입니다.

영철의 얘기가 끝나자 기자들 다시 한 번 질문들을 퍼붓기 시작하는데 영철, 인자한 미소와 함께 차를 타고 멀어진다. 그런 모습 위로 앵커의 소리

앵커(소리)   들끓는 여론을 진정시키기 위해 청와대에선 특검을 도입할 예정입니다. 수사 결과 모든 게 사실로 밝혀질 경우, 정계와 재계 모두 큰 파란이 일 것으로 예상됩니다.

씬/69- 2   D, 현재, 차 안

지역구 사무실 건물 앞을 출발하는 차 안. 굳은 얼굴로 앉아있는 영철의 옆에 앉은 비서관, 영철의 눈치를 보며

비서관   인터넷에 유포된 문건... 16년 전 사라진 그 형사가 가져간 바로 그 문건입니다.
영철   (차가운 눈빛)...무슨 수를 써서라도... 찾아내...

씬/69- 3   D, 현재, 거리 일각

전광판을 바라보던 해영, 천천히 차를 출발시키는 모습에서

재한(소리)   적어도 거긴 죄를 진 사람들이 합당한 벌을 받을 수 있는 세상이 됐을

거라고... 믿습니다. 내겐 경위님이... 미래에 있을 당신이 마지막 희망입니다. 이 편지도 경위님께 하는 마지막 인사가 될 것 같네요. 잘 지내고... 건강하고 행복하길... 바랍니다.

씬/70   D, 현재, 해안도로 일각

파란 바다를 끼고 있는 해안도로를 달리고 있는 해영. 생각에 잠겨 있다가 바다를 끼고 있는 소도시로 핸들을 꺾는다.

씬/71   D, 현재, 소도시 우체국

우체국 데스크에서 직원과 얘기 중인 해영. '정현요양원'이라는 서류봉투에 붙여진 우체국 소인을 보여주고 있다.

해영   이거, 이 우체국 소인 맞죠? 혹시 이 우편물을 누가 보냈는지 알 수 있을까요?

직원 우체국 소인을 확인한다. '2000년 11월 24일'

씬/71- 1   D, 현재, 소도시 파출소

파출소에서 소장과 얘기 중인 해영.

해영   ...실종된 사람을 찾는데요. 2000년 11월 24일 이후 이 근방에서 발견된.... 신원미확인 시신이나 백골사체 발견기록 좀 확인할 수 있을까요?

- 시간 경과되면
사건 기록을 확인 중인 해영. 하지만, 피해자들의 신상이 재한과는 맞지 않는다. 기록을 접는 해영. 지나가던 소장, 그런 해영에게

소장	왜요? 없어요?
해영	...(엷은 미소) 예... 다행히... 없네요.

씬/72　　　　D, 현재, 해변가 일각

가라앉은 얼굴로 운전을 하고 있는 해영. 해변가에 위치한 횟집과 카페
가 줄지어 있는 식당가 앞을 지나가는데 그러다가 뭔가를 본 듯 순간
멈칫하며 차를 세운다. 보면, 한 카페 안으로 들어가고 있는 수현이다.
해영, 놀라서 보는

씬/73　　　　D, 현재, 해변가 카페

카페 문을 열고 들어서는 해영. 저 앞 카운터 쪽의 주인에게 재한의 사
진을 보여주고 있는 수현.

수현	이 사람, 근처에서 본 적 없나요?

하지만, 고개를 가로젓는 주인. 수현, 실망한 얼굴로 돌아서다가... 뒤에
서 자신을 바라보고 있는 해영과 시선 마주치고 멈칫.

해영	차 형사님...
수현	...(보는) 너... 뭐야.
해영	(멈칫하는) 나 기억나세요?
수현	... (보는)
해영	정신을 차리고 보니, 전담팀도 사라지고... 아무도 날 기억하는 사람이 없었어요. 그래서 형사님을 찾으려고 진양서까지 갔는데, 연락이 안 된다고 했어요. 그래서 계속 연락을 해보려고 했는데...
수현	입력된 전화번호는 찾을 수 없었겠지.
해영	...형사님도 그랬나요?
수현	...그래.. 네 말처럼 모든 게 바뀌어있었어. 정신을 차리고 네가 실려간

응급실에 가봤지만, 박해영이란 환자는 온 적도 없었대. 네 옥탑방에 가봤더니... 너네 어머님이 아파서 자고 있다고 그러셨어... 다행이지...

해영 ...이재한 형사님은요?

수현, 서서히 눈빛 어두워지면서 해영을 바라보는

수현 ...기억나. 모두...

- 인서트
- 낮, 차 안, '빵!!'하는 클랙슨 소리와 함께 차 안에서 정신이 드는 듯, 헉 놀라면서 고개를 드는 수현. 놀란.. 혼란스러운 시선으로 주변을 두리번거리면, 차량이 오가는 대로변에 세워진 차 안이다. 도대체 이게 어떻게 된 거지? 해영의 피가 묻어있던 손을 바라보지만, 손은 깨끗하다. 그런 수현의 눈빛, 멈칫한다. 기억이 바뀌는 듯 떨려오는 수현의 시선과 과거의 기억들이 교차된다.

- 37씬, 몽타주 중
수현의 집 앞으로 찾아와서 수현을 꼭 안는 재한.

- 50씬, 껍데기집에서 수현을 보며 미소 짓던 재한.

- 53씬, 진양서 주차장에서 재한과 통화하다가 전화가 끊어지자 '선배님!' 전화기 너머로 재한을 부르던 수현
- 경진동 일대를 재한을 찾아 헤매던 수현.

- 다시 카페로 돌아오면 떨리는 눈빛으로 해영을 바라보고 있는 수현.

수현 ...그 기억이 꼭 어제 같은데... 벌써 16년이 지나있었어. 그 이후로 난 또다시 16년 동안 선배님을 찾아다녔어... 예전의 나처럼...

해영 ...

수현	(감정을 추스르고 해영을 보며) 선배님이 실종된 건 바뀌지 않았지만... 바뀐 게 하나 있어...
해영	(보면)
수현	전화... 선배님이 실종된 뒤에 전화가 왔었어.

씬/74   D, 과거, 몽타주

– 과거, 진양서 강력계 사무실
다들 수사를 나간 듯, 혼자 초조한 얼굴로 책상에 앉아 13번 국도에서 발견된 재한의 자동차 현장 사진을 확인하고 있는 수현. 그때, 울리는 수현 책상 위의 전화.

수현	(정신은 사진에 팔려있는) 진양서 강력 1팀입니다.

그런데, 수화기 맞은편에서 들려오는 파도소리. 하지만, 아무 말이 없다. 수현, 순간 이상한 느낌...

수현	...여보세요? 여보세요...

맞은편에서 계속해서 파도소리만이 들려올 뿐이다.

수현	(설마...) 선배님?... 선배님이에요? 선배님 맞죠? 선배님!

그런데, 뚜뚜뚜 끊어지는 전화.

수현	여보세요! 여보세요!

수현, 끊긴 전화기를 떨리는 시선으로 바라보다가... 다시 전화국으로 전화를 건다. 연결음 들리다가 상대편 딸깍 소리와 함께 '진양 전화국입니다'

수현   진양서 강력 1팀입니다. 031-567-8236, 방금 전 이 번호로 전화를 건
            발신지, 추적 부탁합니다.

            - 과거, 낮, 횟집들이 줄지어 선 바닷가로 뛰어오는 수현.
            주변을 두리번거리는데, 저 앞쪽에 설치된 공중전화. 뛰어오는 수현.
            수첩을 꺼내 안에 적혀진 전화번호와 공중전화의 번호를 비교해 본다.
            일치하는 걸 알고, 떨리는 눈빛으로 주변을 두리번거리는

현재 수현(소리) 아무 소리도 없었지만... 선배님이었어... 아니 선배님일 거라고 생각했어.

            - 과거, 다른 날, 근처 가게를 다니면서 재한 사진을 보여주면서 묻고
            있는 수현. 그러나 아무도 재한을 본 사람은 없다. 수현, 지친 얼굴로
            다시 그 공중전화박스를 하염없이 바라보는...

씬/74-1   D, 현재, 카페 안

            수현의 얘기를 듣고 있는 해영.

해영   ...그 전화가 온 게 2000년.. 11월 24일인가요?
수현   (보는) 그걸 네가 어떻게...
해영   형사님이 그날, 여기서 나한테 편지를 보냈어요. 중요한 증거물이 든
            편지였습니다. 우체국 기록은 1년마다 삭제돼서 누가 보냈는지, 확인
            하진 못했지만... 형사님이었을 거예요.

            디스켓이 들어있는 서류봉투를 수현에게 내미는 해영. 놀라서 굳은 눈
            빛으로 우편물 소인을 확인하는 수현.

수현   ...여기가 맞았어... 선배님은... 분명히 이 근처에 있었던 거야.
해영   16년 전에는 여기 있었겠죠. 하지만, 지금은 아니에요. 이 편지를 왜
            16년 전의 나한테 보냈겠어요. 형사님은 자기가 죽을 거라는 걸 알고

있었던 거예요. 그래서... 이 증거물이라도 남기기 위해, 일말의 희망을 안고 나한테 보낸 겁니다.

수현 ...선배님이 죽었다는 증거는 없어... 조금만 더 근처를 찾아보면, 뭐라도 나올 거야.

해영 나도... 형사님이 살아있기를 바래요. 하지만... 말이 안 되잖아요. 16년이란 시간동안 가족이나 동료에게 연락 한 번 없이 숨어있을 사람이 아니에요. 살아있었다면, 분명히 그 전에 연락을 했을 거예요.

수현 ...그럴만한 이유가 있었을 수도 있어. 너무 많이 다쳐서 의식불명이었을 수도 있고... 아니면 아직도 누군가에게 위협을 느껴서 우릴 위해서 나타나지 않았을 수도 있고...

해영 (안타까운) 형사님...

수현 (자기도 말이 안 되는 걸 알지만, 제발 그랬으면 좋겠다. 감정이 북받치며) 죽었다는 증거는 없어. 그러니까... 살아있을 수도 있어. 살아있을 수도...

해영, 안타까운 눈빛으로 수현을 보고... 수현 역시 눈가가 붉어지며 시선을 힘없이 내리까는데... 그러다가 손에 든 서류봉투의 정현요양원 로고가 적힌 안쪽 면을 바라보는데... 멈칫, 시선이 흔들린다.

수현 ...정현요양원...

해영 ...왜요?

수현, 다급히 주머니에서 핸드폰을 꺼내서 문자를 확인한다. 그러다가 문자 하나를 찾아서 해영에게 보여주는... 해영, 문자 확인하는데, 저장되지 않은 번호로 온 '2월 5일, 정현요양원에 절대 가면 안돼'

수현 (해영을 보며)... 10일 전에 온 문자야. 아까 정신을 차리고 네 전화번호를 찾다가 이 문자를 언뜻 봤을 때, 바뀐 기억이 생각났어. 이 문자를 받고 전국의 정현요양원을 검색해 보기만 하고, 더 조사해 보진 못했어.

해영 (멈칫해서 문자 화면을 바라보는)

수현	이 무전... 선배님, 나, 너... 셋만 알고 있는 무전 내용. 8월 3일... 선일 정신병원...

- 인서트
- 16부 1씬, 컴퓨터 화면에 붙혀진 '8월 3일 선일정신병원'이란 메모를 클로즈업하는 화면. 그런 메모를 가만히 바라보는 재한.

- 다시 카페로 돌아오면, 수현, 떨리는 눈빛으로...

수현	...이런 작은 요양원 같은 경우 주민번호를 가짜로 대더라도 입원이 가능해. 병원비가 체불되지 않는 한, 지문검사도 안하니까 오랜기간, 숨어있었을 수 있어.
해영	하지만 말이 안 됩니다. 형사님은 계속 살인 혐의로 수배가 내려진 상태였어요. 신용카드 한 장 쓸 수 없었을 텐데, 16년 동안, 어떻게 여기 숨어 있을 수 있었겠어요. 누군가, 조력자가 없었다면 불가능합니다.

하다가... 해영, 멈칫하는...

해영	...조력자...
수현	(보는)
해영	...16년 동안... 가족이나 동료에게 연락을 안 했을 리가 없어...

- 인서트
- 16부, 44씬. 시계방에서 테이블을 치우던 재한 父의 손길. 테이블위의 재떨이를 비추는 화면. 재떨이에 타다만 고속버스 티켓. '강원 고속'이란 글씨가 희미하게 보인다.
- 재한을 찾는다는 말에 보일 듯 말 듯 경계심을 표하던 재한 父의 시선.

씬/75   D, 현재, 동장소(오미트)

씬/76   **D, 현재, 해안 도로 일각**

전씬의 두 사람의 모습에서 서서히 눈부시게 푸르른 바다로 오버랩되는
화면. 바다를 끼고 있는 해안도로를 달리고 있는 자동차. 차 안, 운전석
의 수현과 조수석에 앉아서 창밖 푸르른 바다를 바라보며 생각에 잠겨
있는 해영.

해영(소리)   처음부터... 말이 되지 않는 얘기였다. 배터리 없는 무전기에서 무전이
올 때부터... 그러니까... 벌써 실망할 필요는 없다.

씬/77   **D, 현재, 정현요양원 외곽**

정현요양원 건물 앞으로 끼이익, 끼이익 와서 멈춰서는 차량들에서 내
려서는 양복 男들.

씬/78   **D, 정현요양원 병실**

열려진 창문 너머로 보이는 푸르른 바다에서 서서히 화면 이동하면 37
씬, 몽타주에서 잠시 보여졌던 침대 위에 누워있는 누군가의 손. 누워
있다가 천천히 일어나서 앉는 누군가의 실루엣.

씬/79   **D, 현재, 해안도로 일각**

여전히 해안도로를 달리고 있는 자동차. 창밖을 바라보는 해영의 모습
에서

해영(소리)   이 길의 끝에 뭐가 있을지 모른다. 한 번도 만나지 못했지만, 가장 가까
웠던 친구와 만나게 될지... 아니면... 뜻밖의 위험이 우리를 기다리고
있을지... 아무것도 알 수 없다.

- 인서트

- 74-1씬에서 이어지는 카페. 수현에게 얘기하고 있는 해영.

해영 만약 정말 이재한 형사님이 그 문자를 보냈다면... 거기에 가면 위험해요. 알잖아요. 형사님은 8월 3일, 선일정신병원에 갔다가 죽임을 당했어요.

수현 (보는)

해영 형사님은 그 무전기를 계속 갖고 있었어요. 우리와의 무전은 끝났지만, 또 다른 누군가와 무전이 닿았을 수 있습니다. 예전처럼... 미래의 누군가와 무전이 닿았고... 그 미래의 누군가가 2월 5일, 정현요양원에서 위험한 일이 생긴다고 경고를 한 걸 수도 있어요.

수현 ...아니... 반대일 수 있어. 선배님은.. 그 얘길 듣고도 선일정신병원에 갔어. 우리도 그럴 거라고 생각했다면... 그래서 그 메시지를 보냈을 수 있어..

- 다시 해안도로를 달리는 차 안으로 돌아오면, 창밖을 바라보고 있는 해영, 운전을 하고 있는 수현의 모습에서

씬/79- 1 **D, 현재, 정현요양원 건물 안**

건물로 들어서고 있는 양복 男들의 모습. 각 병실 문을 열고 수색하기 시작한다.

씬/79- 2 **D, 현재, 해안도로**

도로를 달리는 차 안, 저 멀리 보이기 시작하는 정현요양원 건물, 더욱 악셀을 밟는 수현, 그리고 건물을 바라보는 해영의 모습에서

해영(소리) 확실한 건 단 하나... 한 사람의 의지로 시작된 무전... 그 무전기 너머의 목소리가 내게 가르쳐준 한 마디... 포기하지 않으면... 된다.

416

정현요양원을 바라보는 해영의 모습에서

- 인서트
- 6부, 84씬.

재한   거기도 그럽니까? 돈 있고 빽 있으면 무슨 개 망나니짓을 해도 잘 먹고
잘살아요? 그래도 20년이 지났는데.. 뭐라도 달라졌겠죠?... 그렇죠?

- 7부, 25씬.

재한   죄를 지었으면 돈이 많건 빽이 있건 거기에 맞는 죗값을 받게 해야죠.
그게 경찰이 해야 되는 일이잖아요.

- 다시 현재, 차 안으로 돌아오면
정현요양원을 바라보는 수현의 모습에서

- 인서트
- 15부, 46씬.

재한   형사는... 한 눈 팔면 안 되는 직업이다.

- 16부, 52씬.

재한   진짜 잘못을 바로잡아야... 과거를 바꾸는 거고... 미래도 바꿀 수 있어.

- 다시 차 안으로 돌아오면,
정현요양원을 향해 달리는 차 안의 두 사람의 모습에서

해영(소리)   포기하지 않는다면... 절대 처벌할 수 없을 것 같던 권력을 무너뜨리는
일도... 16년 동안 그토록 찾아 헤맸던 사람을 만나는 일도... 가능할 수

있다. 포기하지 않는다면... 희망은 있다...

씬/80   **D, 정현요양원 병실**

침대에 앉아있는 누군가의 실루엣에서 다시 이동하는 화면, 창문 옆 테이블을 비추는데, 그곳에 놓여져 있는 무전기. 순간, 치치칙, 잡음과 함께 주파수가 움직이면서 노란 불빛이 들어오면서.

시그널...끝

김은희 대본집

시그널 2
The Signal

초판 1쇄 발행 2016년 11월 01일
초판 4쇄 발행 2017년 08월 04일

지은이 김은희
펴낸이 이금림

편 집 윤군석
디자인 장우리
관 리 한상연

펴낸곳 비단숲
주 소 서울시 마포구 연희로 11, 5층 CS-505호 (동교동, 한국특허정보원빌딩)
전 화 070-4156-0050
팩 스 02-333-1038
등 록 제2016-000288호

ISBN 979-11-959155-2-1
ISBN 979-11-959155-0-7 (세트)